DE LEVENSGEVAARLIJKE REIS VAN HET

BENEDICT
GENOOTSCHAP

Van Trent Stewart verschenen:

De geheime missie van het Benedict Genootschap
De levensgevaarlijke reis van het Benedict Genootschap

Trent Stewart

DE LEVENSGEVAARLIJKE REIS VAN HET
Benedict Genootschap

De Fontein

Voor Fletcher
T.L.S.

Tweede druk, 2008

www.defonteinkinderboeken.nl

Oorspronkelijke titel: *The mysterious Benedict Society and the perilous journey*
Verschenen bij Megan Tingley Books, een onderdeel van Little, Brown and Company
© 2008 Trenton Lee Stewart
Voor deze uitgave:
© 2008 Uitgeverij De Fontein, Baarn
Vertaling: Marce Noordenbos
Omslagafbeelding: Wim Euverman
Omslagontwerp: Hans Gordijn
Grafische verzorging: V3-services, Baarn

ISBN 978 90 261 2474 7
NUR 283

Inhoud

Citroensapbrieven en saaie sleutels

Op een mooie septemberochtend, terwijl de meeste kinderen van zijn leeftijd aan het zwoegen waren op breuken en staartdelingen, liep Rens Muldoorn over een stoffige weg. Rens was een doorsneejongen – zijn haren en ogen hadden een doorsneebruine kleur, zijn benen hadden een doorsneelengte, hij had een doorsneeneus en doorsneeoren – en hij was helemaal alleen. Behalve een valk die hoog boven de weg door de lucht scheerde en een paar veldleeuweriken die zich in de weiden aan weerszijden van de weg hadden verstopt, was er in de wijde omtrek geen levend wezen te bekennen.

Voor een toevallige voorbijganger zou Rens er misschien eenzaam en verlaten uit hebben gezien, en die voorbijganger zou het voor de helft bij het goede eind hebben gehad. Rens vond het in ieder geval een grappige gedachte, want hij had zojuist ontdekt dat zijn huidige situatie uit allemaal halven bestond. Hij was een halve dagreis verwijderd van de buitenwijken van Steenstad waar hij woonde, een halve kilometer van het dichtstbijzijnde stadje, en volgens de man die hem de weg had gewezen had hij nog een halve kilometer te gaan naar zijn bestemming. Het belangrijkste was echter dat hij zijn vrienden een halfjaar niet had gezien.

Rens tuurde tegen de zon in. Een stukje verderop voerde de on-
verharde weg een steile heuvel op, precies zoals de man in de stad had
gezegd. Achter de heuvel zou de boerderij moeten liggen. En op die
boerderij woonde Kat.

Rens ging sneller lopen. Zijn schoenen deden het stof omhoog
dwarrelen. De gedachte dat hij over een paar minuten Kat zou terugzien! En 's avonds Chip! En morgen zouden ze met z'n allen naar
Steenstad rijden, naar Constance, maar dat was ook oké. Zelfs de
herinnering aan Constance met haar beledigende rijmpjes maakte
hem gelukkig. Ze mocht dan een klein, onopgevoed, brutaal genie
in de dop zijn, maar Constance was wel een van zijn weinige echte
vrienden. Het was alsof Constance Contraire, Kat Weeral en Chip
Washington familie waren. Het maakte niet uit dat ze elkaar nog
maar een jaar geleden hadden ontmoet. Ze waren onder heel bijzondere omstandigheden vrienden geworden.

Rens ging over in looppas.

Een paar minuten later stond hij boven op de heuvel met zijn handen op zijn knieën te hijgen als een jonge hond. Hij moest om zichzelf lachen. Hij was tenslotte Kat niet, die waarschijnlijk de hele weg
vanaf de stad zonder te zweten hollend had afgelegd. (En misschien
zelfs op haar handen.) Rens' sterke punten lagen niet op het fysieke
vlak: in dat opzicht was hij ook doorsnee.

Terwijl hij zich het zweet van zijn voorhoofd wiste en langzaam
maar zeker op adem kwam, nam hij de boerderij die voor hem lag in
zich op.

Dus dit was waar Kat woonde: een bescheiden boerderij met een
stal, beide in vrolijke kleuren geschilderd, een omheind stuk land
waar schapen en geiten graasden, en daarachter de glooiende velden.
Op het erf stond een oude vrachtwagen. Er moest nog een hoop aan
de boerderij gebeuren, had Kat in een van haar brieven geschreven.
En dat was ongeveer alles geweest wat ze had geschreven. Haar brieven waren nooit wat je zegt uitvoerig geweest, maar wel vrolijk. Ei-

genlijk té vrolijk: soms bekroop Rens het gevoel dat hij de enige was die zijn vrienden miste.

Net toen Rens de heuvel af liep, klonk er een bel tussen de gebouwen in de verte. In de hoop Kat te ontdekken, speurde hij de omgeving af, maar hij zag alleen de schapen en de geiten die door het hek de velden op drentelden. Verrast bleef Rens staan. Hij had durven zweren dat de laatste geit zich omdraaide om het hek met zijn neus achter zich dicht te duwen.

Rens fronste. Die welopgevoede geit was niet de eerste vreemde gebeurtenis van die ochtend. Het herinnerde hem aan iets anders, iets ongewoons wat hem door alle opwinding was ontschoten. Rens hield een hand boven zijn ogen en keek omhoog. Daar, niet ver boven zijn hoofd, zweefde traag cirkelend de valk die hem al eerder was opgevallen. Hij kon net de tekening van de kop onderscheiden. Het was alsof het dier een zwart kapje droeg en lange zwarte bakkebaarden had. Rens pretendeerde niet dat hij veel van vogels afwist (hoewel hij er meer van afwist dan de meeste mensen), maar hij wist wel dat dit een slechtvalk was. En in dit gebied, in deze tijd van het jaar, waren slechtvalken heel zeldzaam.

Rens grinnikte en haastte zich de heuvel af naar de boerderij. Er was iets raars aan de hand en hij popelde van ongeduld om erachter te komen wat het was.

Hij bereikte eerst de stal, en dus stak Rens zijn hoofd door de openstaande deuren om te kijken of Kat daar was. Het duurde even voordat zijn ogen aan het schemerlicht in de stal gewend waren, maar toen zag hij een meer dan welkom tafereel: de bekende blonde paardenstaart, de brede schouders, het vuurrode emmertje... Hij had Kat gevonden, geen twijfel mogelijk.

Kat stond met haar rug naar hem toe, haar handen op de heupen, en keek naar de achterwand van de stal. Rens overwoog haar te besluipen, maar verwierp het plan onmiddellijk. Je kon Kat maar beter niet besluipen, en daarbij wilde hij haar niet storen. Ze stond

9

nog steeds roerloos naar de achterwand te staren. Misschien concentreerde ze zich op een bepaald gevoel of dacht ze na over een handig nieuw apparaat voor in haar emmertje.

Plotseling klapte Kat dubbel en begon te hoesten. En toen te proesten. En toen afschuwelijke kokhalzende geluiden te maken. Het leek alsof ze stikte. Rens wilde Kat net te hulp snellen, toen ze een gefrustreerde kreet slaakte en met haar voet stampte. 'Niet weer!' brieste ze, terwijl ze overeind kwam. Toen draaide ze zich om en zag Rens in de deuropening staan.

'Ik heb geen idee wat dat te betekenen had,' zei Rens, 'maar ik heb het vermoeden dat ik het grappig ga vinden.'

'Rens!'

Kat holde op hem af en haar blauwe ogen straalden. Rens opende zijn armen wijd... en had er onmiddellijk spijt van. Kats verwelkoming leek meer op een rugbytackle dan op een omhelzing en ze tuimelden samen achterover. De klap perste alle lucht uit Rens' longen.

'Ben je nu net aangekomen?' vroeg Kat opgewonden, terwijl ze op haar knieën ging zitten. 'Waar zijn mevrouw Perumal en haar moeder? En waar bleef je? Je zou toch gisteren komen? Ik heb je brief er nog eens op nagelezen.'

Rens probeerde dapper te glimlachen, maar hij moest nog bijkomen van de klap. Zijn lippen bewogen geluidloos open en dicht als een vis op het droge.

'Nee maar, Rens, je bent sprakeloos!' zei Kat lachend. Ze trok hem overeind en begon hem ruw af te borstelen. 'Ik weet het, ik ben ook opgewonden. En niet alleen over meneer Benedicts grote verrassing. Ik vind het geweldig om jullie weer te zien! Je weet niet half hoe teleurgesteld ik was toen je gisteravond niet kwam opdagen.'

Rens was weer op adem gekomen en hij bracht zichzelf in veiligheid voor Kats goedbedoelde opdoffers. 'Je was niet de enige. De auto ging stuk en we moesten hem terug laten slepen. We hebben in een motel geslapen.'

'Het motel in de stad?' riep Kat uit. 'Als we dat hadden geweten! We hadden jullie met de vrachtwagen kunnen ophalen.'

'Sorry, ik had wel willen bellen, maar aangezien jullie geen telefoon –'

'Die Molenweer ook met zijn regeltjes! Je weet dat ik van hem hou, maar een van de dingen waarover hij zijn poot stijf houdt...'

'Hoe dan ook,' zei Rens lachend. 'Ik kon niet meer wachten totdat de auto klaar was. Ik kreeg toestemming van Amma' – zo noemde Rens mevrouw Perumal, zijn vroegere lerares die hem had geadopteerd – 'om alvast te gaan en de monteur heeft me verteld hoe ik moest lopen. Amma en Pati komen eraan zodra de auto het weer doet.'

Kat pakte Rens bij zijn arm beet. Haar gezicht stond zorgelijk (wat voor Kat ongebruikelijk was). 'Is die auto wel groot genoeg voor ons drieën? Ik bedoel samen met mevrouw Perumal en haar moeder en alle bagage? Chips ouders komen ook en zij hebben maar een klein autootje. Ik moet er niet aan denken dat een van ons zes uur lang van de andere twee gescheiden is, niet nu we elkaar een halfjaar niet hebben gezien!'

'We hebben een stationwagen gehuurd. Er is ruimte zat. Maar luister,' zei Rens. Hij tilde een hand op om Kat, die alweer verder wilde praten, het zwijgen op te leggen. 'Voordat we te ver van het onderwerp afdwalen, wat was je daarnet aan het doen? De laatste keer dat ik zo'n geluid hoorde was de kat in het weeshuis een haarbal aan het uitkotsen.'

'O, dat,' antwoordde Kat schouderophalend. 'Ik ben mezelf aan het leren om dingen in te slikken en weer uit te kotsen, maar het is moeilijker dan ik dacht.' Toen ze de afschuw op Rens' gezicht zag, legde ze snel uit: 'Het is een oude truc van boeienkoningen en zo. Houdini en dat soort mensen konden het allemaal. Ze slikten een loper of zoiets in en later werkten ze die met hun keelspieren weer naar buiten. Je hoort te oefenen met een touwtje aan het ding dat

11

je inslikt, zodat je het weer naar buiten kunt trekken. In het begin deed ik dat ook, maar na een tijdje dacht ik dat ik het wel zonder kon. Maar tot nu toe zonder succes.'

'Ik had dus gelijk,' zei Rens. 'Het is echt grappig. Maar is het niet gevaarlijk?'

Kat klemde haar lippen op elkaar en dacht erover na, blijkbaar voor het eerst. Ze was niet iemand die zich veel zorgen maakte over gevaar. 'Ik denk dat er wel veiligere dingen op de wereld zijn,' gaf ze toe. 'Jij kunt het maar beter niet proberen,' voegde ze er met een ernstige uitdrukking op haar gezicht aan toe.

Rens lachte (want voor geen goud zou hij zoiets doen). Toen trok hij zijn gezicht in een even ernstige plooi en zei: 'Oké, Kat, ik beloof je dat ik nooit een – wat was het eigenlijk dat je had ingeslikt?'

Kat sloeg haar ogen ten hemel en wuifde de vraag weg. 'Ik wil het er niet over hebben.'

'En, hé, wat gebeurt er nu mee?' drong Rens aan, terwijl de afschuw op zijn gezicht terugkeerde. 'Ik bedoel, aangezien je het niet hebt kunnen – ?'

'Ik wil het er niet over hebben,' zei Kat gedecideerd.

Ze hadden trouwens genoeg andere dingen om het over te hebben. Kat wilde Rens de hele boerderij laten zien en ze wilde dolgraag weten wat hij van de grote verrassing van meneer Benedict dacht. Het was precies een jaar geleden dat meneer Benedict hen vieren had geronseld voor een belangrijke missie – een missie die alleen door heel speciale kinderen tot een goed eind kon worden gebracht – en nu, op de verjaardag van hun eerste ontmoeting, had hij een reünie georganiseerd in zijn huis in Steenstad. In een van zijn brieven had hij een toelichting gegeven: 'Hier wacht jullie een verrassing waarmee ik naar ik hoop eenieder van jullie een genoegen doe. Een verrassing die, zij het verre van toereikend om mijn dankbaarheid tot uiting te brengen, laat staan mijn diepe en niet aflatende genegenheid, mij toch voorkomt als gepast...' En zo was hij nog een tijdje doorgegaan, over zijn waardering voor de unieke kwaliteiten van de kinderen en zijn grote wens om hen allen weer te zien. Kat had de brief vluchtig doorgelezen en hem weer weggelegd. Rens had hem meerdere keren gelezen en de inhoud in zijn hoofd geprent.

'Heb je het hele ding uit je hoofd geleerd?' vroeg Kat, terwijl ze Rens voorging op de ladder naar de hooizolder. 'Je begint op Chip te lijken.'

'Chip zou hem maar één keer hoeven lezen,' zei Rens, wat helemaal waar was, maar hij wilde vooral de aandacht van zichzelf afleiden. Om eerlijk te zijn had hij het afgelopen halfjaar elke brief uit zijn hoofd geleerd: niet alleen die van meneer Benedict, maar ook de opgewekte berichtjes die Kat hem had gestuurd, de enigszins saaie maar gedetailleerde verslagen van Chip, en zelfs de grillige dichtsels die Constance hem had opgestuurd, vergezeld van een bizarre verzameling knopen, stofvlokken en vodjes papier waar ze tijdens het zoeken naar een postzegel haar oog op had laten vallen. Rens voelde zich meer dan schaapachtig dat hij zich zo had vastgeklampt aan hun woorden, terwijl zij nooit hadden laten merken dat ze hem misten.

'Over Chip gesproken,' zei Kat, terwijl ze Rens door het trapgat de hooizolder op hees. 'Heb je de laatste tijd nog iets van hem gehoord? Hij zei dat hij jou vaker schrijft dan mij. Hij zei dat jij tenminste de moeite neemt op zijn vragen te antwoorden, in tegenstelling tot sommige andere van zijn vrienden. Ik denk dat hij niet helemaal snapt in wat voor situatie ik me bevind. Dit is trouwens de hooizolder.'

Rens keek om zich heen. De hooizolder zag eruit als elke hooizolder die hij ooit had gezien, maar Kat leek er erg trots op te zijn. Dus knikte hij waarderend voordat hij vroeg: 'Wat begrijpt Chip niet? Over jouw situatie, bedoel ik.'

'Nou, om te beginnen,' zei Kat, terwijl ze de deur van de hooizolder opengooide, zodat ze uitkeken op de omheining waarachter de schapen en de geiten liepen. 'Ik heb het vreselijk druk gehad, met school en proberen de boerderij weer op poten te krijgen. Zoals je weet is Molenweer vaak op een missie en dan moet ik bijspringen.' Rens wist het. Molenweer was Kats vader. Hij was ook geheim agent. Die twee feiten waren echter nog maar pas aan het licht gekomen. Toen Kat nog een peuter was, werd Molenweer tijdens een missie gevangengenomen. Hij had zijn geheugen verloren en was niet meer teruggekeerd. Aangezien haar moeder dood was en haar vader haar had verlaten (zoals iedereen had gedacht), moest Kat naar een weeshuis, dat ze na verloop van tijd verruilde voor het circus. Molenweer had aan zijn vijanden weten te ontsnappen en was voor meneer Benedict gaan werken. Pas toen ze bij elkaar waren gebracht bij meneer Benedict, nu precies een jaar geleden, hadden Kat en Molenweer de waarheid ontdekt.

'De boerderij was helemaal vervallen,' vertelde Kat. 'Er is genoeg werk om de hele dag bezig te zijn. Niet dat ik iets tegen werken heb. Ik vind het lastiger om stil te zitten en een echte brief te schrijven. Maar dat zou Chip toch moeten weten?'

'Ik denk het wel,' beaamde Rens. Hij liep naar de open deur en zag dat Kat iets uit haar emmertje haalde (dat tegenwoordig een deksel had, zag Rens) en het tussen haar lippen klemde. Het was een fluitje. Ze stak haar hand weer in haar emmertje.

'Het grootste probleem met brieven schrijven,' vervolgde Kat om het fluitje heen pratend, terwijl ze een leren handschoen uit het emmertje haalde, 'is dat de overheid al mijn brieven leest. De dochter van een geheim topagent, snap je. Ze willen er zeker van zijn dat ik geen geheimen prijsgeef. Het is al erg genoeg dat onze missie moest worden stilgehouden – we hadden eigenlijk beroemd moeten zijn – maar dat ik zelfs mijn beste vrienden geen brieven mag schrijven? Schandalig!'

Kat zette haar verontwaardiging kracht bij door diep in te ademen en uit volle macht op het fluitje te blazen, dat een ijle fluittoon liet horen, als een fluitketel.

'Is dat wat ik denk dat het is?' vroeg Rens.

'Vast,' zei Kat, 'want jij hebt bijna altijd gelijk. Maar, zeg nou eens eerlijk, vind je het niet flauw dat Chip mij ervan beschuldigt dat ik te weinig schrijf?'

Rens besloot zijn hart te luchten. 'Eerlijk gezegd dacht ik ongeveer hetzelfde, niet alleen over jouw brieven, maar over alle brieven. Niemand schreef iets over dat hij... nou ja... Ik begon te denken dat ik de enige was die... je weet wel...'

Kat keek hem van opzij aan. 'Reinard Muldoorn! Ik had nooit gedacht dat jij...' Ze schudde haar hoofd. 'Niet iedereen schrijft zo makkelijk als jij, Rens. Je hebt geen idee hoe erg ik jullie heb gemist! Zelfs Constance!'

Rens grinnikte. Het was precies zoals hij had gehoopt. Vijf minuten bij Kat en hij voelde zich honderd keer beter.

'Ah, daar is ze!' zei Kat en ze strekte haar arm voor zich uit. Een moment later daalde er een wervelwind van veren en vleugels op hen neer. Rens deinsde achteruit. De valk was op Kats dikke leren handschoen geland en keek hen om beurten aan.

'Rens, mag ik je even voorstellen? Dit is Maatje.'

'Maatje?'

'Eigenlijk heet ze Majesteit, of voluit Hare Majesteit de Koningin. Omdat ze de koningin der vogels is.'

'Goh,' zei Rens. 'Natuurlijk. De koningin der vogels.'

'Kijk me niet zo aan! Er is niks mis met die naam. Het is een prima naam, hè, Maatje?' Kat gaf de valk een stukje vlees uit het zakje in haar emmer. 'Ik heb haar van Molenweer gekregen voor mijn verjaardag – ik heb alleen maar elke dag hoeven zeuren – en ik heb haar getraind. Ze is heel slim.' Kat liet haar stem dalen, alsof Maatje, die alweer als een pijl uit een boog was opgestegen, het anders zou kunnen horen. 'En dat komt niet vaak voor bij roofvogels. Maar dat vertel ik haar natuurlijk niet.'

Rens keek naar de vogel, die over de gebouwen scheerde.

'Maar je ging me over Chip vertellen. Heb je onlangs nog iets van hem gehoord?'

Rens haalde een stapeltje opgevouwen papieren uit zijn zak. 'Een paar dagen geleden heeft hij me dit gestuurd. Het is een verslag van onze missie, voor het nageslacht, zegt hij, voor het geval de geheimhouding ooit wordt opgeheven. Ik mocht het jou laten lezen. Hij wil weten wat je ervan vindt.'

'Je bedoelt dat hij alles heeft opgeschreven, als een verhaal?'

'Zoiets, ja.' Rens vouwde het stapeltje papieren open en gaf ze aan Kat, die onmiddellijk in het hooi ging zitten lezen. Het waren vijf vellen, die aan beide zijden in een priegelig handschrift waren volgeschreven. Alleen de titel was al net zo lang als een van Kats brieven:

Hoe het Geheime Benedict Genootschap de Afschuwelijke Hersenveegmachine, ook wel de Fluisteraar genaamd, heeft verslagen (samen met zijn uitvinder, de heer Nirdat Gordijn, die de uit het oog verloren identieke tweelingbroer bleek te zijn van meneer Nicolaas Benedict, naar wie het Genootschap is vernoemd): Een persoonlijk verslag.

'Goeie genade!' riep Kat uit.

'De titel?'

Kat knikte en ging verder met lezen.

Voor het geval dat u, lezer, niet op de hoogte bent van meneer Gordijns snode plannen om met behulp van het ingrijpende effect van zijn Fluisteraar op de menselijke geest een machtig wereldleider te worden, zal dit verslag u daarover informeren.

Het verslag begint met het formeren van het Geheime Benedict Genootschap. Aan de hand van een aantal tests werd bepaald dat George Chip Washington (de auteur van dit ver-

slag), Reinard Muldoorn (wiens volledige naam, aangezien hij is geadopteerd, tegenwoordig Reinard Muldoorn Perumal is), Kat Weeral en Constance Contraire over voldoende vaardigheden beschikten om toe te treden tot Het Instituut, meneer Gordijns school voor hoogbegaafde leerlingen, en dienst te doen als geheim agenten voor meneer Benedict. Op het voornoemde instituut ontdekten de kinderen tal van verontrustende zaken. Ze ontmantelden de Fluisteraar, maar helaas konden meneer Gordijn en zijn naaste medewerkers (zijn stafleden, zoals ze werden genoemd) ontsnappen. Maar ik zie dat ik reeds bij de ontknoping van mijn relaas ben beland. Sta mij toe terug te keren naar het begin en de gebeurtenissen op passende wijze te verslaan...

En zo ging Chip maar door met uitwijdingen en cirkelbewegingen, in een poging een zo nauwkeurig mogelijke samenvatting van hun avonturen te geven. Hij had bijvoorbeeld een hele alinea gewijd aan de oorsprong van het woord 'angst', een andere alinea ging over het opmerkelijke gevoel van isolement dat je op een eiland kan overvallen (maar niet op een schiereiland) en in weer een andere alinea ging hij in op het gebruik van strenge straffen in het onderwijs. Tegen de tijd dat Kat bij bladzijde twee was aangekomen, was al haar enthousiasme verdwenen. Met een zucht bladerde ze naar de laatste bladzij en las de laatste zin:

En dat is het eind van dit verslag.

Ze keek Rens aan. 'Is de rest ook zo... eh... zoals de eerste bladzij?'
   'Ik ben bang van wel.'
   'Maar hoe kan iemand het opwindendste, gevaarlijkste, belangrijkste dat er ooit in zijn leven is gebeurd zo... zo...'
   'Zo saai maken?' opperde Rens.

Kat viel achterover in het hooi en begon te giechelen. 'Ik kan niet wachten om hem weer te zien!'

'Pak hem niet te hard aan. Hij kruipt dan misschien wel uit zijn schulp, maar hij is nog steeds heel gevoelig, hoor.'

'Ik zal hem eerst omhelzen voordat ik hem ga pesten,' zei Kat. Ze sprong overeind. 'Zeg je niets over mijn emmertje?'

'Dat wilde ik net doen,' zei Rens. 'Je hebt er iets aan veranderd, zie ik.'

Kat liet hem trots het deksel zien, dat soepel scharnierde maar stevig over de bovenkant sloot, zodat er geen dingen uit konden vallen zoals in het verleden wel eens was gebeurd. Ook had ze een aantal zakjes in het emmertje bevestigd, die met drukkers en lusjes en ritsen waren dichtgemaakt om alles netjes op zijn plek te houden. Het touw lag net als eerst opgerold op de bodem.

'Indrukwekkend,' zei Rens, terwijl hij het verborgen hendeltje bestudeerde waarmee het deksel opensprong.

Kat straalde. 'Dat deksel is een ontwerp van Molenweer. Hij zei dat een heupgordel handiger was dan een emmertje, maar toen zei ik dat je op een gordel niet kon gaan staan om ergens bij te kunnen –'

'En je kunt hem niet met water gevuld op je belagers laten vallen,' vulde Rens aan, want hij zag weer voor zich hoe Kat op die manier was ontsnapt aan Jenne en Jutte, de twee meest gewetenloze stafleden van meneer Gordijn.

'Precies! En Molenweer was het met me eens en dus heeft hij me geholpen enkele verbeteringen aan te brengen'

'En wat heb je er tegenwoordig allemaal in zitten? Ik bedoel, afgezien van hapjes en fluitjes voor je valk?'

Kat liet Rens zien wat er in de zakjes zat. Gelukkig had Molenweer een paar dingen die ze op het Instituut had moeten achterlaten teruggevonden, zoals haar telescoop (die was vermomd als caleidoscoop), haar Zwitserse zakmes, haar hoefijzervormige magneet en haar zaklantaarn. Sommige dingen die ze was kwijtgeraakt of die stuk waren gegaan had ze vervangen, zoals de slinger met de knikkers, het visgaren, de superlijm en haar staaflampje. Onlangs had ze er een penseel en een flesje citroensap aan toegevoegd.

'Ik moest wachten tot ik het je persoonlijk kon vertellen,' zei ze met een ondeugende grijns op haar gezicht. 'Je kent die truc met citroensap, toch? Vanaf nu ga ik geheime berichten in mijn brieven zetten, zonder dat die bemoeials van de overheid het in de gaten hebben. Om mijn berichten te kunnen lezen hoef je de brief alleen maar boven een kaars te houden.'

Rens grinnikte. Hij kende de truc, maar hij had nooit een reden gehad om hem toe te passen. 'En wat zit er in dat laatste zakje?' vroeg hij, terwijl hij op het enige nog ongeopende zakje wees.

'O, niets bijzonders,' antwoordde Kat onverschillig. Ze haalde een bos met meer dan twintig sleutels tevoorschijn, in alle soorten en maten. 'Sleutels van het huis, van de vrachtwagen, van de stal, van het kippenhok, van alle poorten en schuurtjes en kasten, noem maar op. Molenweer gelooft in beveiliging.' Ze zuchtte en stopte de sleutels terug.

'Wat is er?' vroeg Rens.

'Niets,' zei Kat. 'Niets belangrijks, tenminste, en dat is precies het probleem, denk ik. Ik vind het heerlijk op de boerderij en ik ben heel blij dat ik hier woon. Alleen is het soms een beetje saai. Na die opwindende tijd en al die belangrijke dingen die we hebben gedaan... Sindsdien lijkt alles nogal gewoon. We waren geheim agenten, Rens!' Kats ogen lichtten op de bekende manier op. Toen lachte ze. 'Het is niet erg opwindend om de sleutel van de voorraadkelder te beheren. Dat is alles.'

'Ik snap wat je bedoelt,' zei Rens. 'Ik ben heel blij dat mevrouw Perumal me heeft geadopteerd, maar ik ben wel de hele tijd rusteloos, alsof ik iets belangrijks moet doen maar niet weet wat.'

'Echt?' Ze keken elkaar zwijgend aan. In die blik lag alles wat ze samen hadden meegemaakt: de gevaren, de ontberingen en de triomfen van hun missie, maar ook de wetenschap dat ze dingen over de wereld wisten die geen mens wist, dingen die ze met niemand anders konden delen.

'Ik denk dat het niet anders kan,' zei Kat ten slotte. Ze gingen de trap weer af.

Misschien, dacht Rens. Hij was in ieder geval blij dat hij bij zijn vrienden kon zijn zonder dat dat betekende dat ze zich in het gevaar hoefden te storten. Want wie had er nu behoefte aan gevaar? Rens in elk geval niet!

Maar of Rens er nu behoefte aan had of niet, het gevaar lag al op hem en zijn vrienden te wachten.

En het zou niet lang meer hoeven te wachten.

De misgelopen waarschuwing

De rest van de ochtend deden Kat en Rens allerlei klusjes. Het was leuk werk, vooral omdat ze de hele tijd met elkaar konden praten. Onder het appels plukken vertelde Kat over het afgelopen schooljaar (met de lessen had ze geen moeite, maar de hele dag zitten was lastiger). Tijdens het vullen van de drinkbakken beschreef ze de vervallen staat waarin Molenweer en zij de oude boerderij bij hun terugkeer hadden aangetroffen. En terwijl ze het hek van de schapenweide olieden, vertelde ze dat Molenweer soms in het holst van de nacht terugkwam van een missie, haar wakker maakte en dan uren met haar praatte.

'Wat ik niet erg vind,' zei ze, terwijl ze controleerde of het hek soepel en geluidloos open- en dichtging.

Ze wierp Rens een sluwe blik toe. 'Hij vertelt me allerlei topgeheimen.'

Rens trok zijn wenkbrauwen op. 'Zoals?'

'We kunnen beter wachten totdat Chip er is,' zei Kat. Ze aarzelde een moment en voegde er met weerzin aan toe: 'En misschien moeten we ook maar op Constance wachten.'

'Vertel me dan ten minste van wie je geleerd hebt hoe je een valk moet africhten.'

'O, dat was in het circus. Daar was een dierentrainer die me van alles heeft geleerd. Ik heb de boerderijdieren ook een paar dingen geleerd. Molenweer is vaak weg en dus kunnen we wat hulp goed gebruiken. Je kunt maar beter profiteren van wat je weet, nietwaar?'

'Gelijk heb je,' zei Rens. 'Je hebt de schapen dus geleerd zelf het hek te openen en te sluiten.'

'Heb je dat gezien?' vroeg Kat verheugd. 'Ze luisteren naar de bel van Mucho.' Ze wees naar de boomgaard. 'Nu we het toch over Mucho hebben, daar is hij. Hé, Mucho! Rens is er!'

Kat had het in haar brieven al over Mucho Brazos gehad. Ze had geschreven dat Molenweer iemand voor op de boerderij zocht, voor het werk en om een oogje op haar te houden wanneer hij op een missie was. Kat had hem overgehaald een van haar oude circusvrienden in te huren. Maar nu de getaande figuur van Mucho Brazos tussen de appelbomen tevoorschijn kwam, zag Rens dat Kat een paar dingen had verzwegen. Ze hoefde echter niets meer te zeggen, want Mucho's enorme spierbundels, achterovergekamde haren en hangsnor spraken boekdelen: hij was de sterke man van het circus geweest.

Mucho droeg de mand met appels die Rens en Kat die ochtend hadden geplukt en aan het eind van de boomgaard hadden achtergelaten. Rens had begrepen dat ze met de truck zouden worden opgehaald, want hij kon zich niet voorstellen dat iemand zo'n zware mand kon dragen. Maar op Mucho's schouder leek de mand niet zwaarder dan een schaaltje kersen.

'Dus jij bent de grote Rens Muldoorn,' zei Mucho toen hij bij hen was. 'Ik heb veel over je gehoord.' Zijn zachte, zangerige stem was minstens zo verrassend als zijn kleren: slippers, een overall en een bloemetjesschort. Hij zette de mand met appels op de grond en gaf Rens een hand. 'Leuk je te ontmoeten.'

'Heb je je verslapen, Mucho?' vroeg Kat.

'Tja,' zei Mucho en hij gaapte uitgebreid. 'Het was gisteren nogal laat.'

'Maatje en ik waren laat. Jíj bent om negen uur naar bed gegaan.'

'En zoals je weet is dat voor mij vér voorbij bedtijd,' zei Mucho. 'Dus geen grote mond, jongedame, tenzij je vanavond liever geen appeltaart wil.'

Kat bond onmiddellijk in en vertelde Mucho over de auto in de garage. Mucho bood aan om mevrouw Perumal en haar moeder met de vrachtwagen op te halen, maar Rens zei dat de auto voor de lunch gerepareerd zou zijn. Ze konden dus elk ogenblik arriveren.

'Als ze er met de lunch nog niet zijn, ga ik ze halen,' zei Mucho en hij slingerde de mand weer op zijn schouder. 'We kunnen ze niet in de stad laten lunchen: het eten is daar vreselijk.' Hij liep naar de boerderij.

Rens keek hem na, verbijsterd over het gemak waarmee hij de mand droeg. 'Ik snap best waarom je Molenweer hebt gevraagd hem in te huren. Hij werkt vast voor tien.'

'Reken maar,' zei Kat. Ze grinnikte. 'En wacht maar tot je zijn taarten hebt geproefd. Dan weet je de werkelijke reden.'

Rond het middaguur zaten Rens en Kat op het dak van de boerderij. Ze hadden een dakpan vervangen en de windhaan rechtgezet. Daarna hadden ze de omgeving verkend. Vanaf die hoogte was het zicht uitstekend en Kat wees Rens de watermolen waar ze als kind met Molenweer had gezwommen. Toen trok een zwak geluid hun aandacht. Ze draaiden zich om en zagen in de verte een stofwolkje boven de weg.

'Dat moeten Amma en Pati zijn,' zei Rens.

Maar Kat had haar telescoop op het stofwolkje gericht en ze hapte naar adem. 'Ze zijn het allemaal, Rens!' riep ze uit. 'Chip ook!'

Rens pakte de telescoop van haar aan – Kat duwde die zo hard in zijn handen dat hij bijna van het dak viel – en inderdaad. Over de stoffige weg zag hij de stationwagen van mevrouw Perumal komen aanrijden, gevolgd door een oude personenauto. De familie Washington was er eerder dan verwacht.

Kat klauterde behendig naar de rand van het dak, greep de ladder beet en liet zich als een brandweerman omlaag glijden zonder de sporten aan te raken. Tegen de tijd dat Rens op de meer gebruikelijke manier omlaag was gekomen, stond het erf vol auto's. De Perumals en de Washingtons waren met Mucho Brazos aan het praten (die naar buiten was gekomen om hen te begroeten) en Kat hielp Chip overeind en borstelde hem af.

Chip zag er precies zo uit als een jaar geleden: een mager jongetje met een lichtbruine huid, angstige ogen (maar die angst kwam nu misschien doordat hij nog niet op adem was gekomen) en een volkomen kaal hoofd: en dát verraste Rens. De laatste keer dat Rens hem had gezien, was Chips haar weer helemaal aangegroeid. Daarna was het blijkbaar weer verdwenen. Zijn bril was ook verdwenen, maar die lag een eindje verderop op de grond, waar hij tijdens Kats omhelzing was neergekomen.

Met zijn handen tegen zijn ribben gedrukt, wierp Chip Rens een zwak glimlachje toe. Toen begonnen de twee jongens te lachen en ze sloegen elkaar op de schouders.

De volwassenen om hen heen waren druk in gesprek over een kapotte carburator en flink kunnen doorrijden op de grote weg en elkaar toevallig tegenkomen in de stad. Meneer Washington haalde de rolstoel van zijn vrouw uit de kofferbak; ze had slechte knieën, maar deed toch een paar pijnlijke stappen om Rens en Kat te omhelzen.

'Jullie zien er jaren ouder uit,' zei ze gekweld, alsof ze de gedachte niet kon verdragen. Meneer Washington reed de rolstoel naar haar toe. Ze liet zich erin zakken en bette haar betraande ogen. Meneer Washington, een grotere versie van Chip, was niet iemand van veel woorden, maar hij glimlachte breed en begroette de kinderen met een gereserveerd klopje op hun schouder.

Ondertussen had mevrouw Perumal, met haar armen beschermend voor haar ribben gekruist, zich door Kat laten omhelzen. 'Wat zie je er goed uit, meisje. En ik zie dat je een deksel op je emmertje hebt gemaakt! Wat slim!'

Kat straalde – ze was altijd gevleid als iemand een compliment over haar emmertje maakte – en de enige reden om mevrouw Perumal niet onmiddellijk de hele inhoud van haar emmertje te tonen, was dat ze er zo snel mogelijk tussenuit wilde knijpen om rustig met de jongens te kunnen praten. Dus toen mevrouw Perumal hun na de lunch eindelijk te kennen gaf dat ze moesten ophoepelen zodat de volwassenen het een en ander konden bespreken, stoven ze de deur uit.

Toen ze in de boomgaard waren aangekomen, keek Chip wantrouwend achterom naar de boerderij. 'Wat zouden ze met elkaar willen bespreken?'

'Meneer Benedicts verrassing,' zei Rens. 'Ze zitten in het complot.'

'Echt? Dus daarom zaten mijn ouders steeds te fluisteren. Ik dacht dat het erover ging dat mijn moeder ook wilde gaan werken. Ze weten dat ik er vierkant tegen ben. Ik ga nog liever weer meespelen in een quiz, maar daar zijn zíj weer vierkant tegen.'

Rens had uit Chips brieven begrepen dat diens vader al twee banen had. Door de ongelukkige gebeurtenissen die hadden geresulteerd in het avontuur van vorig jaar, was hun financiële situatie allesbehalve rooskleurig. Vanwege zijn wonderbaarlijke geheugen en leesvaardigheid was Chip een onovertroffen quizkampioen geworden. Hij had alleen ernstig geleden onder de druk van zijn ouders om fortuin te maken, en uiteindelijk was hij van huis weggelopen. Zijn ouders hadden al het geld gebruikt – en hadden zich zelfs diep in de schulden gestoken – om Chip op te sporen en bij hen terug te krijgen. Sindsdien stonden ze wantrouwend tegenover de verlokkingen van geld en weigerden ze koppig Chip bloot te stellen aan enige vorm van stress. ('Ze kunnen er zelfs niet tegen als ik het over onze tijd op het Instituut heb,' had Chip geschreven. 'Alleen al de gedáchte dat ik gevaar heb gelopen doet ze sidderen.') En dus bleef de familie Washington arm.

'Hoe weet je dat zij op de hoogte zijn van de verrassing?' vroeg Chip, toen ze zich in de schaduw van een appelboom hadden geïnstalleerd.

'Amma kreeg een brief van meneer Benedict,' zei Rens. 'Ik zag hem op haar toilettafel liggen, maar ze zei er niets over. Later hoorde ik haar met Pati praten, die nogal hardhorend is. Ik hoorde niet genoeg om te weten waar het over ging, maar ik had wel door dat zij iets wisten wat ik niet wist. Niet lang daarna kreeg ik zelf een brief van meneer Benedict – de brief die we allemaal hebben gekregen – en toen wist ik dat er goed nieuws aan zat te komen.'

'Natuurlijk is het goed nieuws! Hoe kan het nou niet goed zijn?' zei Kat en ze leunde met een tevreden glimlach achterover op haar ellebogen. 'Het ís al goed. We zijn toch samen? En morgen zien we meneer Benedict!'

'En Ronda en Nummer Twee, niet te vergeten,' zei Rens, doelend op de twee briljante assistenten van meneer Benedict (en tevens zijn geadopteerde dochters, hoewel maar weinig mensen dat wisten). 'Ik kijk er heel erg naar uit om ze weer te zien.'

'Ik ook!' zei Chip, en hij voegde er iets gematigder aan toe: 'En, eh... Constance ook, natuurlijk. En hoe zit het met Molenweer, Kat? Tijdens de lunch zei je dat we hem bij meneer Benedict zouden ontmoeten, maar had hij niet hier zullen zijn?'

'Dat was het plan, maar toen moest hij op een missie.'

'Wat voor missie?' vroegen Rens en Chip tegelijkertijd.

Kat haalde haar schouders op. 'Geen idee. Hij vertelt het me altijd pas achteraf. Ik zoek elke dag in de krant naar aanwijzingen – het lijkt me geweldig als ik hem kan vertellen dat ik weet wat hij heeft uitgespookt – maar ik vind nooit iets.'

'Dus je zorgt wél dat je op de hoogte blijft,' zei Chip. 'Dat vroeg ik je in mijn laatste brief, maar je hebt nooit geantwoord.' Het klonk licht verwijtend, maar Kat negeerde het, of het ging volledig langs haar heen.

'Natuurlijk blijf ik op de hoogte! Maar ik ben niet zoals jij, Chip. Ik kan niet elke ochtend tien kranten lezen, waarvan de helft in een andere taal. Ik lees alleen maar de *Steenstadter Courant*. Hoezo? Heb je iets verdachts gelezen?'

Chip gromde. 'Was dat maar zo. En jij, Rens?'

Een buitenstaander had zich misschien verbaasd over deze conversatie (het komt niet vaak voor dat kinderen de inhoud van kranten bespreken, laat staan dat ze vragen of de anderen iets verdachts hebben gezien), maar voor Rens en zijn vrienden was dit volkomen normaal. Ze waren het al gewend om kranten te lezen – het was zelfs dankzij een advertentie in de krant dat ze met meneer Benedict in contact waren gekomen – en sinds hun geheime missie lazen ze de koppen nog aandachtiger. Er was niet veel kans dat zaken die meneer Gordijn aangingen openbaar gemaakt zouden worden, maar het was altijd mogelijk dat een ogenschijnlijk onschuldig bericht verband hield met iets duisters, iets wat de kinderen in tegenstelling tot andere lezers onmiddellijk zouden doorzien. In dit opzicht voelden ze zich nog steeds geheim agenten, ook al was het dagelijks lezen van de krant nauwelijks opwindend veldwerk te noemen.

Die ochtend was bijvoorbeeld het schokkendste wat er op de voorpagina van de *Steenstadter Courant* te vinden was het financiële nieuws, de scheepvaartberichten en een artikel over bosbouw. Een van de koppen was: SCHERPE STIJGING RENTETARIEVEN. Halverwege de bladzijde stond: VRACHTSCHIP *DE DOORSTEEK* OP MAIDENTRIP, en ergens onderaan: DENNENSNUITKEVER MAAKT BRANDHOUT VAN ZUIDELIJKE BOSSEN. En op pagina twee werd het nieuws alleen maar nog oninteressanter.

'Iets verdachts?' vroeg Rens. 'Alleen als je dennensnuitkevers verdacht vindt. Wat ik heb gelezen was zo saai als een deur.'

27

Kats ogen twinkelden. 'Hé, dat doet me ergens aan denken! Chip, ik –'

Rens schraapte zijn keel en wierp haar een waarschuwende blik toe. Maar het was te laat. Chip doorzag het verband tussen bepaalde dingen misschien niet altijd even snel, maar een belediging had hij razendsnel door. 'Ga maar door,' zei hij, terwijl hij zijn gezicht in zijn handen begroef. 'Het gaat zeker over mijn verslag van onze missie?'

Nu was Kat degene die ongelukkig keek. 'O... nee... Ik wilde alleen maar...' Ze keek Rens hulpeloos aan en wist niet meer wat ze moest zeggen.

Tot hun opluchting liet Chip zijn handen zakken en hij keek hen glimlachend aan. Het was een schaapachtige glimlach, maar hij keek in ieder geval niet gekrenkt. 'Voor de draad ermee.'

'Tja, het is... heel feitelijk,' zei Kat.

'En weldoordacht,' voegde Rens eraan toe, terwijl hij de papieren snel uit zijn zak haalde in de hoop iets te vinden waar hij een compliment over kon maken.

Kat knikte verwoed terwijl Rens de papieren openvouwde. 'O zeker, héél weldoordacht! En welbespraakt!'

Chip kromp ineen. 'Is het zo erg? Nou ja, ik dacht wel dat het bagger zou zijn. Jullie hadden de eerdere versies moeten zien. Dit was mijn zesde poging.' Hij pakte de papieren van Rens aan, wierp er een blik op en stopte ze in zijn zak. 'Maak je geen zorgen, ik wist dat ik het toch niet zou kunnen publiceren. Ik wilde gewoon iets doen ter ere van ons weerzien.'

Rens had opeens een ingeving. 'Daarom heb je je haar eraf gehaald, is het niet? Vanwege de goeie ouwe tijd.'

'Ik dacht dat jullie dat wel leuk zouden vinden,' gaf Chip toe. 'Deze keer heeft m'n vader me geholpen met scheren. Geen ontharingscrème meer.' Hij huiverde bij de gedachte.

'Ik vind het prachtig!' riep Kat uit en ze gaf Chip een liefdevolle aai over zijn kale schedel. Rens grinnikte en knikte instemmend.

De drie vrienden brachten de middag door in de boomgaard, genietend van elkaars gezelschap, lachend, kreunend en af en toe huiverend bij de herinneringen aan hun missie. Toen Kat zag hoe lang de schaduwen op het erf al waren geworden, slaakte ze een verschrikte kreet en sprong overeind.

'O nee! Zo meteen moeten we naar binnen en Chip heeft nog niet eens kennisgemaakt met Maatje.'

'Wie is Maatje?' vroeg Chip.

'Hare Majesteit de Koningin,' antwoordde Kat alsof dat alles verklaarde. Ongeduldig trok ze de jongens overeind en troonde ze mee naar het erf, waar ze op haar fluitje blies en haar handschoen aantrok. Vrijwel onmiddellijk streek de valk vanuit onzichtbare hoogten op Kats hand neer.

Chips nieuwsgierigheid maakte plaats voor angst. *Falco peregrinus*, indrukwekkend dier... snelste roofvogel...' zei hij bewonderend, terwijl hij achteruitdeinsde voor de scherpe klauwen en de priemende, zwarte ogen. Zo onopvallend mogelijk zette hij zijn bril af en haalde een poetsdoekje uit zijn zak.

Rens moest glimlachen. Het was een vertrouwd gezicht om Chip zijn bril te zien poetsen wanneer hij zenuwachtig werd en het deed hem onverwacht goed. Het was een speciaal gevoel om iemand zo goed te kennen, bedacht Rens, bijna alsof je een geheime code deelde. Het was ook prettig om niet als enige bang te zijn voor Kats vogel.

'Maak je maar geen zorgen, Maatje,' zei Kat terwijl ze de valk een reepje vlees toestopte. 'Voor je het weet ben ik weer terug.' Ze liet Maatje weer opstijgen en klakte met haar tong. 'Arm dier, zagen jullie hoe onrustig ze was? Ze weet dat ik wegga. Ik denk dat het haar zenuwachtig maakt.'

'Nou,' zei Chip en hij wierp Rens een twijfelachtige blik toe. 'Arm dier.'

Rens klopte Kat op haar rug. 'Ik weet zeker dat je kleine rover het wel redt.'

Na de overvloedige maaltijd die Mucho Brazos had bereid, met als dessert zijn beroemde appeltaarten – zes stuks – was iedereen rozig geworden. Hoe graag de kinderen ook waren opgebleven, het was tijd om naar bed te gaan.

'Vooruit dan maar,' zei Kat en ze onderdrukte een geeuw. 'We staan snel genoeg weer op. De haan kraait bij zonsopgang.'

De volgende morgen werd Rens inderdaad door het geluid van de haan gewekt. Hij kwam slaperig overeind – hij had op een veldbed geslapen – en keek door het raam naar de grauwe ochtendlucht. Mevrouw Perumal zat op haar bed en keek hem glimlachend aan.

'Vandaag is het je grote dag,' zei ze. 'Ik weet dat je opgewonden bent. Je sliep pas na twaalven.'

'Was je wakker?' vroeg Rens.

'Ik kon ook niet slapen,' zei mevrouw Perumal. 'Ik weet zeker dat je het een heel leuke verrassing zult vinden.'

Er was iets in haar uitdrukking dat Rens deed aarzelen. Ze was blij voor hem, dat zag hij. Maar er was nog iets anders. Het deed hem denken aan de dag dat ze hem naar meneer Benedict had gebracht voor de tests en ervan overtuigd was geweest dat hij haar niet meer nodig had als lerares. Uit haar ogen sprak zowel toen als nu een mengeling van trots, verwachting en verdriet. Maar nu waren ze familie van elkaar. Rens wist dat mevrouw Perumal hem nooit zou verlaten. Wat zat haar dan dwars?

De ogen van mevrouw Perumal veranderden plotseling van uitdrukking. Met een verrast lachje wendde ze haar gezicht af. Toen keek ze hem streng aan. 'Ik was vergeten hoe goed jij iemands uitdrukking kunt lezen,' zei ze. Ze hief vermanend een vinger. 'Als je wilt dat het een verrassing blijft, moet je niet zo naar me kijken, Rens.'

Samen wekten ze mevrouw Perumals moeder, die dwars door het hanengekraai heen had geslapen, maar er niet tegen kon als je onder haar voeten kietelde. Nadat ze lachend wakker was geworden en hen een stelletje boeven had genoemd, maakten ze zich klaar voor het ontbijt.

Met enige weerzin trok Rens het hemd aan dat Nummer Twee hem vorige maand voor zijn verjaardag had opgestuurd. Nummer Twee was er blijkbaar van overtuigd dat je je kleding op je huidskleur moest afstemmen (haar eigen garderobe bestond vrijwel volledig uit gele kleren, die haar gelige huid accentueerden) en dus had ze gedacht dat dit vale, vleeskleurige shirt Rens goed zou passen. Het paste hem ook – nou ja, min of meer – maar Rens had zich geen lelijker of oncomfortabeler hemd kunnen voorstellen. Hij besefte dat het uit een goed hart kwam en omdat hij wist dat hij haar vandaag zou zien, had hij het toch maar aangetrokken.

'Jij ook al?' mompelde Chip, toen ze elkaar in de gang tegenkwamen. Chip droeg een lichtbruin hemd van een of ander gewatteerd materiaal en ondanks de frisse ochtendlucht zweette hij overdadig. 'Ik moest het van ze aandoen,' zei Chip en hij gebaarde met zijn duim naar de slaapkamer die hij met zijn ouders deelde. Hij bekeek Rens van top tot teen. 'Weet je dat je eruitziet als een postzak?'

'Ik zie er tenminste niet uit als een opgeblazen pad,' zei Rens. 'Laten we op zoek gaan naar Kat.'

Ze hoefden niet lang te zoeken. Voordat ze bij de trap waren, kwam Kat al langs de leuning omlaaggegleden. Tot hun grote teleurstelling droeg ze een spijkerbroek en een volkomen normaal hemd. Met een verrukte grijns op haar gezicht kwam ze naast hen neer. 'Wat zien júllie er mooi uit! Gaan jullie naar een feestje?'

Chip sloeg zijn gewatteerde armen over elkaar. 'Dit kan niet, Kat. Ga onmiddellijk naar je kamer en trek je verjaardagscadeau aan.'

'Helemaal mee eens,' zei Rens. 'Twee tegen één, Kat. Samen uit, samen thuis.'

Kat streek over de ruwe stof van Rens' hemd. Ze floot en wierp hem een medelijdende blik toe. 'Sorry, maar het mijne was veel te klein, dus heb ik er zakjes van gemaakt. Heb ik ze jullie al laten zien?'

Enthousiast knipte ze het deksel van haar emmertje open. 'Het was heel stevig materiaal, dus –'

'Je hebt het ons al laten zien,' zei Chip verslagen. 'Wat was het?'

'Mijn cadeau? O, een vest. Met franje.'

Rens bekeek haar wantrouwend. 'Was het echt te klein?'

Kat keek hem sluw aan. 'Over een tijdje wel.'

Het was nog vroeg toen de stationwagen en de personenauto vertrokken, met hun niet echt uitgeslapen, maar opgewonden en welgevoede passagiers. Mucho Brazos zwaaide hen uit totdat ze achter de heuvel waren verdwenen. Toen zuchtte hij, streek over zijn snor en ging weemoedig hoofdschuddend naar de boomgaard om wat klusjes te doen.

En zo kwam het dat de jongeman die een paar minuten later op een scooter arriveerde een leeg erf trof.

De jongeman snelde eerst naar de deurbel, maar toen niemand opendeed, ging hij naar de schuur. Daar was ook niemand. Hoopvol liep hij naar de achterkant van de schuur (het zou even duren voordat hij in de boomgaard ging kijken). De jongeman werkte bij de kruidenierswinkel annex telegraafkantoor in de stad en hij had de opdracht gekregen een telegram te bezorgen bij de Weeral-boerderij. Hij wist dat er geen telefoon was, vandaar dat er een telegram was gestuurd. De oude kruidenier had gezegd dat dit het eerste telegram sinds jaren was. En het was ook nog eens een heel vreemd en heel dringend telegram. Er stond:

KINDEREN NIET KOMEN STOP TE GEVAARLIJK STOP BEL ME METEEN STOP DAN VERTEL IK HET NIEUWS STOP WAT EEN VRESELIJK NIEUWS STOP IK HERHAAL NIET KOMEN MAAR BEL NU STOP IK VREES VOOR JULLIE VEILIGHEID STOP LIEFS EN SORRY RONDA

Achter het glas, oftewel spiegels en ramen

De rit naar Steenstad zou enkele uren duren, maar ze waren nog geen halfuur op weg of Rens zat al in het huis van meneer Benedict. Hij was aan het dagdromen. Voor in de auto zat mevrouw Perumals moeder te neuriën. Mevrouw Perumal onderdrukte een glimlach, omdat het geneurie tot achterin te horen moest zijn. Kat en Chip zaten naast Rens op de achterbank en waren elkaar aan het bijpraten over hun leven. Omdat Rens eerder was aangekomen dan Chip en makkelijker brieven schreef dan Kat, was hij al op de hoogte van de dingen die ze elkaar vertelden.

Terwijl zijn vrienden aan het praten waren liet Rens zijn gedachten voor de stationwagen uit naar het huis in Steenstad dwalen – met zijn vertrouwde met klimop bedekte binnenplaats en grijze stenen muren – en natuurlijk naar meneer Benedict zelf. Rens zag hem voor zich: de altijd warrige witte haardos, de heldere groene ogen die je vanachter de bril aankeken, de grote, bobbelige neus en niet te vergeten het kostuum van groene Schots geruite stof. Voor iemand die meneer Benedict niet kende, zag hij er misschien uit als een malloot. Rens werd verontwaardigd bij de gedachte, want de man was niet alleen een genie, maar ook nog eens een uitzonderlijk goed mens. En voor zover Rens wist, waren goede mensen uitermate zeldzaam.

Wat dat betreft was meneer Benedict het niet met hem eens geweest. Rens herinnerde zich het gesprek nog goed. Het had plaatsgevonden een paar maanden nadat de kinderen van hun missie op het Instituut terugkeerden. Op dat moment woonde Rens nog in Steenstad. Ondanks de drukke bezigheden van meneer Benedict mocht Rens elke week op bezoek komen. Kat was toen al naar de boerderij verhuisd en Chip was weer bij zijn ouders gaan wonen in een stad een paar uur reizen verderop. Van de vier kinderen was Constance – die door meneer Benedict geadopteerd zou worden – de enige die in Steenstad zou blijven wonen, want Rens zou met mevrouw Perumal en haar moeder naar een grotere woning in een buitenwijk verhuizen, waar hij een eigen kamer kreeg en, minstens zo belangrijk, een bibliotheek op loopafstand. Na de verhuizing waren de wekelijkse bijeenkomsten met meneer Benedict niet meer mogelijk geweest, maar hij dacht er nog steeds met liefde, met eerbied zelfs, aan terug.

Die ene keer had hij meneer Benedict alleen in zijn met boeken afgeladen studeerkamer aangetroffen. Hij had Rens als altijd hartelijk begroet en ze waren samen op de grond gaan zitten. (Meneer Benedict leed aan narcolepsie, een aandoening waardoor hij op onverwachte momenten in slaap kon vallen, vaak als gevolg van een hevige emotie. Op de zeldzame momenten dat hij niet angstvallig door Nummer Twee of Ronda werd geëscorteerd, beschermde hij zichzelf tegen pijnlijke smakken door dicht bij de grond te blijven.) Zoals al zo vaak het geval was geweest, had meneer Benedict direct door dat Rens ergens over piekerde.

'En ik heb al eerder gezegd dat dit niets met mijn analytische vermogens te maken heeft,' zei meneer Benedict glimlachend, 'aangezien jij altíjd ergens over piekert. Vertel me nu maar wat het is.'

Rens dacht diep na. Het was allemaal zo ingewikkeld en hij wist niet waar hij moest beginnen. Toen herinnerde hij zich dat meneer Benedict altijd leek aan te voelen wat Rens bedoelde, of hij het nu precies goed had uitgelegd of niet. En dus zei hij eenvoudig: 'Ik kijk nu anders tegen de dingen aan en dat is... dat zit me dwars, geloof ik.'

Meneer Benedict keek Rens doordringend aan, terwijl hij met zijn vingers over een paar haren ging die hij bij het scheren over het hoofd had gezien. 'Sinds jullie missie, bedoel je.'

Rens knikte.

'Je bedoelt,' vervolgde meneer Benedict na een tijdje te hebben nagedacht, 'dat de slechtheid waartoe veel mensen in staat lijken je verontrust. Mijn broer, bijvoorbeeld, maar ook zijn stafleden, zijn volgelingen, de andere leerlingen op het Instituut –'

'Iedereen,' zei Rens.

'Iedereen?'

'Nou ja... bijna iedereen. Van u denk ik het in ieder geval niet – en ook niet van ons, de mensen die in uw naam bij elkaar zijn gekomen. En dan is mevrouw Perumal er natuurlijk nog en haar moeder en nog een paar mensen. Maar over het algemeen...' Rens haalde zijn schouders op. 'Ik dacht dat als we de Fluisteraar eenmaal hadden uitgeschakeld, als de mensen niet meer onder invloed stonden van de verborgen berichten van meneer Gordijn, ik dacht dat het dan allemaal anders zou worden. Beter. Maar dat is niet gebeurd.'

'Je twijfelt hopelijk niet aan wat jullie hebben gepresteerd?'

Rens schudde zijn hoofd. 'Nee. Ik weet dat we iets vreselijks hebben voorkomen. Ik had gewoon niet gedacht dat ik op deze manier naar de dingen – naar mensen – zou gaan kijken.'

Meneer Benedict maakte aanstalten om op te staan, maar bedacht zich. 'Een oude gewoonte,' zei hij. 'Soms voel ik de behoefte om te ijsberen, maar zoals je weet is dat niet verstandig. Het huis is te klein als Nummer Twee hoort dat ik bij het indutten met mijn hoofd tegen de boekenkast ben geklapt.'

Rens grinnikte. Hij kende de beschermwoede van Nummer Twee maar al te goed.

Meneer Benedict leunde weer achterover tegen zijn bureau. 'Het is niet meer dan normaal dat je je zo voelt, Rens. Er is veel meer in de wereld dan de meeste kinderen ooit zullen zien of te weten zullen komen, en de meeste volwassenen trouwens ook. En waar de meeste mensen een spiegel zien, zie jij, mijn vriend, een venster. Waarmee ik wil zeggen dat er zich altijd iets achter het glas bevindt. Jij hebt het gezien en je zult het blijven zien, ook al zien anderen het misschien niet. Ik had je die wetenschap op deze leeftijd willen besparen. Maar ze is je gegeven en het is aan jou om te beslissen of dat een vloek is of een zegen.'

'Neemt u me niet kwalijk, meneer Benedict, maar hoe kan het nu een zegen zijn om te weten dat mensen niet te vertrouwen zijn?'

Meneer Benedict keek Rens zijdelings aan. 'In plaats van op die vraag te antwoorden, wijs ik je liever op de aanname die je doet: dat de meeste mensen niet te vertrouwen zijn. Is het wel eens bij je opgekomen, Rens, dat slechtheid gewoon makkelijker te zien is dan goedheid? Dat slechtheid als het ware meer in het oog valt?'

Toen Rens hem ongelovig aankeek, knikte meneer Benedict. 'Ik verwacht niet dat je onmiddellijk van gedachten verandert. Je bent gewend het aan het rechte eind te hebben wat mensen betreft – we weten allemaal hoe uitstekend je intuïtie is – en het is niet eenvoudig om je eigen conclusies in twijfel te trekken. Maar net zoals ik met het ijsberen doe, moet ook jij ervoor waken dat oude gewoonten je op een dwaalspoor zetten.' Meneer Benedict sloeg zijn armen over elkaar en keek Rens sluw aan. 'Mag ik je een vraag stellen? Heb je ooit gedroomd dat er aan je voeten een dodelijke slang lag en dat je vervolgens opeens overal slangen zag? Dat je plotseling tot de ontdekking komt dat je omgeven bent door dodelijke slangen?'

Rens was verrast. 'Die droom ken ik! Dat is een nachtmerrie.'

'Inderdaad. En hij doet mij erg denken aan het moment waarop de slechtheid van de wereld voor het eerst in zijn volle omvang tot iemand doordringt. Dat besef kan een obsessie worden. In zekere zin is het ook een nachtmerrie. Daar bedoel ik mee dat het een niet geheel juiste beoordeling van de aard der dingen is. Een scherp waarnemer als jij, Rens, zal de aanwezigheid van een dodelijke slang niet ontgaan. Maar als je alleen maar dodelijke slangen ziet, kijk je misschien niet goed genoeg.'

Rens had erover nagedacht... hij dacht er trouwens nog steeds over na, met een flinke dosis scepsis. Hij had het onderwerp laten rusten toen ze een spelletje schaak gingen spelen. Rens had meneer Benedict nog nooit verslagen, maar tijdens de weinige partijen die ze hadden gespeeld, had hij veel van hem geleerd, en niet alleen over schaken. Ze onderbraken het spel vaak voor lange gesprekken over andere zaken, en deze keer was het niet anders. Meneer Benedict liet dan ook geen enkele verrassing blijken toen Rens een halfuur later opeens zei: 'Dus u hebt die slangennachtmerrie ook?'

'Zeker,' antwoordde meneer Benedict, terwijl hij voorzichtig de toren die hij net had genomen opzijzette. (Hij behandelde Rens' stukken altijd met veel respect, alsof het slaan ervan een betreurenswaardige noodzaak was.) 'Het is een nachtmerrie die vaak voorkomt. Ik heb hem meerdere keren gehad, evenals een aantal andere, meer zeldzame nachtmerries. Het hoort bij mijn aandoening, ben ik bang.'

'Hoe bedoelt u?' Rens wist dat de narcolepsie ervoor zorgde dat meneer Benedict op onverwachte momenten in slaap kon vallen. Meer wist hij eigenlijk niet, realiseerde hij zich nu.

Meneer Benedict zweeg en staarde in gedachten verzonken naar zijn vingers, alsof hij ze voor het eerst zag. Rens had de indruk dat hij om de een of andere reden niet wilde antwoorden, maar dat hij Rens' vraag ook niet wilde wegwimpelen. De laatste overweging won het blijkbaar, want na een hele tijd keek meneer Benedict op en zei: 'Voor iemand als ik kan de nacht een even grote beproeving zijn als de dag. Het is natuurlijk altijd een opluchting als ik me kan overgeven aan de slaap – om er niet meer tegen te hoeven vechten, zoals overdag – maar ik word vaak geteisterd door nachtmerries, vreemde aanvallen van slaapverlamming en soms zelf hallucinaties, die zeer angstaanjagend kunnen zijn.'

'Wat afschuwelijk!' riep Rens uit. 'Dat wist ik niet.'

'Ach,' zei meneer Benedict. 'Ik ben eraan gewend geraakt. Ik heb zelfs vriendschap gesloten met de Oude Hag.'

'De Oude Hag?'

'Dat is een eeuwenoude naam voor een van de bekendere hallucinaties. Soms word ik wakker met een visioen van een gebochelde gestalte aan het voeteneind. Jammer genoeg gaat deze hallucinatie meestal gepaard met verlamming.'

Rens was verbijsterd. 'U bedoelt dat er een vreemd iemand bij uw bed rondhangt, in het donker, terwijl u zich niet kunt verroeren?'

'En roepen gaat ook niet,' voegde meneer Benedict eraan toe. 'Het is vrij onhandig.'

Rens huiverde bij de gedachte. 'Ik zou doodsbenauwd zijn!'

'Dat is inderdaad de meest voorkomende reactie,' zei meneer Benedict glimlachend. 'En ik moet bekennen dat het een grapje was toen ik zei dat ik vriendschap had gesloten met de Oude Hag. Laten we zeggen dat ik sneller herstel van mijn ontmoetingen met haar dan vroeger. De hallucinaties en de verlamming duren zelden langer dan een minuut.'

Die minuut moest een eeuwigheid duren, dacht Rens. Toen schoot hem iets te binnen. 'En meneer Gordijn? Denkt u dat hij hetzelfde heeft? Is dat misschien de reden waarom hij zo angstvallig alles onder controle probeert te houden?'

Meneer Benedict tikte met zijn vinger tegen de zijkant van zijn neus. 'Heel slim, Rens. Ik heb het me vaak afgevraagd. Het zou me niet verbazen als de nachtelijke verschrikkingen en het geworstel overdag hebben bijgedragen tot de obsessie van mijn broer. Ik heb dan wel lang geleden leren omgaan met mijn eigen vlagen van machteloosheid, maar het heeft jaren geduurd voordat ik me er niet meer voor schaamde. Blijkbaar heeft mijn broer het over een andere boeg gegooid en heeft hij niet een dergelijke uitweg weten te vinden.'

Dat was zwak uitgedrukt. Rens herinnerde zich met angstaanjagende helderheid de griezelige zilverkleurige glazen van meneer Gordijns bril en zijn razendsnelle, speciaal aangepaste rolstoel: allemaal hulpmiddelen om zijn aandoening te verbergen. Meneer Benedict en meneer Gordijn mochten er dan wel precies hetzelfde uitzien en even grote genieën zijn, maar in hun kijk op de wereld verschilden ze als dag en nacht.

Rens zonk weg in de onaangename herinneringen aan zijn ontmoetingen met meneer Gordijn. (Ze waren niet alleen onaangenaam vanwege het gevaar waarin hij had verkeerd, maar ook omdat Rens zich een afschuwelijk moment lang had afgevraagd op welke van de twee broers hij het meest leek.) Gelukkig deed een zacht gesnurk hem al snel uit zijn overpeinzingen opschrikken. Meneer Benedicts hoofd rustte op zijn borst, zijn handen hingen slap langs zijn lichaam en hij kon elk moment over het schaakbord tuimelen. Rens' eerste impuls was om hem te laten slapen en er stilletjes vandoor te gaan, maar meneer Benedict had hem herhaaldelijk gezegd dat Rens hem op zulke momenten wakker moest maken. Of het in ieder geval moest proberen, want het lukte niet altijd.

'Meneer!' zei Rens. 'Meneer Benedict!'

Meneer Benedict schrok overeind. Toen gaapte hij en ging met zijn handen door zijn warrige haardos. Hij keek Rens verontschuldigend aan. 'Ik hoop dat ik je niet te lang heb laten wachten.'

'Nog geen minuut,' zei Rens.

Meneer Benedict zuchtte. 'Zelfs in zijn afwezigheid doet mijn broer zijn invloed gelden, ben ik bang. Alleen al aan hem denken grijpt me aan...'

Rens begreep het wel. Ook zijn eigen herinneringen aan meneer Gordijn riepen veel emoties op. Maar toen Rens naar de uitdrukking op meneer Benedicts gezicht keek, besefte hij dat meneer Benedict niet gekweld werd door boosheid of angst of zelfs razernij. Het was verdriet.

'Kijk eens aan,' zei meneer Benedict met een snel gebaar naar het schaakbord. 'Ik wil je niet opjagen, maar ik geloof dat het schaakmat in zes is. Ben je het met me eens?'

Rens richtte zijn aandacht op het bord, maar hij was te bedrukt om helder te kunnen denken. Meneer Benedict wilde duidelijk alleen zijn. En dus kwam hij overeind en zei: 'De volgende keer geef ik u meer waar voor uw geld.'

'Ik kijk ernaar uit,' zei meneer Benedict en hij ging ook staan. Terwijl ze naar de deur liepen gaf hij een liefdevol kneepje in Rens' schouder. 'Tot dan, mijn vriend, en dat je prettige dromen mag hebben.'

Toen Kat hem wakker porde, zat Rens inderdaad in een heel prettige droom. Hij knipperde met zijn ogen en terwijl hij om zich heen keek, zag hij dat zijn droom zelfs werkelijkheid was geworden. Hij was bij zijn vrienden, en door het autoraampje zag hij voor hen uit de hoge gebouwen van Steenstad, wat betekende dat hij weldra meneer Benedict en de anderen zou zien. Hij grijnsde schaapachtig naar Kat. 'Ik geloof dat ik ben ingedommeld.'

'Als een blok in slaap gevallen, zul je bedoelen,' zei Kat. 'En je was niet de enige. Chip is halverwege een verhandeling over orchideeën in slaap gevallen. Van verveling, denk ik.'

Chip glimlachte alleen maar. Hij was tevreden zijn bril aan het poetsen en zijn humeur was veel te goed om zich op de kast te laten jagen. Aan de pluisjes op Chips schedel zag Rens dat hij tegen Kats schouder was weggezakt.

Ze reden Steenstad binnen en passeerden een aantal bekende plekken: het weeshuis waar Rens tot een jaar geleden had gewoond. Het park waar mevrouw Perumal en hij altijd gingen wandelen, en terwijl ze het drukke centrum bij de haven in reden, zag Rens ook de Monnikshof. Daar had hij Chip en Kate ontmoet, die net als Rens voor de tests van meneer Benedict waren gekomen.

'Vreemd,' zei Kat min of meer tegen zichzelf. Ze staarde verwonderd naar de Monnikshof. Toen ze Molenweer daar had ontmoet, had ze gedacht dat het voor het eerst was. Ze hadden geen van beiden geweten dat ze familie waren.

'Is het niet ongelofelijk?' zei Chip, terwijl mevrouw Perumal de straat van meneer Benedict in draaide. 'Een jaar geleden hadden we meneer Benedict nog nooit ontmoet. We hadden nog geen idee wat ons te wachten stond! Kunnen jullie je voorstellen –'

Rens onderbrak hem. 'Wat is er aan de hand, Amma?'

Mevrouw Perumal keek met gefronste wenkbrauwen ergens naar. De kinderen leunden zo ver mogelijk in hun veiligheidsriemen naar voren om te kunnen zien wat er aan de hand was. Mevrouw Perumal zette de stationwagen langs de kant, en toen zagen ze het: onder de grote iep op de binnenplaats van meneer Benedicts huis stonden drie politieagenten. Ze stonden met een groepje overheidsfunctionarissen te praten (de kinderen herkenden de mannen; na hun missie waren ze door hen ondervraagd) en ze keken heel ernstig.

'Er is iets gebeurd,' zei mevrouw Perumal. 'Kinderen, jullie blijven hier –'

Maar de kinderen waren al uit de auto gesprongen. Vooropgegaan door Kat stoven ze naar het ijzeren hek dat toegang gaf tot de binnenplaats. Daar werden ze tegengehouden door een streng kijkende, onbekende man. De man was niet groot, niet veel groter dan Kat, maar de onvriendelijke uitdrukking op zijn gezicht en zijn scherpe, raspende stem gaven hem een dreigende uitstraling.

'En waar denken jullie heen te gaan?' vroeg hij bars. 'Wie zijn jullie?'

'We zijn vrienden van meneer Benedict,' zei Kat.

De ogen van de man vernauwden zich. 'Vrienden, zeg je?'

'O nee!' klonk een luide stem vanuit het huis. De kinderen keken langs de man naar waar de stem vandaan was gekomen en zagen een prachtige jonge vrouw met een pikzwarte huid en vlechtjes in de deuropening staan. Het was Ronda Kazembe en ze leek helemaal niet blij om de kinderen te zien. Ze haastte zich naar hen toe. 'Waarom zijn jullie gekomen? Hebben jullie mijn telegram niet gehad?'

Kat probeerde langs de man te glippen, maar hij pakte haar ruw bij haar schouder en hield haar tegen. 'Wie zijn deze kinderen?' vroeg hij Ronda.

'Het is in orde, meneer Nagel, het zijn vrienden van ons. En het meisje dat u zo ruw bij haar schouder beethebt, is de dochter van Molenweer.'

Geschrokken liet de man Kat los (die zichzelf toch al bijna uit zijn greep had bevrijd). Ronda gebaarde naar de andere overheidsfunctionarissen. 'Afgezien van u kent iedereen hier deze kinderen,' zei ze. 'Ga het gerust na bij uw leidinggevende.'

Terwijl meneer Nagel er meteen vandoor ging om zijn chef te bellen, maakte Ronda het hek open en omhelsde ze de kinderen allemaal tegelijk. 'O nee,' zei ze weer, terwijl ze hen stevig tegen zich aandrukte. 'Jullie hadden niet moeten komen, maar nu jullie er zijn, hoef ik me over jullie tenminste geen zorgen meer te maken.'

'Wat is er gebeurd, Ronda?' vroeg Rens.

Voordat Ronda kon antwoorden, kwamen mevrouw Perumal en haar moeder op hen af lopen, gevolgd door de familie Washington. Ronda begroette hen zichtbaar opgelucht. 'Kom mee,' zei ze bedrukt. 'Kom mee naar binnen en ik zal jullie alles vertellen.'

'Alles waarover?' drong Kat aan.

'Over meneer Benedict en Nummer Twee,' antwoordde Ronda, en opeens glinsterden er tranen in haar ogen. 'Ze zijn ontvoerd.'

De kinderen staarde haar geschokt aan. 'Ontvoerd?'

'Maar... maar wie...?'

Ronda veegde kwaad de tranen uit haar ogen. 'Wie denk je?'

Ze wisten het antwoord onmiddellijk. Rens was degene die het hardop zei. 'Door meneer Gordijn, hè?'

'Ik zal jullie binnen alles uitleggen. Ik weet niet of jullie hier buiten veilig zijn. Tenslotte heeft íemand het moeten bezorgen. Ze kunnen nog in de buurt zijn en wie weet wat ze nog meer in hun schild voeren.'

'Hoezo is er iets bezorgd?' vroeg Rens, maar Ronda wilde niets meer zeggen totdat ze hen allemaal het huis in had laten gaan.

Rens' visioenen van een gelukkig weerzien in het oude huis van meneer Benedict waren in één klap verdwenen. Het grote, oude huis met al zijn kamers en verborgen hoeken was hem even vertrouwd als anders, maar doordat meneer Benedict en Nummer Twee verdwenen waren, hing er nu een naargeestige sfeer. Terwijl meneer Washington zijn vrouw de treden op hielp en Ronda de rolstoel omhoog droeg, wierpen Rens en zijn vrienden angstige blikken om zich heen.

Achter de voordeur bevond zich de doolhof van meneer Benedict, die Ronda en de kinderen op hun duimpje kenden. Het was de laatste test van meneer Benedict geweest en hij vormde tegelijkertijd een verdedigingslinie tegen indringers. Samen liepen ze snel de verzameling identieke kamers door, namen aan het eind de trap omhoog en gingen naar de zitkamer op de tweede verdieping. Toen ze de deur opendeden, werden ze verbaasd aangestaard door een tweede groep overheidsfunctionarissen met ernstige gezichten.

'O, zijn jullie het,' zei een vrouw met zilverkleurig haar tegen Ronda. 'Sorry, we zijn allemaal een beetje gespannen.' Ze keek de kinderen onderzoekend aan. 'En ik neem aan dat dit de –'

'Inderdaad, mevrouw Argent,' zei Ronda. 'En ik zou graag willen dat ze het zagen.'

Mevrouw Argent en de andere functionarissen wisselden aarzelende blikken uit, maar gingen uiteindelijk opzij om de kinderen erbij te laten. Op de tafel in het midden van de kamer stond een bruine doos.

Ronda wees naar de doos. 'Het lot van meneer Benedict en Nummer Twee hangt daarvan af,' zei ze grimmig. Het klonk alsof ze het zelf nog steeds niet kon geloven en ze herhaalde op fluistertoon, meer tegen zichzelf dan de anderen: 'Daar hangt alles van af.'

De kinderen kwamen dichterbij. Het was een heel gewone kartonnen doos, ongeveer zo groot als een doos waar appels in zitten. Er waren een paar gaten in gemaakt. Ze tuurden door de gaten de doos in, bang voor wat zich in de duisternis zou bevinden, wat het zou zijn waarvan het lot van de twee personen die hen zo dierbaar waren, afhing.

Het was een duif. Niet meer dan dat. Een duif.

Het Genootschap komt opnieuw bijeen

'Wat heeft dat beest in hemelsnaam met die ontvoering te maken?' vroeg Kat.

De overheidsfunctionarissen reageerden niet erg toeschietelijk. Maar toen Ronda hun liet weten dat de kinderen direct bij de situatie betrokken waren, richtte uiteindelijk een man met blond haar het woord tot hen. 'Het is een gewone stadsduif,' zei hij. 'Meneer Gordijn heeft hem laten bezorgen. Er zat een bericht aan zijn poot. We moeten op dezelfde manier een antwoord terugsturen.'

'Eigenlijk is het geen stadsduif,' wierp Chip tegen, 'maar een reisduif.'

Iedereen in de kamer keek hem aan. De Washingtons, die met mevrouw Perumal en haar moeder bij de deuropening stonden, schuifelden onrustig heen en weer.

Ze wisten niet goed of de opmerking van hun zoon behulpzaam of onbeleefd was geweest.

De blonde man kuchte in zijn vuist. 'Ik wil niet met je in discussie gaan, jongeman, maar –'

'Doet u dat dan ook maar niet,' onderbrak Ronda hem ongeduldig. 'Ik neem aan dat het verschil ertoe doet, Chip?'

'Dat zou kunnen,' antwoordde Chip. 'Reisduiven kunnen enorme afstanden afleggen, soms wel duizenden kilometers. Stadsduiven zijn niet geschikt voor lange afstanden.'

Mevrouw Argent, met het zilverkleurige haar, zei: 'We kunnen er dus niet van uitgaan dat de duif in de buurt van Steenstad blijft?'

Chip schudde zijn hoofd. 'Zijn hok kan overal staan.'

Mevrouw Argent wierp de blonde man een sombere, betekenisvolle blik toe. De man mompelde iets over een telefoontje moeten plegen en verliet de kamer. Ronda keek hem met een ernstig gezicht na.

'Begrijp ik goed dat jullie nog niet eens met zoeken zijn begonnen?' vroeg ze.

'Maak je maar geen zorgen,' antwoordde mevrouw Argent. 'We hebben de nodige maatregelen getroffen.'

'Daar was ik al bang voor,' zei Ronda en ze draaide zich abrupt om. Ze gaf haar vrienden te kennen dat ze haar moesten volgen en ging zonder nog een woord te zeggen de kamer uit. Ze nam hen mee naar de eetkamer en liet hen aan een lange tafel plaatsnemen. 'Dat is precies wat ze niet moeten doen,' mompelde ze, terwijl ze de deur achter zich sloot. 'Niet voordat ze meer weten. Ik zal doortastend moeten optreden, dat zie ik nu al.'

'Ronda,' vroeg mevrouw Perumal. 'Wat stond er in het bericht?'

'Ik had het jullie willen laten zien,' zei Ronda, 'maar ze hebben het in beslag genomen als bewijs. Het kwam erop neer dat –'

'Kun je het bericht letterlijk herhalen, Ronda?' vroeg Rens, die wist dat Ronda's geheugen bijna net zo goed was als dat van Chip. 'Wie weet ligt er een boodschap verborgen in de bewoordingen.'

'Je hebt helemaal gelijk,' zei Ronda. 'Oké, iedereen klaar?' En ze herhaalde het bericht, dat luidde:

Geachte juffrouw Kazembe,

Ik schrijf u om te laten weten dat uw vrienden in groot gevaar verkeren en – mocht daar enige twijfel over bestaan – dat ik degene ben die hen bedreigt.

Ik zal het u uitleggen. Ondanks zijn inspanningen om te zwijgen heeft mijn gevangene, Nicolaas Benedict, zich gedwongen gezien een geheim te onthullen inzake een bepaalde zeldzame plant. Met enige tegenzin heeft hij bekend dat slechts één persoon mij de informatie kan geven die ik zoek – namelijk de exacte locatie en beschrijving van de plant – en deze persoon is noch Benedict, noch zijn gelige assistente, maar desalniettemin iemand die Benedict 'uitzonderlijk na' staat. Ik weet zeker dat hij de waarheid vertelt. En mocht u deze persoon niet zelf zijn, dan help ik u hopen, in Benedicts belang, dat u weet over wie hij het heeft. U hebt precies vier dagen om deze duif los te laten met de door mij verlangde informatie. Wees er zeker van dat ik het zal weten als u opsporingsapparatuur op de vogel aanbrengt of anderszins pogingen doet het dier te volgen naar zijn bestemming. Een dergelijke dubbelhartigheid zal uw vrienden geen goed doen. Als u hen wilt terugzien, geeft u mij precies wat ik vraag, en wel meteen.

Draal niet, juffrouw Kazembe. We zullen het allemaal betreuren indien u draalt.

Met vriendelijke groet,
N. Gordijn

Toen Ronda klaar was met het herhalen van het bericht, viel er een verontrustende stilte. Iedereen liet de betekenis ervan tot zich doordringen. Uiteindelijk werd de stilte verbroken door mevrouw Washington die een snik probeerde te smoren met haar zakdoekje, en toen begon iedereen door elkaar te praten. Ronda stak haar hand omhoog. 'Nog even stil, allemaal.' Ze controleerde of er niemand aan de deur stond te luisteren, kwam toen terug naar de tafel en begon op gedempte toon tegen de kinderen te praten. 'Weet een van jullie waar dit over gaat?'

Geen van hen had enig idee.

'Goed, dan worden jullie tenminste alleen maar met de gebruikelijke onaangename verhoren lastiggevallen.' Ronda gebaarde met een duim over haar schouder dat ze op de functionarissen aan het eind van de gang doelde. 'Ze zijn heel bang dat het met de Fluisteraar te maken heeft.'

Iedereen aan tafel wist dat de duivelse machine van meneer Gordijn zich nu in het huis van meneer Benedict bevond en werd gevoed door een hele batterij computers die in de kelder waren gestationeerd. Meneer Benedict had de ingewikkelde werking van de Fluisteraar gewijzigd en gebruikte de machine sindsdien om de mensen te helpen die hun herinneringen door de Fluisteraar waren kwijtgeraakt toen meneer Gordijn het apparaat voor zijn doelen had gebruikt. In zijn laatste brief had meneer Benedict juist verheugd gemeld dat bijna iedereen die ten prooi was gevallen aan de Fluisteraar zijn geheugen terug had. Na een jaar onafgebroken te hebben gewerkt kon hij zich zelfs een korte vakantie veroorloven.

'Wat kan een plant met de Fluisteraar te maken hebben?' vroeg Chip.

'Ik weet het niet,' zei Ronda. 'Meneer Benedict heeft mij nooit iets over een plant verteld. Ik weet alleen maar dat hij op persoonlijk onderzoek uitging. Hij moest natuurlijk Nummer Twee meenemen – ze zou hem nooit alleen laten gaan – maar als ze al op de hoogte was van hun bestemming, heeft ze het goed verborgen gehouden. Ik denk niet dat ze het wist. Meneer Benedict houdt nogal van verrassingen.'

'Wacht eens even,' zei Kat. 'Meneer Benedict ging doelbewust weg? Zouden we hem dan niet hier ontmoeten?'

'Hij is vorige week met Nummer Twee vertrokken,' zei Ronda. 'Het was onderdeel van jullie verrassing.' Ze wilde meer zeggen, maar ze werd overvallen door een verpletterend verdriet en viel stil.

Mevrouw Perumal nam het woord en ze richtte zich tot de kinderen. 'Wij volwassenen waren natuurlijk volledig op de hoogte. Meneer Benedict had ons van tevoren toestemming gevraagd. Jullie zouden op een geheimzinnig avontuur gaan.'

Chip keek zijn ouders verrast aan. Ze hadden hem het afgelopen jaar zo angstvallig beschermd dat hij moeilijk kon geloven dat ze toestemming hadden gegeven voor een avontuur, geheimzinnig of niet.

Mevrouw Washington kwam vanachter haar zakdoekje tevoorschijn. 'We maakten ons zorgen over jullie onderwijs. Jullie zijn zulke speciale kinderen en we hadden allemaal de indruk dat jullie te weinig uitdaging kregen. Maar we wilden jullie ook niet zo jong al naar de middelbare school sturen. Ik denk dat we er tientallen telefoontjes aan hebben gewijd, is het niet, mevrouw Perumal?'

'Inderdaad,' zei mevrouw Perumal. 'En we waren nog druk aan het overleggen toen meneer Benedict toevallig contact met ons opnam, omdat hij een reünie voor jullie wilde organiseren. Toen we onze zorgen met hem deelden, opperde hij dat een studiereis – een heel speciale studiereis – misschien de juiste aanvulling op jullie onderwijs zou zijn. Hij had het vreselijk gevonden dat jullie tijdens je missie aan zo veel gevaren hadden blootgestaan, zei hij, maar het stond als een paal boven water dat de uitdaging jullie goed had gedaan. Jullie waren overduidelijk gegroeid door de missie, om nog maar te zwijgen over hoezeer jullie elkaar misten.'

'Dus stelde meneer Benedict een avontuur voor,' vervolgde mevrouw Washington. 'En deze keer volkomen veilig, maar wel een avontuur. De timing kon niet beter, zei hij, want hij wilde toch al op onderzoek en hij zou zijn reis maar al te graag een extra doel geven. Nummer Twee en hij zouden iets eerder vertrekken en dan zouden jullie vieren in hun voetsporen volgen, samen met Ronda en Molenweer. Dat was de grote verrassing.'

Mevrouw Perumal leunde naar Rens toe en fluisterde in zijn oor: 'Jullie zouden twee weken weg zijn. Ik wist dat je het vreselijk naar je zin zou hebben, maar ik zou je ook heel erg missen.' Ze wierp hem een verdrietig glimlachje toe. Rens knikte, want hij begreep nu de bitterzoete uitdrukking die hij vanochtend op haar gezicht had gezien.

'Meneer Benedict zou de kosten voor zijn rekening nemen,' ging mevrouw Washington verder (met een betekenisvolle blik naar Chip, die zich juist had afgevraagd hoe ze zich zo'n reis konden veroorloven). 'Meneer Benedict zei dat hij jullie dat wel verschuldigd was, en nog veel meer, en met Ronda en Molenweer aan jullie zijde hoefden we ons geen zorgen te maken om jullie veiligheid. Om te bedenken dat jullie bijna waren vertrokken.' Bij deze woorden verdween mevrouw Washingtons gezicht weer achter haar zakdoekje, maar de afschuw op haar gezicht was hun niet ontgaan. 'Wat zou er met jullie zijn gebeurd?'

'Met ons zou er niets zijn gebeurd,' zei Kat geruststellend. 'Molenweer zou met ons meegaan, weet u nog? Met hem erbij had niemand ons iets kunnen maken.'

Mevrouw Washington, die maar al te graag dergelijke angstaanjagende gedachten uit haar hoofd wilde zetten, knikte gespannen en liet het zakdoekje weer zakken. Meneer Washington legde zijn hand op haar schouder en zei niets – sinds hun aankomst had hij nauwelijks één woord gesproken – maar zijn ogen stonden heel bezorgd.

'Wat voor studiereis zou het worden?' vroeg Rens. 'Waar zouden we naartoe gaan?'

'Dat was geheim,' zei mevrouw Perumal. 'Meneer Benedict dacht dat jullie nieuwsgierig genoeg waren om van tevoren alle informatie bij elkaar te sprokkelen. Daarmee zou het plan zijn doel voorbijschieten en dus vertelde hij zo weinig mogelijk. We wisten dat jullie elkaar uiteindelijk zouden ontmoeten en dat Ronda ervoor zou zorgen dat jullie elke dag naar huis belden. Meer wilde hij niet prijsgeven. Misschien kan Ronda ons meer vertellen.'

'Ik wou dat ik dat kon,' zei Ronda, die opnieuw controleerde of er niemand aan de deur stond te luisteren. 'Meneer Benedict liet niets los. Ik denk dat hij er plezier in had om ook mij te verrassen. Hij wilde zelfs niet vertellen waarnaar hij onderzoek ging doen. Ik had wel door dat hij zo snel mogelijk wilde beginnen.' Ze wierp een laatste blik de gang in en sloot de deur weer.

'Waarom ben je zo voorzichtig, Ronda,' vroeg Kat. 'Die mensen willen meneer Benedict toch ook helpen?'

'Sommigen van hen, ja,' zei Ronda. Haar gezicht verstrakte. 'Sommigen misschien ook niet. Er is veel verontwaardiging over het feit dat meneer Benedict de enige is die de Fluisteraar kan bedienen. Meneer Benedict heeft de touwtjes in handen en hij weigert koppig te luisteren naar de mensen die vinden dat de overheid de machine voor andere doeleinden moet inzetten. Die mensen zouden het heel prettig vinden als hij voorgoed verdween. Wat de anderen betreft...' Ze schudde haar hoofd. 'Ik ben bang dat ze een of andere reddingsoperatie op touw zetten en het dan vreselijk verknoeien. Dat zou het ergste zijn wat er kan gebeuren. Met z'n allen zijn ze niet half zo slim als Gordijn.'

'Wat vind jij dat we moeten doen?'

'We moeten met Molenweer praten. Ik heb nog geen contact met hem kunnen leggen, maar hij kan elk ogenblik arriveren. Hij is eigenlijk al te laat. Het is mogelijk dat meneer Benedict hem meer over de reis heeft verteld. O, als jullie meneer Benedicts gezicht op de ochtend van zijn vertrek hadden gezien! Hij keek er zo naar uit om jullie te verrassen!'

Op dat moment vloog de deur met een knal open. Iedereen sprong op en keek naar de deuropening. Vreemd genoeg leek er niemand te staan. Het eerste wat bij Rens opkwam was dat het een uitzonderlijk sterke windvlaag was geweest, het was tenslotte een tochtig oud huis. Het tweede wat bij hem opkwam was om iets lager te kijken. En toen hij dat deed, werd hij beloond met de aanblik van Constances kwaaie gezicht.

'Jullie vergaderen zonder mij? Waarom heeft niemand mij iets gezegd?' wilde ze weten.

'Kom binnen, Constance,' zei Ronda vermoeid. 'Je wilde met rust gelaten worden, weet je nog? Ik ben net iedereen aan het bijpraten. Ze zijn er nog maar een paar minuten.'

Deze uitleg bevredigde Constance duidelijk niet, maar ze kreeg niet de gelegenheid haar onvrede te uiten, want ze werd onmiddellijk door Kat opgetild en zo stevig omhelsd dat ze geen woord meer kon uitbrengen.

'Wat leuk om je weer te zien, Constance,' zei Kat verdrietig, 'ook al is het onder afschuwelijke omstandigheden.'

Constances lichtblauwe ogen glinsterden, haar bolle wangen kleurden rood en haar voeten bungelden machteloos ter hoogte van Kats knieën. (Ze was dan misschien uitzonderlijk intelligent voor haar leeftijd – ze was nog maar drie – maar ze was ook uitzonderlijk klein, en Kat torende hoog boven haar uit.)

Toen Kat haar eindelijk weer neerzette, kreeg Constance nauwelijks de tijd om bij te komen, want onmiddellijk kwamen Rens en Chip haar omhelzen, gevolgd door de volwassenen. Tegen de tijd dat iedereen haar begroet had, was haar piekerige blonde haar losgekomen uit de haarspeldjes. Het stond alle kanten uit en in combinatie met de verwilderde blik in haar ogen, zag ze eruit als een grote lappenpop die met een sleuteltje in haar rug tot leven was gewekt.

'O,' zei Constance beduusd. 'Oké, dan. Hallo.'

Ondertussen was mevrouw Argent in de deuropening verschenen. Ze stond te wachten totdat de opschudding was weggeëbd. 'Mevrouw Kazembe,' zei ze. 'We zouden u graag nog een paar vragen stellen.'

'Prima. Ik kom er zo aan,' zei Ronda.

Mevrouw Argent was blijkbaar niet van plan te vertrekken, maar toen ze doorkreeg dat iedereen in de kamer haar ongeduldig aankeek, bloosde ze licht en ging ze er snel vandoor.

Ronda wachtte totdat mevrouw Argent buiten gehoorsafstand was, liep toen naar een bijzettafeltje, opende een la en haalde er een verzegelde envelop uit. Ze keek de kinderen ernstig aan. 'Ik moest jullie dit overhandigen,' zei ze. 'Hier zitten meneer Benedicts instructies in om jullie avontuur te beginnen. Ik heb nog niet gezien wat erin zit – ik wilde niet dat mevrouw Argent en haar mensen ervan op de hoogte waren en ik heb geen gelegenheid gehad hem ongemerkt te openen. En nu jullie er allemaal zijn, lijkt het me gepast dat jullie vieren de inhoud het eerst te zien krijgen. Tenslotte was dat meneer Benedicts wens. Nu kan ik maar beter zien uit te vissen wat die mensen van plan zijn. Zodra ik terug ben, praten we verder.

'Maar voordat ik jullie de envelop overhandig,' voegde Ronda eraan toe, en ze hield hem buiten het bereik van Constance, die ernaar graaide, 'wil ik dat jullie me iets beloven. Mochten er in de instructies aanwijzingen staan over de plek waar meneer Benedict en Nummer Twee zich bevinden, dan vertellen jullie dat aan niemand anders dan Molenweer of mij. Het zou me niet verbazen als mevrouw Argent of een van de anderen probeerde jullie alleen te spreken te krijgen. We moeten heel voorzichtig zijn.' Toen de kinderen het hadden beloofd, gaf ze de brief aan Constance.

'Het spijt me, mensen,' zei ze. Treurig keek ze eerst de kinderen en toen de volwassenen aan. 'Maak het jullie zo gemakkelijk mogelijk. Doe alsof je thuis bent, maar onthoud: praat met niemand tenzij ik erbij ben. Ik moet alle zeilen bijzetten om de situatie meester te blijven.' Ronda vocht opnieuw tegen haar tranen. 'Ik móét ze veilig thuis zien te krijgen. Dat móét gewoon...'

Mevrouw Perumal liep met haar mee naar de deur. 'Dat is ook onze diepste wens, Ronda. En maak je over ons maar geen zorgen. Wij redden ons wel.'

'En we zullen onze mond houden,' voegde mevrouw Washington eraan toe.

Zodra Ronda de kamer uit was, wendden de kinderen zich met verlangende, smekende blikken tot de volwassenen, die ze niet konden weerstaan.

'Vooruit,' zei mevrouw Perumal en ze gebaarde dat ze weg mochten. 'Wel in het huis blijven, en vergeet niet wat Ronda heeft gezegd.'

'En gauw terugkomen om te eten,' voegde mevrouw Washington eraan toe. 'Het zal een lange dag worden en jullie hebben al je krachten nodig.'

'Die arme kinderen,' zei mevrouw Perumals moeder. Het was haar bedoeling het binnensmonds te zeggen, maar haar stem was zo luid dat de weghollende kinderen het duidelijk konden horen: 'Och, die arme schatten!'

De kinderen zaten in een kring op de vloer in Constances kamer. Om hen heen lagen stapels kleren – sommige vuil en sommige schoon – die ze opzij hadden geschoven om plek te maken. Ook over haar minuscule bureautje hingen kleren, en de lakens en de dekens waren lukraak op het onopgemaakte bed gegooid.

De rolgordijnen waren omlaag en de deur was op slot. Ze spraken met gedempte stemmen en van tijd tot tijd controleerde een van hen of er geen ongewenste luisteraars op de gang stonden. De geheimzinnigheid van hun bespreking – en de spanning en de urgentie die ermee gepaard gingen – gaven de situatie een vreemd vertrouwde sfeer. Het was nog maar een jaar geleden dat het Geheime Benedict Genootschap dit soort bijeenkomsten had gehouden op het Instituut. In het midden van hun kring lag de verzegelde envelop. Rens had het openen ervan uitgesteld, maar niet gezegd waarom.

'Heeft hij jou verder niets verteld?' vroeg Rens aan Constance, die blijkbaar net zo weinig over meneer Benedicts reis wist als de anderen.

'Anders zou ik het toch wel gezegd hebben,' snauwde Constance hem toe. 'Ik heb de hele ochtend liggen huilen, Rens. Vanaf het moment dat die stomme vogel verscheen. Je weet best dat ik het je zou vertellen als ik iets belangrijks wist.'

'Ik weet het,' zei Rens vriendelijk. Hij was aan Constance gewend en hij kon beter met haar omgaan dan de anderen. 'Word alsjeblieft niet boos, maar kun je me vertellen hoe die duif hier is gekomen?'

Constance snotterde en veegde over haar ogen. 'Er werd op de deur geklopt en toen een van de bewakers opendeed, stond die doos op de stoep. Hij heeft niet gezien wie hem daar heeft neergezet, maar een bewaker die boven stond en uit het raam keek heeft het wel gezien. Hij zei dat het een man in een pak was. En dat hij een aktetas droeg.'

'Ik wist het,' zei Kat. Ze krulde haar lip en zei met onverholen minachting: 'Een Tienman.'

De anderen keken haar aan.

'Een wat?' vroeg Chip.

'Dit was een van de dingen die ik jullie wilde vertellen. Herinneren jullie je de recruiters van meneer Gordijn?'

Constance keek Kat dreigend aan. 'Of ik me ze herinner?' zei ze met een gezicht dat nu op onweer stond. 'Hm, laat me even denken, Kat. O, wacht! Je bedoelt die mannen die me probeerden te kidnappen, de mannen die stalen draden uit hun horloges lieten schieten, die ervoor zorgden dat ik me kapot schrok en me in een zak stopten?'

'Precies,' zei Kat. 'Die kerels. Ze werken nog steeds voor meneer Gordijn, maar ze heten geen recruiters meer. Molenweer en de andere geheim agenten noemen ze Tienmannen.'

'Omdat ze een soort soldaten zijn?' vroeg Rens, die aan tinnen soldaatjes moest denken.

'Geen Tinmannen, Rens. Tíénmannen. Het zijn inderdaad een soort soldaten en ze zijn nog gevaarlijker geworden dan ze al waren. De geheim agenten noemen ze Tienmannen omdat ze tien manieren hebben om je iets aan te doen.'

'Niet alleen met hun schokhorloges?' vroeg Chip, terwijl hij ineenkromp alsof hij het eigenlijk niet wilde weten.

'Blijkbaar hebben ze hun garderobe uitgebreid,' zei Kat.

Rens wreef over zijn kin. 'Als een van de Tienmannen die duif heeft afgeleverd,' peinsde hij hardop, 'staat er bij het hok ook vast een Tienman. Meneer Gordijn hoeft er niet zelf te zijn. Ze kunnen hem gewoon bellen als het antwoord er is. Dat betekent dat meneer Gordijn overal in de wereld kan zijn – en waar híj is, daar zijn meneer Benedict en Nummer Twee ook.'

'Ik heb het gevoel dat je ergens naartoe wilt,' zei Kat.

'Niet alleen ik,' zei Rens. 'Wij allemaal.'

'Gaan we ergens heen?' vroeg Chip verward.

'Oké, Rens, waarom hebben we de envelop nog niet opengemaakt?' wilde Constance weten. 'Waarom treuzel je zo?'

'Omdat ik denk dat we heel zeker van onze zaak moeten zijn,' zei Rens en hij keek ingespannen naar de envelop. 'Het bericht dat meneer Benedict in deze envelop heeft gedaan kan ons op het juiste spoor zetten.' Hij keek op. 'En ik denk dat we het moeten volgen.'

'Je bedoelt dat we hoe dan ook op reis moeten gaan?' vroeg Chip met grote ogen.

'Helemaal alleen?' vroeg Kat. Ze overwoog de mogelijkheid een halve seconde en zei toen: 'Oké, ik doe mee.'

Er gleed een zweem van hoop over Constances gezicht. 'Denk je dat we ze echt kunnen vinden?'

'Het is het proberen waard,' zei Rens.

Chip begon plotseling zijn bril te poetsen. Er parelden zweetdruppels op zijn kale schedel. 'Het kan wel eens gevaarlijk worden. Beseffen jullie wel dat het gevaarlijk zou kunnen zijn?'

'Ja,' zei Rens. 'Maar als we ze vinden – of bij ze in de buurt kunnen komen – gaan we geen onverstandige dingen doen. We nemen gewoon contact op met Ronda en Molenweer, en dan kunnen zij beslissen wat er moet gebeuren.'

'En als we een Tienman tegen het lijf lopen?' vroeg Constance.

'Maak je daarover maar geen zorgen,' zei Kat en ze wuifde met haar hand. 'We moeten gewoon goed uitkijken voor pakken en aktetassen – enne, elk moment kunnen rennen voor ons leven.'

'Dankjewel,' zei Constance met trillende stem. 'Dat is een hele geruststelling.'

'Ik denk niet dat een Tienman ons zou opmerken,' zei Rens. 'Bij vier kinderen denkt toch niemand aan een reddingsteam?'

'Dat is wel zo, denk ik,' zei Constance met iets vastere stem.

Rens lachte haar bemoedigend toe. Hij geloofde zijn eigen woorden niet helemaal, want hij verwachtte dat in ieder geval een paar van meneer Gordijns handlangers van hen op de hoogte waren. Aan de andere kant was meneer Gordijn er niet de man naar om toe te geven dat hij zich door een stel kinderen in de luren had laten leggen, en misschien had hij hun bestaan verzwegen. Maar Rens wilde Constance hoe dan ook een hart onder de riem steken, want hij zag dat ze kost wat kost mee wilde.

Kat kraakte haar vingers. 'Als we dat willen, moeten we aan de slag. De brief had het over vier dagen en die tijd zullen we waarschijnlijk hard nodig hebben.'

'Dus wat is het plan?' vroeg Chip, terwijl hij het poetsdoekje in zijn zak stopte en zijn bril weer opzette.

'Als we het erover eens zijn,' zei Rens, 'volgen we de instructies van meneer Benedict op. In het geheim, natuurlijk. De volwassenen zouden ons nooit laten gaan, zelfs niet als Ronda en Molenweer meegingen.'

'Natuurlijk niet,' beaamde Kat. 'We zullen er tussenuit moeten knijpen.'

'O jee,' zei Chip, die hier nog niet bij had stilgestaan. 'Als ze erachter komen maken mijn ouders me af, als een Tienman dat dan nog niet heeft gedaan.'

Rens stelde zich voor hoe mevrouw Perumal zou reageren als ze ontdekte dat hij ervandoor was en zijn gezicht vertrok. Hij drong het beeld snel weg (net zoals het beeld dat hij twee seconden daarvoor had gehad, van een Tienman die hem op een verlaten plek waar niemand hem kon beschermen te pakken had gekregen).

'Zijn we het erover eens?' vroeg Kat.

'Ja,' zeiden Constance en Rens.

Chip zuchtte diep. 'Oké.'

Toen richtten ze al hun aandacht op de envelop en vroegen zich af waar ter wereld ze zouden belanden, en in welke gevaren.

De reis begint

R ens scheurde de envelop open, haalde er twee vellen papier uit en begon te lezen.

Lieve vrienden,

Ik groet jullie van verre! Op dit moment bevinden jullie je weer in elkaars gezelschap. De gedachte doet mij veel plezier.

Ronda zal jullie het een en ander over de reis hebben verteld. Wat jullie verder moeten weten is dit: zij en Molenweer gaan met jullie mee, maar jullie moeten hen als passagiers beschouwen en jezelf als de stuurmannen. Jullie zijn degenen die de aanwijzingen moeten zien te vinden die tot ons feestelijke weerzien leiden. Ik weet dat jullie meer dan opgewassen zijn tegen de uitdaging en ik verheug me nu al op de verhalen over jullie reis.

De reis begint hier, waar jullie vieren samen zijn gekomen. De richting van jullie eerste

*schreden vind je in het raadsel op de volgende
bladzijde.*

   *Moge het avontuur jullie dichter bij elkaar
brengen, ook al voert het jullie ver van huis.*

*Met warme groet,
Meneer Benedict*

Een tijdlang bleven de kinderen zwijgend zitten. Nu ze even de gelegenheid kregen om erover na te denken, waren ze diep geraakt
door meneer Benedicts gebaar. Hij had er heel veel voor over gehad
om hun iets speciaals te geven. Hij had niet kunnen voorzien dat
zijn eigen lot zo'n afschuwelijke wending zou nemen, of dat zijn geschenk de kinderen in gevaar zou brengen. Hij zou nooit willen dat
ze risico liepen – en zeker niet omwille van hem – en dat was een
van de redenen dat hun liefde voor hem groot genoeg was om risico's te nemen.

   'Zijn jullie er klaar voor?' vroeg Rens uiteindelijk.

   De anderen mompelden bevestigend en terwijl Rens het raadsel
voorlas, luisterden ze met een geconcentreerde uitdrukking op hun
gezicht.

   *Zoek je iets? Kijk dan in mij!
Wat het ook is, het zit er vast bij.
Natuurlijk is hoop ook een van mijn deugden.
Maar eerst is er angst, daarna komt pas vreug-
   de.
Wat wordt gezocht verschilt ook per zoeker:
De een zoekt naar warmte, de ander naar woe-
   ker,
De een zoekt bijzonder, de ander gewoon;
De buit varieert van persoon tot persoon.*

En toch (al begrijp ik dat dit je verrast),
Verandert er nooit iets, mijn inhoud staat vast.
Je tast in het duister? Dan hier nog één hint:
Ook 't antwoord is iets wat zich in mij bevindt.

'Dat meen je niet,' zei Kat toen Rens klaar was. 'Is dat het raadsel? Maar het is klinkklare onzin! Er bestaat niet iets waar al die dingen in zitten!'

Rens keek haar nieuwsgierig aan. 'Het is geen onzin, Kat.'

'Het is alleen maar onmogelijk,' zei Constance en ze hief haar ogen ten hemel. 'Ik had niet gedacht dat ik kwaad op hem kon worden, niet nu, maar hoe kunnen we hem nou helpen als hij het zo ingewikkeld maakt?'

'Het klinkt als magie,' zei Chip met ontzag in zijn stem. 'Maar hij zou ons nooit een onmogelijk raadsel opgeven. Misschien líjkt het antwoord alleen maar onmogelijk, maar ís het dat niet! Net als magie!'

Constance probeerde Chips aandacht te vangen, maar hief toen weer haar ogen ten hemel. 'Het is geen magie, Chip.'

Chip keek haar kwaad aan. 'Heb jij soms een beter idee? Als het geen onzin is en niet onmogelijk en ook geen magie –'

'Het is een woordenboek,' zei Rens terwijl hij opstond. 'Kom, laten we ernaar op zoek gaan.'

Toen Kat zichzelf vaak genoeg tegen haar voorhoofd had geslagen en Chip het raadsel nog eens hardop had doorgenomen ('Dus "eerst is er angst, daarna komt pas vreugde" omdat de woorden in alfabetische volgorde staan! Ik snap het!') en Constance chagrijnig had opgemerkt dat het raadsel al was opgelost en dat Chip het niet meer hoefde te ontcijferen, en Rens Chips arm greep om te voorkomen dat hij Constance een gevoelige klap voor haar kop gaf: kortom, toen ze zover waren, begonnen de kinderen een plan te smeden.

In meneer Benedicts huis, zo wisten ze allemaal, bevonden zich meer boeken dan vloerplanken. Op bijna elk beschikbaar plekje lag een stapel boeken en langs vrijwel alle muren waren van de vloer tot aan het plafond boekenplanken aangebracht. Volgens Chip, die zich de exacte locatie van elk boek in het huis herinnerde, waren er zeventien woordenboeken; en als je de woordenboeken in een vreemde taal meerekende zelfs zesentwintig. De volgende aanwijzing zou zich in alle zesentwintig kunnen bevinden. De kinderen besloten te beginnen op de tweede verdieping, waar Constances kamer zich bevond, en zo nodig hun weg omlaag te werken.

De tweede verdieping bestond uit drie lange gangen, een tiental kamers en een heleboel hoeken en gaten: genoeg plek voor duizenden boeken. En als Chip er niet was geweest, zou de zoektocht naar de woordenboeken eindeloos hebben geduurd. Nu konden de kinderen snel van plank naar plank gaan (en van koffietafel naar vensterbank) en de woordenboeken die Chip aanwees stuk voor stuk inspecteren. Binnen een mum van tijd hadden ze alle woordenboeken op de tweede verdieping doorzocht, ook die in het Grieks, Latijn en Esperanto in meneer Benedicts kleine kamer, waar ze weer even werden overmand door hun verdriet. Ze vonden een grote hoeveelheid zilvervisjes, een mooie zijden boekenlegger (die Constance in haar zak stopte) en de definitie van een Grieks woord dat Chip al tijden had willen opzoeken, maar geen aanwijzingen.

'En in de slaapkamer van Nummer Twee?' vroeg Kat.

'Geen woordenboeken,' zei Chip. 'Nummer Twee vertelde me dat ze liever naar een woordenboek op zoek gaat als ze er een nodig heeft. Op die manier vergeet ze niet waar alles staat.'

Constance staarde Chip aan alsof hij net had gezegd dat hij van zaagsel hield. 'Jullie hebben gesprekken over woordenboeken gehad?'

'Vroeger, ja,' zei Chip treurig. 'Ik heb haar in geen maanden gezien.' Toen kreeg hij door dat Constance de spot met hem dreef. 'Het zou jou geen kwaad doen om af en toe eens in een woordenboek te kijken, Constance. Die kreupele rijmpjes van jou kunnen wel een paar nieuwe woorden gebruiken.'

'Mijn gedichten klinken goed, maar jouw oren zitten vol met roet,' zei Constance.

'Er is niets mis met mijn oren,' zei Chip met opeengeklemde kaken.

'Om te zeilen hadden je oren misschien wel gekund. Maar voor poëzie ben je een te groot – '

'Wil je dat alsjeblieft niet afmaken, Constance,' onderbrak Rens haar. 'We kunnen nu geen rijmoffensief gebruiken. We moeten het woordenboek zien te vinden.' Rustig blijven en niet op reageren, gebaarde hij heimelijk naar Chip.

'Dat zag ik toevallig,' zei Constance en ze wierp hem een kwaaie blik toe.

Rens zuchtte.

Er was nog maar één gang op de tweede verdieping die ze niet doorzocht hadden. Ze hadden er tot het laatst mee gewacht, want aan die gang lag de kamer met de Fluisteraar. Er stonden altijd wachtposten bij de deur en de kinderen hadden gehoopt dat ze met niemand hoefden te praten, maar Chip zei dat er twee woordenboeken stonden en dus moesten ze er wel heen. Gelukkig lagen er volgens Chip in de kamer zelf geen woordenboeken, want zoals ze allemaal wisten, mocht niemand de kamer zonder meneer Benedict betreden. (Rens zei maar niet dat meneer Benedict nooit een aanwijzing zou hebben achtergelaten op een plek waar ze niet bij konden, en hij was opgelucht dat die gedachte niet bij Constance opkwam.)

De kinderen waren maar één keer in de bewaakte kamer geweest, toen meneer Benedict hen had meegenomen om er een kijkje te nemen. Ze hadden de geruststellende kleuren en het zachte licht bewonderd dat hij gebruikte om zijn bezoekers op hun gemak te stellen (om zijn 'gasten', zoals hij hen zelf noemde, het gevoel te geven dat ze welkom waren). Het was geen verrassing dat meneer Benedicts gasten daar behoefte aan hadden, want zij waren de vroegere slachtoffers van de Fluisteraar, de ongelukkigen van wie meneer Gordijn de herinneringen had begraven, herinneringen die meneer Benedict nu met behulp van de Fluisteraar weer naar boven haalde. De knusse kamer stond in schril contrast met de kille, strenge atmosfeer van meneer Gordijns Fluistergalerij.

'Het kan nogal overrompelend zijn om opeens je herinneringen terug te krijgen,' had meneer Benedict gezegd, 'om je opeens allerlei belangrijke dingen te herinneren die je zo lang kwijt bent geweest. Ik doe mijn best om de schok zo klein mogelijk te maken.' Hij wees naar een fauteuil in de hoek. 'Daar zitten mijn gasten. Hij staat dicht genoeg bij de Fluisteraar en ik vermoed dat hij heel wat comfortabeler is – en veel minder angstaanjagend – dan de stoel die mijn broer had ontworpen.'

Meneer Benedict had de Fluisteraar achter een kunstig bewerkt scherm verborgen, maar de kinderen hoefden het apparaat niet te zien om het zich te herinneren. Iedereen behalve Kat had in de harde metalen stoel gezeten, met stalen banden over hun polsen en een helm op hun hoofd geklemd. Alle vier herinnerden ze zich het afschuwelijke moment dat ze beseften dat meneer Gordijn zijn machine kon gebruiken om hun geheugen te wissen – om hen te hersenvegen, zoals hij het noemde – ook al stonden ze een paar meter van het apparaat af. Inderdaad, ze herinnerden zich de Fluisteraar maar al te goed en ze vonden het helemaal niet erg dat hij achter slot en grendel in een bewaakte kamer stond.

Toen de kinderen de gang in kwamen, wierpen de twee bewakers hun een flauwe, beleefde glimlach toe. Ze hadden dienst en mochten natuurlijk geen praatje maken, en aangezien ze wisten dat de kinderen vrij door de gangen mochten lopen, zouden ze hen misschien gewoon laten passeren. Maar als ze een hoge rang hadden (en dus toegang hadden tot geheime informatie) zouden ze wel eens op de hoogte kunnen zijn van de achtergrond van de kinderen. Rens was bang dat ze hun gedrag verdacht zouden vinden.

'Weet je zeker dat er hier een woordenboek ligt?' vroeg hij aan Chip, alsof ze midden in een gesprek zaten.

'Heel zeker, Rens, ik ben ervan overtuigd,' zei Chip zo stijf, dat Rens moeite moest doen om niet ineen te krimpen. Ze mochten wel eens iets aan hun acteervaardigheden doen.

Gelukkig was Kats toneelspel overtuigender dan dat van de twee jongens. Nonchalant deed ze haar haren in een paardenstaart, knipoogde naar de bewakers en zei opgewekt: 'Even een woord opzoeken.'

De bewakers knikten, maar een van de twee – een potige man die op een buldog leek – nam de kinderen schattend op met een blik die aan wantrouwen grensde. Rens keerde hem de rug toe om de spanning op zijn gezicht te verbergen. Chip had het eerste woordenboek al ontdekt en terwijl de anderen toekeken, bladerde hij erdoorheen. Hij sloot het met een teleurgestelde zucht. 'Weer niets.'

De potige man boog zich naar hen over. 'Dat moet wel een heel speciaal woord zijn. Probeer dat andere woordenboek maar eens. Dat is echt enorm.'

'Hoe weet u dat er nog een ander woordenboek is?' vroeg Chip verbaasd.

'We hebben niks anders om de hele dag naar te kijken dan die boekenplanken,' zei de man. Hij wees naar een van de planken een eindje verderop. 'Daaro, een heel groot dik woordenboek. Maar wacht eens even, waar is het gebleven? Ik zie het nog zo voor me: het zag er niet uit, het viel bijna uit elkaar. Het stond op die plank, zeker weten.'

'Ik weet welk boek u bedoelt,' zei Chip terwijl hij naar een lege plek op de plank wees. 'Het stond daar.'

Toen deed de andere bewaker zijn mond open. 'O, dat heeft meneer Benedict meegenomen. Een paar weken geleden. Toen had jij verlof, Geert,' zei hij tegen de potige man. 'Hij zei dat-ie het ging repareren, maar ik geloof niet dat hij er voor zijn vertrek aan toe is gekomen. Ik zag het nog geen twee dagen geleden in zijn werkkamer liggen en het zag er nog steeds vreselijk uit.'

Rens' hart maakte een sprongetje. 'In zijn studeerkamer? Dan moeten we daar maar eens gaan kijken.' Ze draaiden zich om en wilden zich snel uit de voeten maken, maar hun weg was versperd.

'Luister eens, kids, ik weet wat jullie aan het doen zijn,' zei Geert, de potige bewaker.

Ze staarden hem ontzet aan. Hij kon hij dat weten? Was hun avontuur al voorbij voordat het goed en wel begonnen was?

Rens dwong zichzelf zijn mond open te doen. 'U weet wat we... aan het doen zijn?'

'Jullie proberen jezelf af te leiden,' zei Geert. 'Ik begrijp het wel. Jullie maken je zorgen over meneer Benedict en Nummer Twee en jullie willen niets liever dan je zinnen verzetten. Heb ik gelijk?'

'Ja!' riep Chip achter Rens vandaan. Hij klonk veel te gretig en het had misschien bij Geert een belletje doen rinkelen, als Constance niet haar armen had gekruist en chagrijnig had opgemerkt: 'Als jij het zegt.'

'Ik zal jullie een advies geven,' zei Geert en hij krabde aan een schilferige plek op zijn linkerwang. 'Als jullie echt wat afleiding willen, ga dan niet naar meneer Benedicts studeerkamer. Ga naar je eigen kamer en doe daar een leuk spelletje. Oké?'

'Waarom?' wilde Rens weten. 'Waarom moeten we niet naar zijn studeerkamer gaan?'

'Het is daar een serieuze aangelegenheid, knul. Ze zijn op dit moment al zijn paperassen aan het doornemen – alle ordners, mappen en boeken – op zoek naar aanwijzingen over zijn verblijfplaats. Ze laten jullie toch niet binnen. Tenminste, niet voordat ze klaar zijn.'

'Dank u wel,' zei Rens zo rustig mogelijk. 'Dat is... een goed advies. Kom mee, jongens, we gaan een spelletje doen.'

De kinderen namen haastig afscheid van de bewakers, die geamuseerd toekeken hoe ze tegen elkaar opbotsten, zich herstelden en met vreemde houterige passen de lange gang uit liepen alsof ze hun uiterste best deden er niet in paniek vandoor te gaan.

'Arme kinderen,' zei Geert op gedempte toon. 'Ze hebben er alles voor over om hun angst maar niet onder ogen te hoeven zien.'

Zodra de kinderen uit het zicht van de bewakers waren, doken ze de eerste de beste kamer in (het was toevallig de slaapkamer van Nummer Twee) om de netelige situatie te bespreken.

'Als ze die aanwijzing vinden,' zei Kat terwijl ze de deur achter zich sloot, 'krijgen wij die nooit meer te zien.'

'Misschien hebben ze de aanwijzing al gevonden,' zei Constance. Ze liet zich moedeloos op het gele kleed vallen dat Nummer Twee speciaal voor deze kamer had geweven. 'Wie weet zijn ze op dit moment een of andere rampzalige reddingsactie aan het voorbereiden.'

'We moeten ervan uitgaan dat ze nog niks hebben gevonden,' zei Rens. 'Meneer Benedict heeft een ontzagwekkende hoeveelheid boeken en papieren in zijn studeerkamer en waarschijnlijk denken ze er pas aan het woordenboek te doorzoeken als ze al het andere hebben gehad.'

'We moeten ze afleiden,' zei Kat. 'Iets doen om ze lang genoeg daar weg te krijgen zodat wij naar binnen kunnen om het woordenboek mee te nemen.'

'Heb je een idee?' vroeg Rens.

Op zoek naar inspiratie liet Chip zijn blik door de vertrouwde kamer dwalen. Hij zag alleen maar bekende, vertrouwde dingen: de open kleerkast met zijn verzameling gele kleren, het naaimandje en de stapel wetenschappelijke tijdschriften naast het bed (Nummer Twee sliep zelden, hooguit een uur of twee per nacht, en vulde de lange nachtelijke uren met geruisloze activiteiten), het ordelijke bureau met het bosje pennen in de beker, en natuurlijk de goedgevulde kast met versnaperingen (want ook al had Nummer Twee weinig slaap nodig, ze moest wel bijna aan een stuk door eten om niet prikkelbaar of slap te worden).

'Ik wou dat we deze kamer niet in waren gegaan,' mompelde Chip bedrukt vanwege alle herinneringen aan hun vermiste vriendin. Hij ging naar het raam om naar iets anders te kunnen kijken.

Maar 'anders' dekte de lading niet helemaal van wat Chip buiten te zien kreeg. Het was een van de vreemdste taferelen die hij ooit in zijn leven had gezien. Op de binnenplaats onder hem tolden de agenten met gestrekte benen in de rondte, alsof ze de spaken van een levensgroot rad waren. Wanhopig probeerden ze zich vast te klampen aan hetgeen dat hen ronddraaide. Ze waren allemaal hun pet kwijt, en een van hen zelfs zijn haarstukje, dat als een geschrokken diertje op de grond lag. De onaangename meneer Nagel had blijkbaar zonder succes geprobeerd op de stoep een handstand tegen het hek te maken, want hij lag verward op zijn rug naar de lucht te kijken. En alsof dit nog niet genoeg was om Chip het gevoel te geven dat hij droomde, dook er op dat moment een grote vogel op de binnenplaats neer. Met een snelle beweging nam hij het haarstukje van de agent in zijn snavel en vloog ermee naar de dakrand.

Chip wreef in zijn ogen en keek weer naar buiten. Opeens begreep hij het. 'Ik denk dat we onze afleiding hebben: Mucho Brazos is zojuist gearriveerd.'

De anderen haastten zich naar het raam (Chip gaf Constance een voetje zodat ze het kon zien) en ze hadden al snel door wat er aan de hand was: Mucho had om de een of andere reden Kat willen spreken, meneer Nagel had het hem op barse toon verboden, met als gevolg dat hij over het hek was geslingerd, waarop de agenten zich genoodzaakt hadden gezien de enorme man te arresteren – ze hadden hem beetgepakt en toen hij hen op zijn weg naar de voordeur probeerde af te schudden, hadden ze zich aan hem vastgeklampt.

Ergens op een verdieping onder hen hoorden ze een alarm afgaan, gevolgd door het geluid van slaande deuren en rennende voetstappen in de gangen en op de trappen. De bewakers zwermden naar de uitgangen en de anderen holden naar de ramen om te zien wat er aan de hand was.

'Chip heeft gelijk!' zei Rens. 'Dit is onze kans!'

Toen hij zich als een wervelwind omdraaide, ontdekte hij dat de kamerdeur openstond en dat Kat Weeral er allang vandoor was.

Toen ze de trap af gingen, kwam Kat hen alweer tegemoet, met in haar armen een lijvig oud woordenboek. Haar blauwe ogen schitterden opgewonden. Op Kats aanwijzing draaiden ze zich weer om en holden naar Constances kamer. Kat deed de deur op slot en liep naar het raam.

'Mooi,' zei ze terwijl ze naar buiten keek. 'Ronda probeert beneden de zaak uit te leggen. Dat geeft ons wat tijd.' Ze klakte met haar tong. 'Arme Mucho. Ik denk dat hij haar telegram heeft gekregen en vreselijk ongerust was.'

'Heeft niemand je gezien?' wilde Chip weten.

Kat maakte een schouderbeweging. 'Nope.'

De anderen keken haar verbijsterd aan. In een mum van tijd – de tijd die zij nodig hadden gehad om bij de trap te komen – was Kat de trap af gevlogen, de studeerkamer in gedoken, had ze het woordenboek gevonden en was ze zonder dat iemand haar had gezien weer verdwenen. Het leek onmogelijk.

Kat zag hen kijken. 'Wat?' Ze boog zich naar Constances spiegel. 'Heb ik iets op mijn gezicht?'

'Laat dat stomme woordenboek nou maar zien,' zei Constance wrokkig. (Zíj kon haar veters nog niet eens strikken.)

Kat legde het dikke boek op de grond en ze gingen er op hun knieën omheen zitten. Het was een haveloos oud geval met een kromgetrokken kaft – zo te zien was er ooit water op gemorst –

en een volledig kapotte rug. Om het niet nog meer te beschadigen, sloeg Rens het voorzichtig open en begon erin te bladeren. Sommige bladzijden zaten aan elkaar geplakt, andere kwamen bij de geringste aanraking los. De kamer vulde zich met een schimmelige geur.

'Hij had het al jaren geleden moeten weggooien,' zei Constance met opgetrokken neus. 'Het is niet meer te gebruiken.'

Rens sloeg weer een bladzijde om en toen verscheen er een diepe rechthoek die in de bladzijden was uitgesneden. En daarin lag een ander boek. 'Misschien niet als woordenboek. Maar als opbergplaats is het perfect.'

Het tweede boek was redelijk groot en had een bruinleren omslag. Snel sloeg Rens de eerste bladzijde open, een ongelinieerde pagina met daarop de tekst:

Reizigers horen een dagboek bij te houden en dagboeken horen geheimen te bevatten. Dit dagboek is geen uitzondering. Ik ben zo vrij geweest als eerste iets te schrijven. Lees het snel en ga dan door.

Bon voyage!
Meneer Benedict

Terwijl de anderen over zijn schouder meekeken, sloeg Rens de bladzijde om. Het was niet te zeggen of het dagboek een kostbaar geschenk was of iets wat meneer Benedict uit een bak met afgeprijsde artikelen had gevist: een in elkaar geflanst geval dat voor een schijntje van de hand was gedaan. Het papier was van een dure en zware kwaliteit, maar de bladzijden waren ongelijk gesneden, zodat sommige veel breder waren dan de rest. Ze waren leeg, op een enkel woord rechtsonder na. Rens bladerde het hele boek door. Overal hetzelfde. Eén woord per pagina, maar als je de woorden achter elkaar zette, vormden ze geen logische zin.

'Laten we er eens langzaam doorheen gaan,' zei Kat.

Rens ging terug naar het begin en sloeg de bladzijden stuk voor stuk om, wat de volgende woordenreeks opleverde:

NEEM ONDER ROZEN EN DRIE NEEM JE KANSEN NEEM TIJD OM TE GELOVEN NEEM OP KANEEL KAARSEN NEEM NOTITIES NEEM MIJN LINIAAL OOK NEEM WEG SJAAL NEEM THUIS

Ongeveer halverwege het boek begon er een andere reeks:

DE VREUGDE VAN MIJN BROERS DE NOTIE VAN GEVOLGEN DE SCHURK DE VLIEG IN DE SOEP DE DURF DE PUZZEL DE HONDSHAAI AT DE MEERVAL DE OPLOSSING

En in het laatste derde deel van het dagboek stonden onderaan de volgende woorden:

DOORSTEEK INSTEEK DOORSTEEK BLAUW DOORSTEEK AFSTEEK DOORSTEEK DOEN DOORSTEEK KRUISSTEEK DOORSTEEK JOU DOORSTEEK KANTSTEEK DOORSTEEK DOOR

Chip krabde op zijn hoofd. 'Het zal wel een soort woordpuzzel zijn, denk ik.'

'Het woord puzzel staat er wel in,' zei Kat. 'Zou dat een hint zijn?'

Ze zwegen en keken Rens vragend aan, maar Constance verraste hen allemaal door als eerste haar mond open te doen. 'Neem de doorsteek,' fluisterde ze, alsof ze het tegen zichzelf had.

'Wat?' zei Chip.

'Dat is het antwoord,' zei Constance, nu zelfverzekerder. 'Neem de doorsteek.'

Rens keek Constance onderzoekend aan. Ze keek terug alsof ze hem uitdaagde met haar in discussie te gaan. In plaats daarvan keerde Rens zich om naar de anderen en zei: 'Ik ben het met Constance eens.'

Chip was verbluft. 'Maar... maar hoe...?'

Kat keek van Rens naar Constance en weer terug. 'Waarom denken jullie dat?' vroeg ze, maar ze leek niet te weten aan wie ze het moest vragen.

Rens gebaarde naar Constance dat zij het mocht zeggen.

'Dat is toch duidelijk? Dat zijn de enige woorden die steeds herhaald worden. De andere woorden betekenen niets, die zijn alleen maar bedoeld om het er raar uit te laten zien.'

'Ze worden vaak herhaald, dat is waar, maar hoe weet je dat dat belangrijk is?'

'Kijk dan,' zei Constance. 'Die woorden staan steeds op een brede bladzijde en nooit in de hoek van een smalle. Dat lijkt me nogal belangrijk.'

Chip hoefde het niet te controleren. Hij herinnerde zich heel goed waar de woorden stonden. 'Oké, dat is ook waar. Maar waarom zou het om de brede bladzijden gaan? Hoe weet je dat de smallere bladzijden niet belangrijk zijn?'

Constance haalde haar schouders op. Op die vraag had ze geen antwoord. 'Ik weet gewoon dat ik gelijk heb,' zei ze.

Rens keek haar verwonderd aan. Hij had kunnen weten dat Constance hem zou verbazen. Als hij bedacht wat ze op tweejarige leeftijd allemaal al had gekund. En in het afgelopen halfjaar moest ze een enorme ontwikkeling hebben doorgemaakt.

'Rens?' zei Kat vragend. 'Enig idee hoe het zit met de brede bladzijden?'

Rens sloeg het dagboek open bij de tekst van meneer Benedict en ging met zijn vingers over de woorden. 'Er staat: "lees het snel", weten jullie nog? Ik dacht al dat het belangrijk was, want meneer Benedict weet hoe snel de meesten van ons kunnen lezen, vooral Chip.'

'Maar wat heeft snelheid met de betekenis van de woorden te maken?' vroeg Kat.

'Snelheid heeft te maken met welke woorden je ziet,' legde Rens uit.

Terwijl de anderen toekeken liet hij de bladzijden van het dagboek van voor naar achter onder zijn duim door schieten. En inderdaad: de enige woorden die onderaan de bladzijden verschenen waren NEEM DE DOORSTEEK.

'Wel heb je ooit,' zei Kat lachend. 'Natuurlijk! De andere woorden staan op de smallere bladzijden en als je er zo doorheen gaat –'

'– zie je alleen de hoeken van de bredere bladzijden,' maakte Chip haar zin af. Hij knikte. 'Ja, ik snap het nu ook.'

Kat floot bewonderend. 'Daar was ik in geen eeuwigheid achter gekomen.'

Constance zag er uitermate vergenoegd uit.

'Oké,' zei Rens, 'we zijn dus één stap dichter bij ons doel. We moeten de doorsteek nemen. Maar welke doorsteek? Een doorsteek waarheen?'

De kinderen vielen stil. Rens liet zijn hoofd op zijn handen rusten en probeerde zich te concentreren. Vanuit zijn ooghoek zag hij Constance hetzelfde doen. Eerst dacht hij dat ze hem aan het na-apen was en hij stond op het punt haar te vertellen dat ze dat moest laten. Toen zag hij dat ze haar ogen sloot om beter te kunnen nadenken. Rens was diep geraakt. Hij kreeg echter niet de tijd om lang bij het gevoel stil te staan, want er werd op de deur geklopt.

'Zijn jullie daar?' klonk de stem van Ronda. 'Jullie hebben bezoek.'

De kinderen wisselden gefrustreerd een blik uit. Als ze geen wantrouwen wilden wekken, hadden ze geen keus. De bijeenkomst van het Genootschap moest worden verdaagd.

Halve waarheden, listen en bedrog

'Ik ben direct na het lezen van Ronda's telegram vertrokken,' zei Mucho Brazos. 'Ik had gehoopt dat ik jullie kon inhalen om jullie te waarschuwen, maar jullie waren al te ver. Ik vrees dat ik nogal geagiteerd was toen ik hier aankwam.'

'Volkomen begrijpelijk,' zei mevrouw Perumal, die hem een koude vleesschotel voorzette. 'Heel goed dat je ons hebt willen waarschuwen.'

Ze zaten met z'n allen in de eetkamer, behalve Ronda, die na de onderbreking vanwege Mucho's aankomst verder moest met haar ondervraging. Alle verwarring was uit de wereld geholpen. Mucho en de agenten hadden elkaar hun verontschuldigingen aangeboden (tot groot ongenoegen van meneer Nagel, die weigerde zich te laten kalmeren) en Kat had Maatje van het dak gefloten, want de grote vogel die Chip had gezien was Kats slimme valk geweest.

('Wat een vogel!' had Kat uitgeroepen. 'Ze moet me in de stationwagen hebben zien stappen en me de hele weg zijn gevolgd! O, je bent vast uitgeput, domme, stoute vogel!' zei ze vermanend tegen het dier, terwijl ze over de veren aaide. Ze was duidelijk gevleid dat de valk zo aan haar gehecht was. Jammer genoeg moest ze haar buiten laten, want een roofvogel was geen betrouwbaar gezelschap voor een kostbare reisduif.)

'Is Molenweer hiervan op de hoogte?' wilde Mucho weten, terwijl hij beleefd niet meer van de schotel at dan een mens van normale omvang zou doen.

'Ronda heeft hem nog niet kunnen bereiken,' zei mevrouw Washington.

Meneer Washington, die uit het raam had staan kijken, deed voor de eerste keer sinds ze waren aangekomen zijn mond open. 'Wat is Molenweer trouwens aan het doen? Ik dacht dat hij iedereen die meneer Benedict wilde helpen al had opgespoord.'

'Iedereen behalve de stafleden die samen met meneer Gordijn zijn verdwenen,' zei Kat met een mond vol koude kalkoenrollade. Ze slikte het vlees door en vervolgde: 'De laatste tijd heeft hij andere missies ondernomen. Hij is... eh... ik hoor er eigenlijk niets van af te weten,' zei ze zenuwachtig.

'Zeg maar niets wat je niet mag zeggen, liefje,' zei mevrouw Washington.

'Als die missies met meneer Gordijn te maken hadden,' zei Rens (die hoopte dat er niet naar de envelop van meneer Benedict zou worden gevraagd) 'is het misschien belangrijk dat we er wel iets over weten.'

'Dat is waar,' zei meneer Washington en hij kwam aan tafel zitten. 'Dit gaat ons allemaal aan. Weet je iets wat belangrijk zou kunnen zijn, Kat? Over al het andere moet je natuurlijk je mond houden.'

Kat wierp een wantrouwende blik op de deur naar de gang. De moeder van mevrouw Perumal zag het en kwam uit haar stoel. 'Ik zal de wacht houden,' zei ze. 'Jullie kunnen me later bijpraten. Ik hoor trouwens toch niets als jullie fluisteren en dit is bij uitstek een moment om te fluisteren.' Ze ging de gang op. De anderen keken Kat verwachtingsvol aan.

'Hij is aan het onderzoeken wat die griezels van meneer Gordijn aan het doen zijn,' zei Kat. 'Die Tienmannen. De afgelopen maanden waren ze iets aan het bekokstoven – ze hebben ingebroken in kantoren, hebben dingen uit laboratoria gestolen – maar niemand weet wat.'

'De Tienmannen?' zei mevrouw Perumal. 'Wat een typische naam.'

'Ze heten zo omdat ze tien manieren hebben om je iets aan te doen,' zei Chip alsof hij er alles van wist.

Chips ouders keken hem aan. 'Ik begrijp dat je eerder van hun bestaan hebt gehoord,' zei meneer Washington.

'We weten niet veel van ze af,' zei Rens vlug, terwijl Chip snel de andere kant uitkeek.

'De Tienmannen zien er eigenlijk uit als gewone zakenmannen,' zei Kat, 'en daardoor kan de overheid ze moeilijk te pakken krijgen. Maar alles wat ze dragen, is een wapen. Jullie waren al op de hoogte van hun schokhorloges, toch? Nou, hun das gebruiken ze als een zweep, hun zakdoek is doordrenkt met een of ander goedje – als ze die onder je neus houden ga je meteen knock-out – en hun aktetas zit volgestampt met levensgevaarlijk spul: messcherpe potloden, vergiftigde kauwgom, zelfs een laserpen waar een echte laserstraal uit komt. En dan bedoel ik geen gewoon rood licht, maar een straal waarmee je iemands oren kunt afsnijden!'

Bij die woorden keek iedereen aan tafel ongemakkelijk naar zijn bord met vleeswaren. Chips handen gingen naar zijn oren. 'Snijden ze die er echt af?'

'Of ze het echt doen, weet ik niet,' bekende Kat, 'maar als ze willen, zouden ze het kunnen.'

'Het beeld is duidelijk,' zei mevrouw Perumal, terwijl ze haar bord wegschoof. 'Dit zijn slechte mannen.'

'Gevaarlijke mannen,' verbeterde Kat haar. 'Molenweer is al een paar keer flink in het nauw gebracht, dat weet ik wel. Als hij Molenweer niet was, zou ik de hele tijd ongerust zijn.'

Naast haar zat Chip zijn bril te poetsen. Het vooruitzicht een Tienman tegen het lijf te lopen baarde hem nu nog meer zorgen.

Ook de volwassenen reageerden verontrust. Ze schudden met hun hoofden, klakten met hun tongen en keken somber voor zich uit. Alleen Rens was niet verrast door Kats verhaal, want hij had nog steeds het gevoel dat slechtheid iets was wat je kon verwachten, ook al had meneer Benedict geprobeerd hem van het tegendeel te overtuigen.

'Meer weet ik niet,' zei Kat verontschuldigend. 'Het werpt niet echt licht op onze situatie.'

Rens zag mevrouw Perumal bedachtzaam kijken en bereidde zich voor. Hij dacht dat hij wist wat er ging komen. En inderdaad richtte ze zich tot hem en zei: 'Ik neem aan dat de envelop die Ronda jullie heeft gegeven ook niet meer helderheid heeft verschaft. Anders hadden jullie het ons vast laten weten.'

'We zijn niets wijzer geworden over waar ze naartoe kunnen zijn gegaan,' zei Rens, wat in zekere zin waar was. 'Misschien heeft Molenweer een paar antwoorden. Hij komt vast snel.'

'Mogen we ondertussen de brief zien?' vroeg meneer Washington.

'Natuurlijk,' zei Rens meteen, voordat de geschrokken uitdrukking van de anderen hen kon verraden. 'Hij ligt boven, in Constances kamer. Zal ik hem halen?' Hij maakte aanstalten om op te staan.

'Eet eerst maar af,' zei mevrouw Perumal, en dat was precies waar Rens op gehoopt had. 'Na het eten kun je hem halen.'

Rens liet zich weer op zijn stoel zakken. Van de zenuwen was zijn eetlust verdwenen, maar hij probeerde toch iets te eten. Als ze ervandoor wilden gaan, zouden ze dat direct na de lunch moeten doen. En wie wist wanneer hun volgende maaltijd zou zijn...

Uiteindelijk voegde Ronda zich bij hen in de eetkamer. Ze deed de deur achter zich dicht en schudde vermoeid haar hoofd. Mevrouw Argent had de kinderen heel graag direct willen ondervragen, maar het was uitgesteld. 'Ik heb erop gestaan dat ze jullie de tijd gaf om bij te komen van de schok. Ik heb ook gezegd dat ze moeilijk kon verwachten dat jullie haar iets konden vertellen. Maar zeg eens,' zei ze gretig. 'Wat zat er in de envelop? Zijn jullie iets wijzer geworden?'

Rens herhaalde snel zijn halve waarheid en zei dat de brief hen niets wijzer had gemaakt over waar hun vrienden naartoe konden zijn gegaan. Ronda, die geen enkele reden had om hem niet te vertrouwen – ze hechtte juist veel waarde aan zijn oordeel – reageerde heel teleurgesteld. In dat geval, zei ze, ging ze eerst iets anders afhandelen en daarna zou ze de brief lezen. Rens knikte en hij voelde zich minstens zo schuldig als opgelucht.

Ronda ging naast Constance zitten (die ongemakkelijk in elkaar dook, alsof ze bang was dat iemand genegenheid zou tonen) en zette een knullig ingepakt doosje op tafel. 'Ik kon het jullie niet eerder geven,' zei ze. 'Het lag in meneer Benedicts studeerkamer en de inspecteurs wilden niet dat ik iets meenam voordat ze alles met een stofkam hadden doorzocht. Tot mijn spijt hebben ze het opengemaakt, ook al was het een persoonlijk geschenk van meneer Benedict voor jullie. Ik heb ze het opnieuw laten inpakken.'

'Daar hebben ze niet veel van terechtgebracht,' zei Kat. 'Het papier zit binnenstebuiten.'

'Ik weet het,' zei Ronda. Droefgeestig voegde ze eraan toe: 'Meneer Benedict zou dat wel grappig hebben gevonden, denken jullie niet? Hij had zichzelf vast in slaap gelachen.'

'Wat is het?' wilde Constance weten.

'Een vervroegd verjaardagscadeau,' zei Ronda.

Iedereen begreep het meteen. Na de missie van vorig jaar had meneer Benedict een verjaardagstaart gebakken voor Constance, ook al was het een maand te vroeg geweest. Hij had geweten dat ze weldra afscheid van elkaar zouden nemen. Tijdens dat onverwachte feest hadden de kinderen te horen gekregen dat Constance nog maar twee jaar oud was. Ze hadden gedacht dat ze gewoon een uitzonderlijk klein, lastig en koppig, slecht opgevoed kind was.

'Het is dus een soort herdenking,' zei Chip. 'Ter herinnering aan vorig jaar.'

Het eerste wat Constance uit het doosje haalde, was een kaartje met de tekst:

Lieve Constance, hartelijk gefeliciteerd! Vergeet nooit dat de wereld aan je voeten ligt. Veel liefs, meneer Benedict.

De tranen leken Constance in de ogen te springen, maar ze schraapte haar keel en gaf de kaart met een ruw gebaar aan Rens. Het kostte haar enige moeite het cadeautje eruit te halen – het was een fijn en klein voorwerp en Constance had het geduld noch de handigheid ervoor – maar uiteindelijk haalde ze een prachtige hanger aan een dunne gouden ketting tevoorschijn. De hanger was een klein wereldbolletje, in diepgroene en helderblauwe tinten, met één klein, helder kristalletje.

'O, lieverd, wat een snoesje!' zei mevrouw Washington.

'Hij is oké,' zei Constance, die nu huilde en niet in de stemming was om aangestaard te worden. 'Ik ga naar mijn kamer.' Ze klemde de hanger in haar mollige knuistje en haastte zich de kamer uit.

'Ik denk dat we haar achterna moeten,' zei Rens.

De volwassenen mompelden goedkeurend terwijl Chip en Kat knikten en opstonden. Bij de deur draaide Rens zich om en wierp een laatste blik op mevrouw Perumal, die hem toevallig aankeek. Haar voorhoofd stond vol rimpels: ze maakte zich natuurlijk zorgen over hem. Rens vroeg zich af wanneer hij haar weer zou zien. Voordat hij de deur dichtdeed, probeerde hij haar een geruststellende blik toe te werpen.

Zelf had hij ook wel een geruststellende blik kunnen gebruiken.

Constance Contraire zat tussen de bergen beddengoed op haar bed, met haar nieuwe hanger om haar nek en een norse uitdrukking op haar gezicht. Toen haar vrienden binnenkwamen, mompelde ze chagrijnig iets en keek de andere kant uit. Zelfs Rens, met zijn uitstekende mensenkennis, kon niet met zekerheid zeggen hoe erg Constance van slag was, want bij haar was chagrijnig zijn aan de orde van de dag.

Dat was niet helemaal haar eigen schuld. Hoewel ze vergeleken met vorig jaar ouder, wijzer en iets groter was geworden, wist Constance heel goed dat haar eigenzinnigheid – haar unieke onwrikbare vastbeslotenheid om niet te doen wat haar werd gevraagd – een cruciale rol had gespeeld bij het slagen van hun missie. Ze wist wel dat haar vrienden ook een belangrijke rol hadden gespeeld en dat haar koppigheid door de bank genomen geen aangename karaktertrek was. Het was een trek die soms zelfs met haar eigen verlangens botste. Maar ze had een hoop positieve aandacht gekregen voor haar opstandige gedrag, en tenslotte was ze nog maar drie. Ze mocht dan wel een genie in de dop zijn, haar emoties waren net zo gecompliceerd en onhandelbaar als die van andere driejarigen. Aan de ene kant wilde Constance dus aangenaam, beleefd en behulpzaam zijn, en aan de andere kant had ze de neiging humeurig te doen en overal tegenin te gaan. En dat gedrag ging haar het makkelijkst af.

Haar vrienden waren eraan gewend geraakt. Tot op zekere hoogte kenden ze het zelf – het conflict tussen hart en hoofd waar hoogbegaafde kinderen mee te maken hadden – en op dit soort gevoelige momenten beseften ze dondersgoed wat het betekende om kind te zijn in een volwassen wereld. Zonder een woord te zeggen kropen ze naast Constance op bed. Het lag dan misschien niet in haar aard om dat soort dingen te zeggen, maar Constance hield meer van meneer Benedict dan wie dan ook, en dat wisten ze allemaal.

Een tijdlang zaten ze zwijgend op het bed. Het duurde echter niet lang voordat Constance begon te jengelen en van het bed kroop. Ze kon er niet tegen als mensen medelijden met haar hadden, tenzij ze het doelbewust had opgewekt en dat was nu niet het geval. Haar zelfmedelijden maakte plaats voor irritatie en dat was een hele opluchting. Ze voelde zich dus weer iets beter toen ze de krant ontdekte die meneer Benedict voor hen had achtergelaten (ze had hem onder een stapel kleren verstopt). Ze tuurde ernaar, alsof ze hoopte dat hij zijn geheim uit zichzelf zou prijsgeven.

'Op de een of andere manier heb ik het idee dat ik zou moeten weten wat die doorsteek is,' zei Constance. 'Ik heb een zeurderig gevoel, alsof het iets bekends zou moeten zijn. Maar ik kan het niet plaatsen.'

'Ik heb hetzelfde gevoel,' zei Rens.

'Hé, ik ook!' zei Kat. 'En jij, Chip?'

Chip haalde zijn schouders op. 'Ik heb altijd zo'n zeurderig gevoel. Ik weet alleen nooit wanneer ik er aandacht aan moet besteden.'

'Eén ding is zeker,' zei Kat. 'Als meneer Benedict het ooit over een of andere doorsteek had gehad, zouden jullie je het gesprek herinneren. Ik denk dat zelfs ik het me zou herinneren. Dus hoe komt het dat die doorsteek ons allemaal bekend voorkomt?'

'We moeten er allemaal ergens over gehoord hebben,' zei Rens. 'Of anders... zou er iets in de krant hebben gestaan?'

'Hé, dat zou goed kunnen!' zei Kat. 'Meneer Benedict weet dat we elke dag de krant lezen.'

Rens wreef over zijn kin. 'De vraag is dus wat –'

Maar Chip, die zijn geheugen al had geraadpleegd, onderbrak hem opgewonden. 'Het is dat vrachtschip – ms *De Doorsteek*! Weten jullie nog? Het stond gisteren in alle kranten.'

'Help ons eens even,' zei Constance.

'Luister, ik zal een van de artikelen die ik heb gelezen citeren,' zei Chip en hij begon op nogal gedragen toon te praten: 'Morgen zal het snelste vrachtschip van de geschiedenis aan haar maidentrip beginnen vanuit Steenstad-Haven, alwaar het te water zal worden gelaten om vier uur –'

'Vier uur!' riep Kat uit. 'We moeten er onmiddellijk heen!'

'We hebben nog een paar uur, hoor,' zei Chip, die zich gekwetst voelde omdat hij zo snel was onderbroken, om nog maar te zwijgen van de angst die hem overspoelde bij de gedachte aan hun vertrek.

'We moeten nog helemaal naar de haven,' zei Rens. 'En eerst moeten we het huis uit zien te komen.'

'Dat is makkelijk zat,' zei Kat en ze haalde haar touw tevoorschijn. 'In de gang is een verborgen stortkoker voor het wasgoed die achter de doolhof uitkomt.'

'Hoe weet jij dat?' vroeg Chip. 'Ik bedoel, als hij verborgen is –'

'Tijdens ons laatste bezoek ontdekt. Terwijl jij naar de boekenplanken stond te turen, was ik op onderzoek uit. Die stortkoker is toch niet dichtgemaakt of zo, Constance?'

'Hoe weet ik dat nou? Ik wist niet eens dat dat ding er was,' zei Constance. Ze gebaarde naar de stapels wasgoed. 'Mijn vuile kleren stapelen zich altijd op totdat Nummer Twee ze in een wasmand gooit. Ze zegt dat ze me niet wil verwennen, maar ze kan ook niet tegen de zooi. Ik noem het haar lastige wasparket.'

'Dat irriteert haar vast niet,' zei Chip.

'O jawel!' zei Constance, en ze glimlachte zwakjes, opgemonterd door de herinnering.

'Ik kan jullie allemaal met mijn touw door de koker laten zakken en dan kom ik achter jullie aan,' zei Kat.

Rens tuurde door het raam. 'De agenten zijn weg, maar meneer Nagel staat nog steeds op wacht bij de poort. Hij heeft vast orders gekregen om niemand zonder toestemming erin of eruit te laten.'

'Dat is een probleem,' zei Kat. 'Als hij ons tegenhoudt, vestigen we de aandacht op wat we aan het doen zijn.'

'Ik bedenk wel iets,' zei Rens. 'Kun jij ondertussen naar beneden sluipen en een ander hemd halen voor Chip en mij? Ik krijg uitslag van dit hemd.'

'Ik denk niet dat de hemden die in dit huis te vinden zijn jullie passen,' sputterde Kat tegen. 'Denk je niet dat je gewoon...?'

'Mijn vader heeft de koffers uit de auto gehaald,' zei Chip. Hij keek haar wantrouwend aan. 'Heb je ze niet bij de trap zien staan?'

'O, die koffers,' zei Kat en ze zuchtte. Ze had het veel te leuk gevonden dat de jongens er zo raar bij liepen.

Tegen de tijd dat Kat met de hemden terugkwam, had Rens Constances bureau leeggeruimd en zat hij gehaast een brief te schrijven om alles uit te leggen en zich te verontschuldigen voor de eventuele ongerustheid die ze hadden veroorzaakt. Ze zouden heel voorzichtig zijn, schreef hij, en zodra ze iets ontdekt hadden contact opnemen met Ronda en Molenweer. Nadat ze de brief allemaal hadden ondertekend (Constance met een wilde krabbel) keken ze elkaar somber aan, want met het ondertekenen was de ernst van wat ze op het punt stonden te gaan doen tot hen doorgedrongen. Toen knikten ze allemaal vastberaden en gingen op weg.

Toen Kat onder in de koker aankwam, zaten Constance en Rens tussen de wasmachine en de deur in geklemd, en zat Chip, wegens ruimtegebrek, op de droger. De wasruimte, die zich aan de achterkant van de doolhof onder het trappenhuis bevond, was meer een kast dan een kamer.

'Waar bleef je?' fluisterde Chip.

'Ronda kwam ons halen,' zei Kat. 'Ik hoorde haar op Constances deur kloppen, dus ik ben als een haas teruggegaan om te voorkomen dat ze naar binnen ging en onze brief zag. Ik heb gezegd dat we zo beneden kwamen. Wat technisch gesproken klopt. Ik heb alleen niet gezegd wáár.'

'We moeten maken dat we hier wegkomen,' zei Chip.

'Zachter praten, want anders komen we helemaal nergens,' zei Kat, terwijl ze zich tussen hen door perste om door een kier de gang in te gluren. 'Jij ook, Rens. Niet zo luid ademen. Je lijkt wel een spuitende walvis. Oké, de kust is veilig.'

Snel liepen de kinderen de doolhof door. Ze wisten er inmiddels feilloos de weg en waren in een mum van tijd bij de voordeur. Iedereen keek Rens aan. Hij haalde diep adem, raapte al zijn moed bij elkaar en drukte de verborgen deurklink omlaag.

Meneer Nagel zat op het bankje onder de iep en hield de poort nauwlettend in de gaten. Toen hij de kinderen zag, verstrakte hij. Voordat hij zijn mond open had kunnen doen, riep Rens brutaal: 'Meneer Nagel, u moet ons naar de auto van de Washingtons brengen. We moeten de bagage eruit halen.' Hij wees naar een zijstraat. 'Hij staat daar, om de hoek.'

Meneer Nagel keek hem dreigend aan. 'Om te beginnen hou ik er niet van als iemand me vertelt wat ik moet doen, knul, zeker niet als die iemand het opgeschoten lievelingetje van Ronda Kazembe is. En verder heb ik dienst. Of wil je soms niet dat de ingang bewaakt wordt?'

'Het duurt maar een paar minuten,' zei Rens, die nu zichtbaar geïrriteerd deed. Hij ging het trapje af en de anderen volgden hem.

Meneer Nagel stond op om hen tegen te houden. 'Blijkbaar begrijpen jullie niet wat dat betekent, dienst hebben. Ik bewaak de poort!'

De anderen staarden Rens aan. Was dit zijn plan? Meneer Nagel op de kast krijgen? Probeerden ze niet juist een confrontatie te vermijden?

'Tja...' Rens aarzelde alsof hij ergens over nadacht. 'U laat ons er toch wel weer in? We hebben toestemming om hier te zijn, weet u.'

De uitdrukking op meneer Nagels gezicht veranderde. De verandering was subtiel, maar precies waar Rens op had gehoopt: een verschuiving van neerbuigendheid naar sluwheid. Terwijl hij de poort openmaakte, zei meneer Nagel: 'Jullie kinderen denken zeker dat je zomaar alles kunt doen. Dat je zelfs geen alsjeblieft hoeft te zeggen.'

Hij maakte een spottende buiging en deed een stap opzij. De kinderen gingen snel de poort door en met een onaangenaam lachje op zijn gezicht sloot meneer Nagel de poort achter hen.

'We hebben uw hulp nodig om de bagage naar boven te dragen,' riep Rens hem over zijn schouder na. 'Ze zijn zwaar.'

'Jullie weten me te vinden,' riep meneer Nagel terug en vervolgens mompelde hij iets wat de kinderen niet verstonden.

'Dat was slim, Rens,' zei Kat op gedempte toon. 'Ik had geen idee wat je van plan was.'

Ze knielde en liet Constance op haar rug klimmen (dat deden ze altijd als ze haast hadden). 'Zag je hoe hij keek? Hij verkneukelt zich er al op dat we straks moeten bedelen om er weer in te mogen.'

'En dat we vervolgens zelf de bagage omhoog moeten slepen,' zei Chip. 'Goed gedaan, Rens.'

Rens zweeg. Hij was opgelucht dat zijn list had gewerkt, maar het was niet echt bevredigend om te profiteren van meneer Nagels onaangename karakter. Het was tenslotte de bedoeling dat de man aan hun kant stond. Zijn gedrag deed Rens' kijk op de mensheid geen goed.

'Ik hoop dat alles goed is met Maatje,' zei Kat en ze verschoof Constance iets hoger op haar rug. 'Ik zag haar niet op het dak. Ik denk dat ze op duivenjacht is.'

'We moeten zorgen dat we uit het zicht raken,' zei Chip, die bang was dat ze gepakt zouden worden en zichzelf een opgejaagde duif voelde. 'Heeft iemand geld voor een taxi?'

Ze legden alles bij elkaar, maar het was niet genoeg voor een taxi. Wel voor een bus en dus renden ze naar de dichtstbijzijnde halte. Halverwege slaakte Constance een verschrikte kreet. Ze was vergeten het dagboek van meneer Benedict mee te nemen.

'Geweldig,' mompelde Chip. 'Een goed begin is het halve werk.'

'Het maakt niet uit,' zei Kat. 'Het is misschien maar goed dat je het vergeten bent. Dan hebben we minder te dragen.'

'Maar ik wilde dat we er onderweg in zouden schrijven, zoals meneer Benedict had gezegd,' jammerde Constance.

'Nou, dan schrijven we er toch in als we terug zijn,' zei Rens. 'Iedereen akkoord? We beloven allemaal iets te schrijven over... eh... over wat we gaan meemaken.'

Chip en Kat beloofden het. Constance was nog niet getroost, maar er was geen weg meer terug. Ze renden verder en namen de eerste bus die bij de halte stopte, ook al kwam die niet zo dicht bij de haven als ze gehoopt hadden. Het was een te groot risico om op de volgende bus te wachten.

Ze reden een tijdje zwijgend door bekende straten en langs vertrouwde gebouwen. Kat was waarschijnlijk de enige die niet diep in haar hart wilde dat ze niet waren weggegaan, maar ook zij was enigszins bedrukt. De kinderen waren nu helemaal alleen en zonder een rooie cent in een grote stad. En als alles volgens plan verliep, zouden ze binnenkort – nog steeds blut en alleen – de nog grotere wereld daarachter in trekken.

Brulkikkers, piraten en technische problemen

De drukte in het centrum van Steenstad was niets vergeleken bij de hectiek van Steenstad-Haven. Eigenlijk vormde de haven een stad op zich. De uit beton en staal opgetrokken kaden strekten zich eindeloos langs de waterkant uit. Overal stonden kranen en hoog opgestapelde containers, en het krioelde er van de stuwadoors en zeelieden, die gejaagd over de kaden liepen. De schepen torenden boven de kaden uit, hun rompen als glanzende metalen kliffen oprijzend uit het water. Sommige werden geladen of gelost, andere hadden het anker gelicht en zetten koers naar de baai, alsof er een stuk van de stad was afgebroken en langzaam zeewaarts dreef. Er klonken scheepsbellen, toeters, machines en fluiten – kletterende, piepende, bonkende en schurende geluiden – een ontstellend bombardement van herrie, met daarbovenuit het gekrijs van de voorbijscherende en af en toe omlaag duikende zeemeeuwen.

Met grote ogen stonden de kinderen bij de hoofdingang van de haven te kijken.

'Daar ga ik niet heen,' zei Constance en ze deinsde achteruit.

Rens had ook weinig haast om de chaos in te gaan, maar als ze *De Doorsteek* op tijd wilden vinden, moesten ze wel voortmaken. Voordat ze hadden bedacht hoe ze Constance zover konden krijgen, kwam er een stevig gebouwde jongeman in een blauw uniform met een pet op zijn hoofd in een personenwagentje op hen af zoeven.

'Je ziet hier niet veel kinderen!' schreeuwde de man boven het tumult uit. Hij cirkelde met het karretje om de kinderen heen en met zijn vriendelijke bruine ogen bekeek hij hen van top tot teen. 'En de beschrijving klopt precies! Jullie komen voor *De Doorsteek*, is het niet?'

De kinderen knikten en Kat zei: 'Moeten we...eh... kaartjes of zoiets hebben?'

'Kaartjes? Nee hoor, jullie zijn gasten van de kapitein! Maar hij verwachtte er zes...' De man keek naar links en naar rechts, alsof er op het laatste moment iemand uit het niets zou verschijnen. 'Dit is het? Geen volwassenen?'

'Alleen wij,' antwoordde Rens. En om verdere vragen te voorkomen, voegde hij eraan toe: 'We hebben geen tijd om het uit te leggen!'

'Gelijk heb je!' zei de man lachend. Hij trapte op de rem en gebaarde dat ze moesten instappen. 'Ik ben blij dat jullie het gehaald hebben! Als jullie er over twee minuten niet waren geweest, had ik jullie van kapitein Noland moeten halen.'

Het karretje kwam abrupt in beweging en schoot weg in de richting van de poort. De man keek achterom naar zijn passagiers. 'Ik heet trouwens Joe Shooter, maar je mag me Knoert noemen. Dat doen al m'n vrienden. Ik ben derde officier op *De Door–* ho, momentje.'

Joe Shooter, oftewel Knoert, haalde een papier tevoorschijn en wuifde ermee naar de bewakers bij de poort, die hem blijkbaar kenden en alleen maar knikten toen het karretje het terrein op reed. Het karretje, dat al angstaanjagend snel ging, maakte nog meer vaart. 'We moeten helemaal naar het eind van de haven!' riep Knoert, die nu als een waanzinnige tussen de vorkheftrucks en stapels containers en verschrikte havenarbeiders door zigzagde. De kinderen klampten zich vast aan het karretje. 'Zijn jullie helemaal klaar voor de reis? Ik zie dat jullie geen bagage hebben! Het is één grote geheimzinnige bedoening, als je het mij vraagt! Waarom gaan jullie trouwens naar Portugal? Of gaat het om de belevenis?'

Het karretjes maakte een scherpe bocht naar links en Constance vloog met een gilletje uit haar stoel. Kat greep haar bij haar trui beet en zette haar weer veilig op haar stoel neer.

'Jullie zijn niet erg spraakzaam, hè?' schreeuwde Knoert. 'Dat geeft niet! Jullie zullen wel zien dat ik niet bijt! Hou je vast, op terminal vier wordt het een beetje link!'

Op Kat na deden ze allemaal hun ogen dicht. Rens had nog nooit in een achtbaan gezeten, maar hij kon zich voorstellen dat het hierop leek. Hij probeerde zich zelfs voor te stellen dàt hij in een achtbaan zat – een volkomen veilige, goed onderhouden achtbaan – toen Kat in zijn oor fluisterde: 'Rens, wist jij dat het schip naar Portugal ging?'

Rens knikte met zijn ogen stijf dicht. 'De haven van Lissabon,' zei hij en hij kromp ineen, toen hij iets over hun hoofden hoorde suizen, gevolgd door een harde knal en hartgrondig gevloek.

'O, dat had ik niet gelezen,' zei Kat. 'Kunnen we niet beter het vliegtuig nemen? We kunnen vast wel aan geld komen – ik tenminste wel – en dan zijn we er veel sneller.'

'We weten niet of Lissabon belangrijk is,' legde Rens haar uit. 'Meneer Benedict heeft gezegd dat we De Doorsteek moesten nemen, hij heeft niets over Lissabon gezegd. Wie weet bevindt de volgende aanwijzing zich wel op het schip, of wordt die ons op zee onthuld.'

'Jeetje, da's waar. Ik denk –' Op dat moment racete het karretjes over een hobbel en Kats hoofd bonkte pijnlijk tegen dat van Rens aan.

'Wat?' schreeuwde Knoert over zijn schouder. 'Zeiden jullie iets?'

Kat en Rens hadden zo veel pijn dat ze alleen maar hun hoofd konden vastgrijpen, maar Constance riep dat ze heel graag wilde weten waar Portugal lag.

De zeeman lachte en bracht zijn hand naar zijn oor. 'Sorry, het klonk alsof je wilde weten waar Portugal lag!'

Iedereen keek Constance aan, die een gezicht trok en zei: 'Nou? Gaat iemand het me nog vertellen?'

'De andere kant van de oceaan,' zei Chip. Met zijn ene hand hield hij zich aan het karretje vast en met zijn andere hand hield hij zijn bril op zijn neus, en hij zag nogal bleek.

'Dat wist ik ook wel,' snauwde Constance. 'Dan vertel je het me toch lekker niet? Waarom zou ik het ook willen weten?'

'We zijn er!' kondigde Knoert aan. Het karretje kwam slippend tot stilstand voor een loopplank. 'Iedereen uitstappen!'

De kinderen kropen het karretje uit. Knoert liet hen een moment vol ontzag omhoogstaren. Zoals elk schip was *De Doorsteek* vanaf de kade gezien een intimiderend gevaarte. Maar niet alleen van onderaf bezien was het groot: het was langer dan twee voetbalvelden en hoger dan het stadhuis van Steenstad.

'Wat een schoonheid, hè?' zei Knoert, terwijl hij bewonderend omhoogkeek. 'Het eerste in haar soort, het snelste vrachtschip ter wereld! Veruit! Speciaal scheepsrompontwerp! Speciale straalaandrijving! Geloof het of niet, kinderen, bij een kalme zee kan ze een snelheid bereiken van –'

'Meer dan zestig knopen,' zei Chip. 'En ze moet de Atlantische Oceaan in twee dagen kunnen oversteken, nietwaar?'

Knoert knipte met zijn vingers. 'Precies! Pre-cíés!' Hij greep Chip beet en omhelsde hem ruw, en liet hem even snel weer los. 'Een jongen die zijn schepen kent, zo mag ik het zien! En nu iedereen aan boord! Vooruit!'

En met die woorden zette Knoert zijn pet op Chips hoofd en hij beende de loopplank op.

'Ik mag die man wel,' zei Kat.

Het verbaasde Rens niets. Knoert leek tenslotte erg op Kat.

'We zijn helemaal geladen!' riep Knoert over zijn schouder. 'Nog een paar kleine dingetjes! O, dat doet me eraan denken...' Hij bleef halverwege de loopplank staan en knielde neer. Toen de kinderen bij hem waren, sprak hij zo zacht dat ze hun oren moesten spitsen. Zijn volumeknop leek geen tussenstand te hebben.

'Luister. Een heel stel hoge omes uit de scheepvaartwereld heeft op het laatste moment besloten zich in te schepen,' fluisterde Knoert. 'Hotemetoten, bobo's.' Hij zette zijn borstkas op en trok een raar gezicht. 'Brulkikkers, als je het mij vraagt. Kapitein Noland heeft extra slaapplaatsen voor ze moeten inrichten, dus hij is vast blij om te horen dat jullie maar met z'n vieren zijn.' Knoert stond abrupt op. 'En nu aan boord!'

Op het hoofddek van het schip was het net zo druk als op de kaden. Tientallen mannen en vrouwen in uniform haastten zich allerlei kanten uit om onbekende bevelen uit te voeren. Nadat Knoert de kinderen had gezegd dat ze daar op hem moesten wachten, verdween hij snel over het dek. Niet lang daarna kwam hij terug met een man in een wit uniform. 'Hier is de kapitein!'

'Philip Noland,' zei de kapitein en hij schudde hen de hand. Alles aan kapitein Noland zag er gestroomlijnd uit: zijn korte grijze baard en gemillimeterde grijze haar, zijn uniform en zelfs zijn bewegingen. 'Het is me een genoegen jullie te ontmoeten. Nicolaas Benedict is een oude vriend van me en hij heeft me veel over jullie verteld. Maar hoe zit het met Molenweer en Ronda? Komen ze echt niet?'

Kapitein Noland maakte een onrustige indruk, maar Rens voelde dat het niets met hen te maken had. Op basis van wat Knoert over de onverwachte gasten had verteld, vermoedde Rens dat de kapitein gewoon onder grote druk stond.

'De plannen zijn gewijzigd,' zei Rens, 'maar dat kunnen we later wel uitleggen, wanneer u het minder druk hebt.'

'Ik heb inderdaad nogal veel aan mijn hoofd,' zei kapitein Noland. 'En ik moet me verontschuldigen. Het was de bedoeling dat we vanavond samen zouden dineren. Helaas heeft men mij verzocht' – hier verscheen er een uitdrukking van nauwelijks verhulde verontwaardiging op zijn gezicht – 'liever gezegd, gedwóngen mijn plannen te wijzigen. Ik vind het bijzonder vervelend, kinderen, en ik vraag jullie vergiffenis. Als jullie het niet erg vinden gebruiken we samen iets nadat ik aan mijn verplichtingen heb voldaan.'

De kinderen gingen akkoord en kapitein Noland haastte zich weer weg, nadat hij Knoert had verzocht de kinderen hun slaapplaatsen te laten zien.

'Ik ben bang dat het maar één hut is,' zei Knoert, terwijl hij langs een ladder omlaagklauterde. 'De brulkikkers moesten en zouden eenpersoonshutten hebben en dus zitten jullie met z'n vieren op een kluitje. De kapitein is behoorlijk van slag. Jullie zouden zijn eregasten zijn. Maar als de maatschappij iets wil, gebeurt het.'

In de smalle gang onder aan de trap, werd Knoert terzijde genomen door een bemanningslid, dat hem iets in zijn oor fluisterde. 'Al goed, al goed,' zei Knoert, terwijl de man de ladder opklom. Fluisterend zei hij tegen de kinderen: 'Hij hielp me herinneren dat ik niet te hard moet praten. Goed advies trouwens, als je je baan wilt houden. En dat wil ik. Deze kant uit!'

Ze gingen nog meer gangen door en nog meer ladders af, en uiteindelijk kwamen ze bij hun hut. Het was een kleine ruimte met maar één patrijspoort, die zo hoog zat dat alleen Kat naar buiten kon kijken, en zelfs zij moest op haar tenen staan. De stapelbedden bevonden zich aan weerszijden van de hut, die Rens aan het washok in meneer Benedicts huis deed denken. Er was nauwelijks genoeg ruimte om er met z'n allen te staan. Om elleboogstoten en geplette tenen te voorkomen, klommen ze allemaal een kooi in. Knoert sloot de deur om zijn toespraak af te maken. Of te vervolgen, want Knoert was blijkbaar nooit klaar met praten. Hij veranderde alleen van onderwerp.

'Wanneer we goed en wel op weg zijn, kan ik jullie een rondleiding over het schip geven,' zei hij, 'maar het zal een vluggertje worden. We komen handen tekort, dankzij de brulkikkers.'

'Hoezo komen jullie handen tekort?' wilde Rens weten.

'Uitstekende vraag!' zei Knoert en hij keek Rens grijnzend aan. 'De hoofdbrulkikker is een grote juwelier en hij vervoert een enorme hoeveelheid diamanten naar Europa. Dat is natuurlijk geen probleem – *De Doorsteek* is een uitzonderlijk veilig schip – maar nou eist deze brulkikker op het laatste moment extra bewakers. De kapitein legt nog uit dat er geen plek is voor al die mensen, zegt dat de bemanning ook ergens moet slapen. En wat denk je dat die brulkikker zegt? Krimp je bemanning dan in! Hij zegt dat een goeie kapitein ook met minder bemanningsleden toe kan! De kapitein had geen keus en nu moet de rest dus twee keer zo hard werken om te zorgen dat de reis voorspoedig verloopt.'

'Wat oneerlijk,' zei Kat.

'En dat is nog maar het topje van de ijsberg! Maar dit is niet het moment om het over onrecht te hebben. Ik ga naar het veiligheidsruim om te zorgen dat alles daar in orde is. Ga gerust naar het bovendek, maar loop de bemanning niet voor de voeten. En als je brulkikkers tegenkomt, wees dan beleefd! Als ze willen dat we jullie overboord gooien, dan zullen we dat moeten doen!'

Knoert knipoogde, griste toen zijn pet van Chips hoofd en stoof de hut uit.

'Jammer,' zei Chip, terwijl hij over zijn schedel wreef. 'Die pet hield mijn hoofd warm. Ik ben nog steeds niet gewend aan de koude lucht langs mijn kale hoofd.'

Kat wierp hem haar sloop toe. 'Hier, die kun je om je hoofd wikkelen.'

'Geintje zeker?' zei Chip. 'Nee, bedankt,' en hij gooide de sloop terug.

'Zullen we naar het dek gaan voor het vertrek?'

Iedereen stond op, behalve Constance, die in slaap was gevallen. Toen ze haar probeerden te wekken, bedekte ze haar hoofd met een kussen.

'Net als in de goeie ouwe tijd,' zei Kat.

'Ze heeft een zware dag achter de rug,' zei Rens.

En dus lieten ze Constance slapen en gingen weer naar boven, waar de middagzon lange schaduwen wierp en de zeewind door hun haren woei. Aan het eind van het dek zagen ze een groep goedgeklede mannen en vrouwen – waarschijnlijk de aandeelhouders van de scheepvaartmaatschappij – tegen de reling leunen, terwijl ze naar kapitein Noland luisterden. Op zijn afgemeten en efficiënte manier gaf de kapitein een toelichting op de activiteiten van de bemanningsleden die het schip klaarmaakten voor het vertrek.

De kinderen besloten uit de buurt te blijven en gingen naar de reling aan de andere kant, waar ze de fanfare die op de kade aan het spelen was wel hoorden, maar niet zagen. Toen klonk in de verte het gerinkel van een fles die tegen de scheepswand stuk sloeg, gevolgd door applaus. ('Dat is een oude traditie,' legde Chip de twee anderen uit, die het al wisten.) Weldra voelden ze het gerommel van de machines in de diepte en *De Doorsteek* kwam los van de kade.

Terwijl het schip langzaam draaide, konden de kinderen helemaal tot aan Nymans Eiland kijken, de heuvelachtige rotsmassa waar het Instituut van meneer Gordijn zich had bevonden. De herinneringen aan hun tijd op het eiland – zowel duistere als opwindende – kwamen weer bovendrijven. Ongemerkt gingen de drie vrienden dichter bij elkaar staan. Schouder aan schouder staarden ze over het water alsof het de tijd zelf was. Daar waren ze een jaar geleden aangekomen, bang voor wat hun te wachten stond. En nu, aan de reling van dit schip, dreven hun gedachten weer terug naar hun huidige missie: meneer Benedict redden. Wat zou meneer Gordijn meneer Benedict en Nummer Twee kunnen aandoen? En hadden ze ook maar een schijn van kans om hem daarvan te weerhouden?

'Tot zover hebben we het in ieder geval gered,' zei Kat, alsof ze de vragen hardop hadden uitgesproken. 'Geen slechte start, nietwaar?' *De Doorsteek* lag nu met de steven naar de open zee en de machines draaiden op volle toeren. Weldra zou het schip de haven uit zijn en de Atlantische wateren doorklieven.

'Ongelooflijk,' zei Chip hoofdschuddend. 'Een paar uur geleden was ik bang dat mijn ouders me wat zouden aandoen als ik zonder hun toestemming vertrok. En nu steken we de oceáán over. En we hebben geen idee wat ons te wachten staat.'

Het schip kwam langzaam maar zeker op snelheid. Achter hen verdween het havenverkeer in de verte en voor hen strekte het glinsterende water van de oceaan zich eindeloos uit. Ze gingen steeds sneller, zodat de zilte lucht langs hun oren suisde en *De Doorsteek* als een pijl door het water schoot om zich in de horizon te boren. Meer dan een uur bleven ze gebiologeerd bij de reling staan, tot in hun cellen doordrongen van de urgentie van hun reis, en staarden met waterige ogen voor zich uit. Ze gingen zo in hun gedachten op, dat toen ze weer omkeken Steenstad al achter de horizon was verdwenen.

'Daar zijn jullie!' schreeuwde Knoert. 'We zochten jullie al!'

De kinderen draaiden zich om en zagen de breedgeschouderde zeeman grinnikend op hen af komen lopen. Hij hield zijn pet vast zodat die niet zou wegwaaien, en Constance, die met een kwaad gezicht naast hem liep, hield zijn been vast zodat zíj niet zou wegwaaien. Haar mond bewoog – ze was ongetwijfeld over haar slechte humeur aan het uitweiden – maar de wind loeide zo hard dat ze nauwelijks te verstaan was. De anderen knikten en probeerden schuldbewust te kijken in de hoop dat ze geen driftaanval kreeg.

'Klaar voor jullie rondleiding?' brulde Knoert.

De kinderen volgden Knoert van de boeg naar de achtersteven en luisterden geïnteresseerd naar wat hij hen toeschreeuwde over het ontwerp van de scheepsromp en de machines van *De Doorsteek*, en de functie van de verschillende delen van het dek en de installaties die er stonden. Het grootste deel van het dek stond vol met stalen containers. Knoert legde uit dat vrijwel alle vracht in dit soort containers werd vervoerd. Bij gewone schepen werden die containers met kranen geladen en gelost, een langdurig en arbeidsintensief karwei. *De Doorsteek* daarentegen had speciale containers die het schip in een mum van tijd op en af konden worden gerold.

'Het draait allemaal om tijd, snappie?' schreeuwde Knoert. 'Ze vervoert dan misschien minder dan andere containerschepen, maar ze is vijf keer zo snel!'

Constance, die niet warm kon lopen voor een verzameling gigantische metalen dozen, wees naar een plompe toren met grote ramen, waar kapitein Noland en een paar bemanningsleden aan het werk waren. 'Waar is dat ding voor?'

'Dat is de brug!' riep Knoert verbaasd uit. Het was nooit bij hem opgekomen dat iemand de brug niet zou herkennen. 'Daar kunnen we niet heen, ben ik bang!' Hij keek om zich heen en probeerde toen op gedempte stem te schreeuwen. 'De brulkikkers zouden het niet waarderen als ze kinderen op de brug zagen.'

'Lieve hemel!' riep Kat opeens uit. Met haar scherpe ogen had ze een bekende gestalte op de brug ontdekt. 'Het is Maatje! Ze is me wéér gevolgd! Ze moet hebben gezien dat ik op de bus ben gestapt!'

'Maatje?' zei Knoert verbaasd. Zijn ogen werden groot toen Kat hem de valk wees en de situatie uitlegde. Ze werden nog groter toen ze haar telescoop tevoorschijn haalde en die op de vogel richtte. Een moment lang wist de jonge zeeman niet of hij naar de valk op de brug moest kijken, of naar het meisje met het emmertje vol handige spullen: beide zeldzame verschijnselen op een schip. Hij herstelde zich echter snel en glimlachte breed. 'Mijn oudoom was valkenier. Als jongen ging ik graag bij hem op bezoek. Prachtige vogels, valken. De vorsten van de vogelwereld, als je het mij vraagt.'

Kat glunderde natuurlijk bij die woorden, en toen ze haar telescoop rond had laten gaan – geen van de andere kinderen hoefde lang te kijken, want Maatje deed zich te goed aan een ongelukkige zeevogel en de aanblik maakte hen een beetje misselijk – haalde ze het fluitje en de leren handschoen tevoorschijn om Maatje te roepen. Maar Knoert boog zich naar haar toe en vroeg haar de spullen weer op te bergen.

'Niet nu,' zei hij met een betekenisvolle blik in de richting van een gezette aandeelhouder die zojuist aan dek was verschenen. 'Sorry, maar die knaap raakt misschien ontstemd door zoiets ongewoons als een meisje met een afgerichte valk. Als je het niet erg vindt, roepen we haar later wel. Het is trouwens ook niet zo beleefd om haar tijdens het eten te storen, vind je niet?'

Kat was teleurgesteld, maar ze ging gehoorzaam mee toen Knoert hen voorging naar het benedendek, waar het gehuil van de wind opeens was verdwenen en ze weer normaal met elkaar konden praten. (Of wat bij Knoert voor normaal doorging.) 'Willen jullie het veiligheidsruim zien?' vroeg hij. 'Vrachtcontainers zijn dodelijk saai voor een rondleiding, ik weet het. Maar het veiligheidsruim is iets speciaals!'

Natuurlijk wilden de kinderen het veiligheidsruim zien en dus nam Knoert hen mee de diepten van het schip in. Onderweg kwamen ze jachtig voorbijrennende bemanningsleden tegen en een bataljon beveiligingsmensen. Uiteindelijk stonden ze voor een zware metalen deur met een rond spaakwiel, als van een bankkluis. Op bevel van Knoert maakt een van de bewakers met tegenzin de deur open en liet hen binnen. Vervolgens posteerde hij zich in de deuropening om al hun bewegingen te kunnen volgen. Het veiligheidsruim was verrassend groot, bijna zo groot als een tennisbaan. Langs de wanden bevonden zich kluisjes, geldkisten en brandkasten.

'Het mooie van het veiligheidsruim is dat het van binnenuit kan worden afgesloten,' vertelde Knoert, 'en dat we er zo nodig de hele bemanning in kunnen proppen.'

'Waarom zouden jullie dat doen?' vroeg Rens.

'Als we worden aangevallen,' zei Knoert nonchalant. 'Het is gewoon een extra veiligheidsmaatregel. Het is een van de redenen dat de aandeelhouders zo blij zijn met *De Doorsteek*. Met zo'n snel schip met zo'n veiligheidsruim loop je niet het risico dat je waardevolle vracht door piraten wordt buitgemaakt.'

'Piraten!' riep Constance uit. 'Je maakt zeker een grapje!'

Kat lachte. 'Je vergist je een paar eeuwen, Knoert.'

'Ik dacht het niet!' zei Knoert. 'Moderne piraten hijsen natuurlijk geen piratenvlag meer in de mast en het zijn er niet meer zo veel als vroeger, maar er bestaat nog heel wat piraterij op de wereld. Kost de maatschappijen een lieve duit.'

'Het afgelopen jaar,' onderbrak Chip hem, 'heeft piraterij de wereldeconomie meer dan dertig miljard dollar gekost.'

Knoerts ogen puilden uit hun kassen en opnieuw greep hij Chip beet om hem te omhelzen. 'Hoor die jongens eens praten over piraterij en de wereldeconomie! Hoe wist je dat in hemelsnaam?'

'Chip leest veel,' zei Rens.

'En hij slaat alles in zijn hoofd op,' voegde Kat eraan toe. 'Net als een computer. Vandaar zijn bijnaam.'

'Het is niet waar!' riep Knoert grinnikend uit. 'Mensenlief, ik heb nog nooit iemand –'

De bewaker in de deuropening schraapte ongeduldig zijn keel. 'Hoelang gaat dit nog duren, Knoert?'

'Moeilijk te zeggen,' antwoordde Knoert, en hij wierp de bewaker een vernietigende blik toe. 'En je mag me officier Shooter noemen.' Hij draaide zich weer om en keek scheel. De kinderen probeerden niet te lachen. 'Hoe dan ook, jullie hoeven je geen zorgen te maken over piraten. Op deze route is er nog nooit een overval geweest. Maar de brul– ik bedoel de aandeelhouders willen de garantie dat het honderd procent veilig is om hun spullen te verschepen.'

'Zoals die diamanten,' zei Constance.

Knoert keek zenuwachtig om naar op de bewaker, die in zijn radio praatte en niets leek te hebben gehoord. 'Ja, eh, goed. Laten we het daar in dit gezelschap niet over hebben, oké? Ik weet niet zeker of jullie ervan op de hoogte mogen zijn, als je begrijpt wat ik bedoel.'

'Ik zal het ze zeggen,' mompelde de bewaker in zijn radio. Hij stak hem weg en zei: 'De rondleiding is voorbij, mensen. Iedereen naar buiten.'

'Omdat je het zo vriendelijk vraagt,' zei Knoert. Hij knipoogde naar de kinderen en ging hen voor.

Na de rondleiding gingen de kinderen terug naar hun hut en ging Knoert hun eten halen. Hij had gedacht dat ze met de bemanning zouden eten, maar de aandeelhouders hadden hun irritatie over de aanwezigheid van kinderen op het schip al kenbaar gemaakt. Dus had kapitein Noland hun laten weten dat, hoezeer hij het ook betreurde, de kinderen in hun hut moesten eten.

'Die mensen hebben wel lef,' zei Constance. 'Ze behandelen de kapitein als hun loopjongen. En ons als ratten. We komen hier om van de honger!'

'Dat hopen ze waarschijnlijk,' zei Rens.

'Zolang het eten er nog niet is, ben ik naar de plee,' zei Kat en ze liep naar de deur.

Constance keek haar verward na. 'De plee?'

'Zo noemen ze hier een wc,' legde Kat uit, terwijl ze de hut uit ging.

'Noem de dingen toch bij hun gewone naam,' gromde Constance. 'Zeg toch gewoon wc, al dat dure gedoe, weg ermee.'

'Vind jij "plee" duur gedoe?' vroeg Rens.

'Dichterlijke vrijheid,' antwoordde Constance uit de hoogte, waarop Chip schamper lachte en zijn ogen ten hemel sloeg. 'Als jullie een beter rijm weten om mijn irritatie tot uitdrukking te brengen, ga je gang,' voegde ze eraan toe.

De jongens waren nog steeds aan het broeden op een beter rijm, toen Knoert terugkwam van de kombuis. 'Ik ben bang dat Kat nog geen zeebenen heeft,' zei hij, terwijl hij de boterhammen en de flesjes limonade uitdeelde. 'Ik hoorde haar in de plee toen ik er langsliep. Zo ziek als een hond, het arme kind. Te kokhalzen en te kotsen dat het een lieve lust was.'

'Dat kan Kat niet zijn geweest,' zei Chip. 'Toen ze de hut uit ging was er niets aan de hand.'

Rens onderdrukte een glimlachje. Hij dacht dat hij wel wist wat Kat aan het uitspoken was. 'Ik zal voor de zekerheid even kijken,' zei hij en hij ging de hut uit. Hij zag haar door het nauwe gangetje lopen, stampvoetend van frustratie en met een knalrood en bezweet gezicht. Toen ze Rens in de gaten kreeg, deed ze alsof er niets aan de hand was, maar het was al te laat. Hij keek haar geamuseerd aan.

'Geen woord!' zei ze terwijl ze zich langs hem heen wurmde.

'Nog steeds geen succes?' vroeg hij.

'Ik weet niet waar je het over hebt,' zei Kat zonder om te kijken.

Aangezien Knoert andere verplichtingen had, aten de kinderen met zijn vieren. Daarna zette Kat haar emmertje onder de patrijspoort, zodat Rens en Chip naar buiten konden kijken. Boven de oceaan was een bijna volle maan opgekomen, die glinsterend op het water werd weerspiegeld. Het was een prachtig gezicht en Kat bood Constance aan om haar op te tillen. Maar Constance lag in haar kooi naar haar hangertje te kijken en zei dat ze er niet voor in de stemming was.

De waarheid was dat Constance leed. Vanaf het moment dat het verschrikkelijke bericht hen die ochtend had bereikt, was ze in een wervelwind van emoties terechtgekomen. Het zag er niet naar uit dat die wervelwind snel voorbij zou trekken. Dat was niet te verwonderen. Het afgelopen jaar had ze zich volledig op meneer Benedict verlaten. En voor Constance was een jaar een heel lange tijd. Ze had er tenslotte nog maar een paar achter de rug.

Nu meneer Benedict was verdwenen en ze hem misschien nooit meer zou zien, werd Constance zowel gekweld door wat hij níét voor haar was geweest als door wat hij wel was geweest. Meneer Benedict was Constances liefhebbende voogd en emotionele anker geweest. Wat hij niet was geweest, was haar vader: nog niet, in ieder geval, en Constance was zich scherp bewust van het gemis. Om de een of andere onverklaarbare reden had ze altijd geloofd dat haar hele wereld zou veranderen wanneer meneer Benedict haar adopteerde, dat ze niet meer dat eigenaardige meisje zou zijn dat zo verloren ronddoolde. Nu was die mogelijkheid haar misschien ook nog door de vingers geglipt.

Constances gedachten dwaalden af naar een gesprek dat een paar maanden eerder aan het ontbijt had plaatsgevonden. Meneer Benedict en Nummer Twee waren de eetkamer binnengekomen terwijl Constance slaperig haar cornflakes zat te eten. Meneer Benedict droeg zoals gewoonlijk zijn Schots geruite pak en het roestkleurige haar van Nummer Twee stak fel af tegen haar gele kleren. In Constances waterige ogen zagen ze eruit als een stoplicht geschilderd door Picasso.

'Ik hou niet eens van Picasso,' mopperde Constance bij wijze van begroeting.

'Ook goedemorgen,' zei meneer Benedict, terwijl Nummer Twee een verzameling kaarten en brochures op tafel uitspreidde.

'Niet weer!' protesteerde Constance. 'Het is te vroeg,' Ze had nog geen zin in praten, en nog minder in de vreemde oefeningen die meneer Benedict haar liet doen. Vanaf de eerste dag dat ze bij hem woonde, had hij haar allerlei vreemde opdrachten gegeven.

Meneer Benedict glimlachte en liet zijn hand in zijn jaszak glijden. 'Ik ben bang dat dit het beste moment is, lieve kind.'

'Ik ben aan het ontbijten.'

'Je kom is leeg,' zei Nummer Twee. 'Er zit alleen nog maar melk in.'

Constance wilde haar tegenspreken, maar kon niets bedenken. 'Waarom moet ik steeds van die oefeningen doen? Is er een of andere stomme wet die dat voorschrijft?'

'Neem me niet kwalijk, ik dacht dat we het daarover hadden gehad,' zei meneer Benedict met gespeelde verbazing, want natuurlijk hadden ze het erover gehad, en meer dan eens.

Hij ging aan tafel zitten en ook de waakzame Nummer Twee nam plaats, na hem. Omdat ze zich flauwtjes voelde worden, haalde ze een handje amandelen uit haar zak en propte ze in haar mond.

'Als je onofficiële voogd,' legde meneer Benedict uit, 'voel ik me verantwoordelijk voor je ontwikkeling. Dat is de reden voor al die vervelende oefeningen. Wettelijk gezien zijn we nergens toe verplicht.'

'Omdat ik nog niet officieel geadopteerd ben?' vroeg Constance.

'Dat speelt mee,' zei meneer Benedict. 'Maar de zaak ligt ingewikkelder.'

Constance keek de andere kant uit. Ze had nooit expliciet gezegd dat ze door meneer Benedict geadopteerd wilde worden en ze voelde zich altijd beschaamd om het erover te hebben. Maar uiteindelijk won haar ongeduld het van haar schaamte. 'Wat bedoelt u precies met "ingewikkeld"?' vroeg ze zo nonchalant mogelijk. 'Ik bedoel, waarom ben ik nog niet geadopteerd?'

Meneer Benedict ging met een hand door zijn wilde witte haardos en zuchtte. 'Formaliteiten, Constance. Volgens de officiële documenten besta jij niet. Ik weet het, jij denkt daar anders over – en ik ben het met je eens – maar officieel besta je niet. Het is dus aan mij om aan de juiste autoriteiten te bewijzen dat je bestaat, want het aantoonbare feit van je levende, ademende lichaam kan hen blijkbaar niet overtuigen.'

Meneer Benedict pauzeerde en zocht op Constances gezicht naar een teken van vrolijkheid. Ze maakten vaak grapjes die niemand anders grappig vond en meneer Benedict gebruikte vaak humor om Constances explosieve stemmingen te bezweren. Maar deze keer fronste ze alleen maar en meneer Benedict schraapte zijn keel en ging snel door.

'In ieder geval willen de autoriteiten officiële papieren zien: papieren, die, net als jijzelf, ogenschijnlijk niet bestaan. Zoals je begrijpt zijn er dus enige obstakels. Ik heb er echter alle vertrouwen in dat als je bestaan eenmaal is aangetoond, de adoptie weldra geregeld zal zijn. Ondertussen moet je jezelf beschouwen als deel van dit gezin, ongeacht of de wet het ermee eens is.'

Constance was hier niet tevreden mee. 'En de Fluisteraar dan?'

Meneer Benedict trok een wenkbrauw op. 'De Fluisteraar?'

'U kunt hem op mij gebruiken om uit te vinden waar ik vandaan kom! U hebt hem toch zo omgebouwd dat hij herinneringen terughaalt? Doe dat dan bij mij! Dan kunnen we uitzoeken waar ik geboren ben, wie mijn ouders zijn –'

Meneer Benedict schudde zijn hoofd. 'Ik ben bang dat ik dat nu niet kan doen.'

Constance werd nu heel opgewonden. 'Waarom niet? Omdat dat niet mag van de overheidsfunctionarissen? En hypnose dan? Molenweer zei dat u daar goed in bent. Hypnotiseer me dan! Dan kunnen we uitzoeken... kunnen we echt uitzoeken...'

Haar stem stierf weg, ontmoedigd door de uitdrukking op meneer Benedicts gezicht.

Ze wist dat hij zou weigeren. Ze wist ook dat het hem aan zijn hart ging, maar haar ongeduld won het. Ze kruiste haar armen over haar borst en keek hem kwaad aan. Nummer Twee liet haar blik van de een naar de ander gaan, schoof ongemakkelijk op haar stoel heen en weer en probeerde zo min mogelijk herrie te maken bij het kauwen.

'Constance,' zei meneer Benedict vriendelijk. 'Ik betwijfel of hypnose – of zelfs de Fluisteraar – iets zou uithalen bij jou. De hersenen van de meeste tweejarigen hebben nog geen langetermijngeheugen. Ze zijn eenvoudigweg nog niet voldoende ontwikkeld. De meeste mensen herinneren zich niets van hun peutertijd.'

'Ik ben drieënhálf,' zei Constance verontwaardigd. 'En trouwens, mijn hersenen zijn ánders. Is dat niet precies de reden voor die stomme oefeningen?'

'Je was twee toen je bij me kwam,' herinnerde meneer Benedict haar. 'En inderdaad, het is mogelijk dat je talent erop duidt dat je ontwikkeling zodanig gevorderd is dat je je – onder begeleiding – je verleden kunt herinneren. Maar eerlijk gezegd denk ik van niet. Ik kan het niet toestaan. Alles wijst erop dat je onder traumatische omstandigheden op zo jonge leeftijd alleen bent komen te staan. Misschien wanneer je iets ouder bent. Nu voel ik me genoodzaakt je te beschermen tegen een dergelijk trauma. Jij en je vrienden hebben al genoeg meegemaakt. En mocht je het vergeten zijn: je bent nog heel jong.'

'Fijn. U kunt me niet adopteren en u doet ook niets om te zorgen dat het wel kan,' gromde Constance. Ze voelde zich diep gekwetst. 'Sorry dat ik erover begon. Laten we maar doorgaan met die stomme tests.'

'Kijk me aan, Constance,' zei meneer Benedict.

Constance wendde haar ogen af.

'Lieve kind,' zei meneer Benedict zacht, bijna fluisterend. 'Een van je talenten is voor mij zonneklaar, ook al heb je het zelf niet door. Ik ga je nu helpen dat aan te spreken. Als het niet zo belangrijk was, zou ik het niet van je vragen, want ik besef heel goed hoe enerverend dit alles voor je is. Maar het is wel belangrijk. Dus alsjeblieft, Constance. Kijk me aan.'

Deels uit nieuwsgierigheid en deels omdat ze ondanks haar woede van meneer Benedict hield, keek Constance op.

Meneer Benedict had zijn bril afgezet en keek haar met zijn groene ogen strak aan. Constances eerste reactie was dat ze zich afvroeg of hij in slaap ging vallen; haar tweede was dat ze zich afvroeg waarom ze zich dat had afgevraagd.

'Je doet vaak alsof je bepaalde dingen niet weet,' zei meneer Benedict, 'omdat je niet snapt hoe je die dingen zou kunnen weten en dat verontrust je. Maar je weet ze, Constance, en ik wil dat je je nu daarop concentreert. Toen je me net aankeek, zag ik een vraag in je ogen. Je vormde je een mening, nietwaar, over wat ik dacht of voelde?'

'Ik vroeg me af of u in slaap ging vallen,' zei Constance, 'maar ik weet niet waarom ik dat dacht.'

Meneer Benedict glimlachte. 'Ongetwijfeld ving je iets bekends in mijn uitdrukking op, iets wat anderen niet zou opvallen. We laten de verklaringen even voor wat ze zijn en concentreren ons op één ding, namelijk dat je dingen kunt weten als je jezelf toestaat ze te weten. Kun je het daarmee eens zijn? Gewoon voor nu?'

Constance aarzelde en knikte toen. 'Ik weet niet precies wat u bedoelt... maar oké, ik zal het proberen.'

'Dankjewel,' zei meneer Benedict. 'Nu ik je volle aandacht heb, zal ik openhartig zijn. Ik wil je iets vertellen en ik wil dat je me ondertussen blijft aankijken. Ben je er klaar voor?'

Constance zette zich schrap. Haar hart ging tekeer. Ze had geen idee wat er ging komen. 'Ik ben er klaar voor.'

'Wat ik je wil zeggen is het volgende: iedereen in dit gezin houdt van je. Ronda houdt van je, Nummer Twee houdt van je en ik hou van je. Voor ons maak je net zozeer deel uit van het gezin als de rest en we zouden er álles aan doen – nee, we zúllen er alles aan doen –'

Meneer Benedicts ogen vielen dicht voordat hij zijn zin kon afmaken en hij zakte voorover op tafel, waardoor Constances kom omviel en de melk over de brochures en de kaarten spetterde.

'O jee,' zei Nummer Twee, die haastig met haar mouw de melk begon op te deppen voordat die in meneer Benedicts haar liep. 'Ik had het moeten zien aankomen.'

Constance knipperde verbaasd met haar ogen, want zij hád het zien aankomen. Vlak voordat meneer Benedict in slaap viel was de gedachte 'daar gaat-ie' door haar heen geflitst. Meneer Benedict had gelijk. Ze wíst bepaalde dingen...

'Ik hoop dat je beseft dat hij het meende,' zei Nummer Twee. Ondanks, of misschien juist dankzij haar bitse toon wist Constance dat ze geraakt was door meneer Benedicts woorden.

'Ja hoor,' zei Constance, die zich herinnerde hoe zeker ze zich had gevoeld terwijl meneer Benedict aan het praten was. 'Tenminste... ik bedoel, ik denk het wel.'

'Goed zo. Het is je geraden. En ga je me verdorie nog helpen dit op te ruimen of blijf je daar gewoon zitten toekijken?'

Constance begon te grijnzen. Plotseling voelde ze zich heel gelukkig. En ze zei precies wat Nummer Twee had verwacht, namelijk dat ze inderdaad gewoon bleef zitten toekijken.

Terwijl Constance in haar kooi aan de gebeurtenissen van die ene ochtend lag te denken, voelde ze zich nu even verdrietig als ze zich toen gelukkig had gevoeld. Ze had geen idee waar ze vandaan kwam en geen idee waar ze naartoe ging. In het weinige dat ze zich van haar leven kon herinneren, was de aanwezigheid van meneer Benedict de enige constante geweest. Daar was ze van afhankelijk geweest. En nu was ze zelfs hem kwijt. Constance snifte zo stil mogelijk.

Rens hurkte naast haar kooi neer. 'Het komt allemaal in orde,' zei hij.

'Hoe weet je dat?' zei Constance, terwijl ze in haar prikkende ogen wreef. 'Hoe weet je dat die afschuwelijke man nog geen vreselijke dingen met ze heeft gedaan? Hoe weet je dat ze niet... niet...'

'Dat weet ik gewoon,' zei Rens en Constance besefte dat hij met een zelfverzekerdheid sprak die hij zelf niet voelde. Maar het was tenminste iets om zich aan vast te houden en ze keek hem zo hoopvol mogelijk aan.

'Ik weet het gewoon,' zei Rens nogmaals en ze wensten alle twee uit de grond van hun hart dat hij gelijk had.

De betekenis van het weer

Terwijl de kinderen op kapitein Noland wachtten, kropen de uren voorbij. Afgezien van een korte onderbreking, toen Knoert dacht dat het veilig was om hen even aan dek te laten (het regende en de aandeelhouders waren allemaal benedendeks), zaten ze de hele tijd opgesloten in hun krappe hut. Hun uitstapje naar het dek, waar ze vanwege de regen onder een zeil hadden moeten kruipen, was ook geen aangename afleiding geweest. Het had niet lang geduurd, maar Constance had genoeg tijd gehad om een klaagrijm te dichten over brulkikkers en dekzeilverschrikkers (waarmee ze de jongens bedoelde, die ze ervan beschuldigde haar te pletten). De jongens hadden genoeg tijd gehad om te beseffen dat een troosteloze natte, koude nacht nog troostelozer kon worden door dichterlijk gezelschap in een slechte bui. En Kat had genoeg tijd gehad om Maatje van de brug af te laten komen en haar mee te smokkelen naar Knoerts hut (Knoert had erop gestaan, omdat hun hut al overvol was). Daarna hadden de kinderen zich weer benedendeks teruggetrokken om verder te wachten.

Constance was uiteindelijk ingedommeld. In de kooi boven haar zat Chip met zijn benen over de rand bungelend afwezig over zijn schedel te wrijven (die vanwege de stoppels als schuurpapier aanvoelde) terwijl hij – nogal luidruchtig en breedsprakig – een verhandeling afstak over moderne schepen.

Rens lag op een elleboog in de andere bovenkooi en verwonderde zich over Chip die met zijn kennis liep te pronken. Vroeger had Chip er niet tegen gekund als er naar hem werd gekeken of geluisterd, maar nu leek het tegenovergestelde aan de hand en het effect ervan was nogal vermoeiend. Hoe nieuwsgierig Rens ook was, hij hield er niet van om ongevraagd naar verhandelingen te moeten luisteren. Hij gaapte en strekte zich uit. Toen keek hij omlaag, naar Kat, die met haar benen in een ingewikkelde knoop op de vloer zat en de inhoud van haar emmertje inspecteerde. Volgens Rens had ze dat al vijf keer gedaan en hij vermoedde dat ze Chips speech kon verdragen door hem te negeren.

Op dat moment kwam de speech echter abrupt ten einde. Chip mompelde iets over moeten slapen en draaide zich om naar de achterwand. Zijn wangen kleurden dieprood, want het was plotseling tot hem doorgedrongen hoe lang hij al aan het praten was en hoe hoogdravend het moest hebben geklonken.

Dergelijk gedrag zou Chip bij anderen hebben verfoeid en zelf had hij zich ook nooit zo gedragen. De laatste tijd kon hij zich echter niet meer bedwingen. Het was té prettig als mensen van hem onder de indruk waren, en dat waren ze vaak. (Zo had Knoerts uitbundige waardering Chip in vervoering gebracht.) Maar als zijn inspanningen niet werden beloond – als hij mensen verveelde of, nog erger, als hij het bij het verkeerde eind had – barstte hij in woede uit of trok hij zich gekrenkt in zichzelf terug. Hij was jaloers op Rens' onverstoorbare kalmte, om nog maar te zwijgen van Kats bravoure en niet stuk te krijgen goede humeur. Zelfs op Constance was hij jaloers, want zíj had een excuus voor haar gedrag. Chip begroef zijn hoofd in een kussen. Was hij werkelijk jaloers op een driejarig kind? Er was iets goed mis met hem.

In werkelijkheid was er niets mis met hem. Vóór de missie van het afgelopen jaar had Chip zich zelden trots gevoeld. Het was een nieuwe ervaring voor hem en hij had gewoon wat tijd nodig om eraan te wennen.

'Kijk eens wie er wakker is,' zei Rens, die zag dat Constance met een verwilderde blik om zich heen keek. 'Het is in orde, Constance, je bent ingedom–'

'Er komt iemand aan,' siste Constance. Haar stem was zo dreigend dat Rens en Chip overeind schoten en Kat in een verdedigende houding sprong.

'Rustig maar, Constance,' zei Rens met bonzend hart. 'Je hebt vast gedroomd. Je bent hier veilig bij –'

En werd op de deur geklopt. Ze bevroren.

'Hallo?' klonk een mannenstem. Het was kapitein Noland.

Verwonderd keek Kat Constance aan. 'Hoe wist jij...? We hebben het er later wel over.' Ze liep naar de deur en deed open.

In de deuropening stond kapitein Noland, die een klein formaat koffer bij zich had. Zijn gezicht stond vermoeid, maar hij schonk de kinderen een vriendelijk glimlachje. 'Ik betreur de omstandigheden – ik had gehoopt jullie in mijn eigen hut te ontvangen – maar ik ben blij dat ik eindelijk tijd voor jullie heb. Hoe bevalt *De Doorsteek* jullie? Is het geen machtig snel schip?'

Terwijl de kinderen beleefd enthousiast reageerden, maakte de kapitein het koffertje open. Dicht opeengepakt zaten er een opklaptafeltje in, een dienblad, een kan koffie, kopjes, een flesje koffiemelk en twee trommeltjes met lekkers. Kapitein Noland klapte het tafeltje uit en stalde alles uit. Rens en Chip klommen voorzichtig hun kooi uit om nergens tegenaan te stoten, want op de vloer was nu bijna geen plek meer om te staan. De kinderen gingen op de onderste kooien zitten, met hun knieën tegen de rand van het tafeltje geperst en hun voeten in een ongemakkelijk wirwar eronder. Met zijn ellebogen tegen zijn lichaam aan gedrukt reikte kapitein Noland hun ieder een kopje aan. 'Zolang iedereen een beetje stil blijft zitten,' zei hij met een verontschuldigende glimlach, 'denk ik dat het wel gaat. Ooit marinekoffie gedronken?'

'Wat is dat?' vroeg Kat, terwijl ze wantrouwend naar de pikzwarte vloeistof in de kan tuurde.

'Hij is gemaakt met een snufje zout, om de bittere smaak weg te nemen,' antwoordde Chip.

'Dus je kent het!' zei kapitein Noland met een goedkeurend knikje naar Chip. Voorzichtig schonk hij in, ook voor zichzelf. 'Maak je geen zorgen, Kat, je proeft het zout niet. Het is gewoon goeie, sterke koffie.' Om de beurt deden de kinderen melk in hun koffie, terwijl kapitein Noland tegen de deur leunde en beleefd wachtte. Toen ze klaar waren, bracht hij een toost uit op hun gezondheid – alsof het champagne was in plaats van koffie – sloot zijn ogen en nam langzaam een grote slok. Het genot stond op zijn gezicht te lezen.

Rens nam ook een slokje en moest bijna kokhalzen. Het was moeilijk te zeggen of de koffie meer naar petroleum of naar hoestsiroop smaakte. Gelukkig had kapitein Noland zijn ogen nog steeds gesloten en ontging hem de gezichtsuitdrukking waarmee Rens het vieze spul doorslikte. Rens wierp de anderen een waarschuwende blik toe (te laat voor Kat, die haar afgrijzen probeerde te verbergen achter een verwrongen glimlach). Met een enigszins afgeknepen stem vroeg hij: 'U hebt dus bij de marine gezeten, kapitein?'

'Daar heb ik Nicolaas Benedict leren kennen,' zei kapitein Noland. 'Hij en ik ... Wat is er aan de hand?'

Kapitein Noland had zijn ogen geopend en zag dat de kinderen hem ongemakkelijk aanstaarden. Ze waren het erover eens geworden dat ze hem de waarheid moesten vertellen, maar nu het zover was, werden ze bang. Stel dat hij hen in Lissabon op het eerste vliegtuig naar huis zette? Of stel dat hij hen wilde helpen maar het niet kon? Stel dat er niet meer aanwijzingen waren?

'We moeten het met u over meneer Benedict hebben,' zei Rens na een korte stilte. 'Hij is –'

Op dat moment leek de hut te kantelen. De kinderen vielen bijna op de grond en de koffiekan en het dienblad gleden over het tafeltje.

Kapitein Noland sprong naar voren en greep ze beet. De hut zwaaide weer net zo snel terug naar zijn oorspronkelijke positie als dat hij was gekanteld.

'Ik ben bang dat het zwaar weer gaat worden,' zei kapitein Noland, alsof het de kinderen had kunnen ontgaan. 'Maak je geen zorgen, het is niets ernstigs en morgen is het weer voorbij. Dan zullen we... Wacht eens even, wat wilden jullie me over Nicolaas vertellen?'

Het kostte hun een paar minuten om het kapitein Noland uit te leggen. Toen ze hun verhaal hadden gedaan, was de kapitein op het koffertje gaan zitten. Verslagen liet hij zijn hoofd in zijn handen zakken. 'Ik kan het niet geloven. Hij heeft me vorige week nog uit Lissabon gebeld. Hij zei dat Nummer Twee en hij het naar hun zin hadden.'

'Ze zijn dus in Lissabon?' vroeg Rens hoopvol.

'Dat waren ze,' zei kapitein Noland. 'Ze gingen die middag weg. Hij belde om te horen of alles was geregeld. Ik had Nicolaas namelijk maanden geleden uitgenodigd voor de maidentrip en hij had gevraagd of jullie in zijn plaats mee mochten. Met alle plezier, heb ik gezegd. Ik zou zelf een rol spelen in zijn verrassing.'

'Hoezo?' wilde Kat weten.

'Door jullie een verzegelde envelop te overhandigen die hij me weken geleden had gestuurd. Hij wilde nog een paar dingen regelen en als alles was gelukt, moest ik jullie bij aankomst de envelop geven. Toen hij vanuit Lissabon belde, liet hij weten dat ik de envelop kon geven, samen met wat officiële documenten voor de douane.'

'Heeft u de envelop hier?' vroeg Rens.

'Hij ligt in mijn hut,' zei kapitein Noland. 'Wanneer we hier klaar zijn, zal ik hem halen en dan kunnen we hem samen openen. Ik weet dat jullie het allemaal alleen wilden doen – en ik bewonder jullie moed – maar voor jullie eigen veiligheid kan ik dat niet toestaan. Ik zal jullie niet terugsturen, maar ik ga jullie wel helpen.'

'Het is niet dat we geen hulp willen,' zei Rens, 'en een beetje bescherming vinden we ook niet erg. Maar meneer Gordijn is wantrouwig en uitzonderlijk slim. Zijn handlangers, de Tienmannen, houden vast scherp in de gaten of er geen reddingspogingen worden ondernomen en –'

'Ik begrijp het,' zei kapitein Noland. 'We moeten de autoriteiten er niet bij betrekken, we moeten zo veel mogelijk in het geheim opereren. Dat is goed, Rens. Ik zal doen wat nodig is. Jullie weten het waarschijnlijk niet, maar Nicolaas Benedict heeft ooit mijn leven gered. Maar herhaal nog eens, wat was precies –'

Op dat moment werd er op de deur geklopt. 'Kapitein, bent u daar?'

'Ik heb gezegd dat ik niet gestoord wilde worden,' riep kapitein Noland.

'Behalve in noodgevallen, had u gezegd,' zei Knoert, die zijn hoofd om de deur stak.

Kapitein Noland stond snel op. 'Wat is er aan de hand, Joe?'

De jonge zeeman sloot de deur en ging er met zijn rug tegenaan staan (aangezien er nergens anders plek was). 'Nou, kapitein, u weet toch hoe meneer Pressius tegen de andere... eh, de andere aandeelhouders aan het zaniken was over de massa's diamanten die hij bezat? Dat ze meer waard waren dan *De Doorsteek* en haar hele bemanning bij elkaar?'

'Ik geloof dat ik me dat herinner,' merkte de kapitein droog op.

'Nadat u zichzelf had geëxcuseerd, heeft meneer Pressius meneer Thomas verteld over de...' Knoert aarzelde en wierp een blik op de kinderen.

'Je kunt vrijuit spreken, Joe.'

'Aye, kapitein. Hij heeft meneer Thomas over de nepdiamanten verteld.'

'Meneer Pressius heeft een cassette met plastic diamanten meegenomen,' legde kapitein Noland de kinderen uit. 'Hij denkt blijkbaar dat hij eventuele rovers daarmee kan misleiden. Ik geloof dat hij het idee uit een film heeft.' De kapitein hield zijn gezicht in de plooi, maar het was de kinderen duidelijk dat hij meneer Pressius volslagen belachelijk vond. 'Vooruit, Joe, vertel maar wat er is gebeurd.'

'Aye, kapitein. Meneer Pressius zei dus dat de nepdiamanten zo echt waren, dat hij durfde te wedden dat meneer Thomas het verschil niet zou zien. Dat vond meneer Thomas natuurlijk niet leuk, aangezien hij denkt dat-ie op elke gebied de expert is –'

'Ik zie de nood van de situatie niet in,' onderbrak kapitein Noland hem.

'Daar kom ik zo op, kapitein. Wat er gebeurd is, is dat meneer Thomas en meneer Pressius wilden dat ik met hen naar beneden ging om de kluizen open te maken. Ik wist niet wat ik moest doen. U had gezegd dat ik ze tevreden moest houden en aangezien de diamanten van meneer Pressius zijn –'

'Je hebt juist gehandeld,'

'Dank u wel, kapitein,' zei Knoert opgelucht. 'Nou wil het geval dat meneer Pressius de weddenschap wint. En het probleem is dat het verschil tussen de echte en de plastic diamanten zonder vergrootglas heel moeilijk te zien is.'

'Waarom is dat een probleem?' vroeg kapitein Noland.

'Omdat eh... heeft u daarnet die slingerbeweging gevoeld? Toen het schip even rolde? Dus meneer Pressius en meneer Thomas staan daar met de cassette in hun handen bij die lamp om het beter te kunnen zien. Geen van tweeën heeft nog zeebenen, dus eh... de diamanten... de echte en de plastic... eh... Die vliegen alle kanten uit.'

'Wat zeg je?'

'Ze vlogen alle kanten uit, kapitein. Door elkaar. Over de vloer van het beveiligde ruim.'

'De idioten!' riep kapitein Noland uit. Hij legde een hand tegen zijn voorhoofd. 'Ga me nu niet vertellen dat meneer Pressius ze niet zelf wil uitzoeken. Dat hij wil dat jij het voor hem doet.'

'Inderdaad, kapitein. Onder strenge bewaking, natuurlijk. Hij zegt dat ik ze stuk voor stuk onder een vergrootglas moet bekijken. Hij loopt alles wel na als ik klaar ben, zegt-ie, maar het eerste uitzoekwerk gaat hij niet doen. Dat is voor werkpaarden, zegt-ie. Het zou sowieso niet zijn gebeurd als het schip naar behoren had gevaren, zegt-ie.'

'Natuurlijk zegt hij dat. En wat heb je hem geantwoord?'

'Ik heb gezegd dat ik met u moet overleggen. Dat u misschien liever iemand anders stuurt, omdat het wel een paar uur zou kunnen duren en u mij nodig heeft om –'

'Ik heb iederéén nodig!' beet de kapitein hem toe. Hij haalde diep adem en liet de lucht langzaam ontsnappen. 'Excuses. Het gaat erom dat ik níémand een paar uur kan missen, Joe. We komen nu al handen tekort. Iedereen draait al dubbele diensten en levert zijn slaap in. En we krijgen zwaar weer op de koop toe. Bovendien,' zei kapitein Noland met een betekenisvolle blik op de vier kinderen, 'hebben onze vier vrienden me op de hoogte gebracht van een urgente situatie die mijn aandacht vereist.'

Knoert verfrommelde zijn pet in zijn handen en keek naar de vloer. 'Het spijt me, kapitein. Ik had nooit –'

'Het is niet jouw schuld, Joe. Het is de schuld van de aandeelhouders. Eerst dwingen ze me de bemanning in te krimpen en nu dit.' Er verscheen een bittere uitdrukking op het gezicht van de kapitein en zijn stem klonk somber. 'Als *De Doorsteek* te laat aankomt – als er ook maar één dingetje fout loopt –'

'Ik weet het, kapitein,' zei Knoert met een angstige blik. 'Ik weet wat het voor u zou betekenen. Het zou... eh, als ik iets voor u kan doen... u weet dat ik...'

De uitdrukking op kapitein Nolands gezicht werd zachter. Hij legde een hand op Knoerts schouder. 'Het is in orde, Joe. We zullen moeten roeien met de riemen die we hebben en er het beste van hopen. Maar denk eens mee. Ik heb je zo meteen op de brug nodig, dus wie moet ik sturen? Wie kan ik missen?'

Kat stak haar hand op. 'Waarom laat u het mij niet doen? Ik heb goede ogen en ik ben snel. Ik zou het zo gedaan hebben.'

'Ik kan ook helpen,' bood Chip aan. 'We kunnen allemaal helpen.'

Knoerts gezicht lichtte op. 'Dat is een idee! Wat denkt u, kapitein? Zullen we de jongelui laten sorteren?'

'Dat is aardig aangeboden van jullie, kinderen,' zei kapitein Noland, 'en heel erg bedankt, maar meneer Pressius zal daar nooit mee akkoord gaan. Dat weet je, Joe. Kom, we hebben haast. Wie kan ik sturen?'

Knoerts gezicht betrok weer. 'U hebt natuurlijk gelijk. Dat zal hij nooit goedvinden. Goed, wat dacht u van Jenny Bikkel? Nee, wacht, u hebt haar nodig op de... En Matthijs Tanner?'

De kapitein schudde zijn hoofd. 'Tanner heeft Potter z'n dienst overgenomen. Hoe zit het met Van Kesteren? Is hij –'

'Neem me niet kwalijk,' onderbrak Rens hen. 'Kapitein Noland?'

De kapitein krabde in zijn baard en deed zichtbaar zijn best om niet ongeduldig te klinken. 'Ja, wat is er, Rens?'

'U zei toch dat de nepdiamanten van plastic waren? In dat geval hoeft u alleen maar alle diamanten, de echte en de nep, in een bak water te gooien. De plastic diamanten komen dan vanzelf bovendrijven.'

Kapitein Noland en Knoert knipperden met hun ogen. Ze keken elkaar aan. En barstten toen in lachen uit.

'Rens Muldoorn, je hebt jezelf zojuist bevorderd tot bemanningslid!' bulderde kapitein Noland. 'Gooi ze in het water en kijk welke er komen bovendrijven, waarom heb ik daar niet aan gedacht? Mijn hele leven hangt af van dingen die drijven! Joe, wil jij –'

'Ik ben al weg, kapitein!' zei Knoert en hij haastte zich de hut uit, na snel door Rens' haar te hebben gewoeld.

'Ik weet niet hoe ik je moet bedanken,' zei kapitein Noland. Hij wilde Rens' kopje bijvullen, maar zag dat het nog halfvol was. 'Drink op, alsjeblieft! En neem van dat lekkers, jullie allemaal. Jullie hebben het verdiend. Ik moet er niet aan denken wat me boven het hoofd had gehangen als Rens me niet had gered.'

Constance begon tumtummetjes in haar zakken te proppen voordat de anderen ze konden opeten. 'Wat dan?'

'Ontslag, natuurlijk,' zei kapitein Noland. 'Deze maidentrip is een belangrijke reis! De aandeelhouders kunnen alleen maar geld verdienen als *De Doorsteek* haar belofte waarmaakt: een betrouwbare trans-Atlantische verscheping in twee dagen. Als het mislukt, zullen ze de schuld niet bij het ontwerp willen leggen, maar zeker ook niet bij zichzelf. Dat staat als een paal boven water. Nee, dan mag ik mijn koffers pakken.'

De kapitein rechtte zijn rug. 'Maar genoeg daarover. We hebben belangrijkere dingen aan ons hoofd. Ik moet nu weer naar de brug, maar zodra ik tijd heb, breng ik de envelop. Zal ik dan nog wat koffie meenemen? Ik maak met alle plezier een verse pot.'

De kinderen drukten hem op het hart dat hij voor hen geen moeite hoefde te doen. Na hun te hebben beloofd zo snel mogelijk terug te komen, ging kapitein Noland ervandoor.

Terwijl de kinderen de snoeptrommels plunderden, voelden ze zich enigszins bemoedigd. Als meneer Benedict vanuit Lissabon had gebeld zaten ze op het goede spoor, en met de hulp van de kapitein zouden ze misschien nog voor aankomst kunnen uitzoeken wat hun volgende doel was. Daar hadden ze hun hoop op gevestigd, want eenmaal in Lissabon hadden ze nog maar twee dagen om hun vrienden te vinden.

De hut begon weer te slingeren. Niet zo hevig als de eerste keer, maar Rens vond het toch geen aangenaam gevoel. Het was alsof de golven van de oceaan in zijn buik waren gekropen. Hij liet zijn chocoladekoekje half opgegeten liggen – eten leek opeens niet meer zo'n goed idee – en begon het kleine tafeltje, dat dreigde te kapseizen, op te klappen. Tevreden kauwend zette Kat de snoeptrommels op de grond, terwijl ze haar volgende keus bepaalde. Zij leek geen last te hebben van het geslinger van de hut.

'Gaan we het nog hebben over wat Constance daarnet deed?' vroeg Chip (die net als Rens zijn koekje had weggelegd). 'Je weet wel, dat ze voordat hij had geklopt al wist dat het kapitein Noland was.'

Constance sloeg haar ogen ten hemel. 'Rens had gelijk. Ik droomde. Niks aan de hand.'

Chip weigerde het op te geven. 'Of je nou droomde of niet, je voorspelde dat er iemand aankwam.'

'Ik denk dat het toeval was,' zei Kat, die opstond om te helpen met het tafeltje. Rens had moeite om zijn evenwicht te bewaren en stootte voortdurend zijn schenen tegen het koffertje. 'Denk je niet, Rens?'

Rens liet zich met een plof op de grond vallen. Hij voelde zich met de seconde ellendiger. 'Ik weet het niet,' bekende hij. 'Is het wel eens eerder gebeurd, Constance?'

Constance haalde haar schouders op. 'Misschien. Ik weet het niet.'

'Wat betekent dat nou weer?' riep Chip geïrriteerd uit.

Constance trok een lelijk gezicht naar hem. 'Het betekent dat het eerder is gebeurd, maar hoe kan ik nou weten of het toeval is? In tegenstelling tot sómmige mensen, doe ík niet alsof ik alles weet.'

Chip, die zich gekrenkt voelde door die opmerking, haalde het poetsdoekje uit zijn zak en zei niets terug.

'Waarom vertel je ons niet gewoon wat je weet?' vroeg Rens vriendelijk. 'Wat zegt meneer Benedict over... over je talent?'

Constance staarde naar haar schoenen. Ze leek zich te beraden hoe – en óf – ze zijn vraag zou beantwoorden en toen het een tijdje had geduurd, maakte Kat aanstalten om haar een handje te helpen. Rens, die Constances verwarring zag, wierp Kat heimelijk een waarschuwende blik toe. Hij was er vrij zeker van dat Constance het niet had gezien, maar hij had het nog niet gedaan, of ze keek hem dankbaar aan. Rens werd bekropen door een onaangenaam gevoel. Het was alsof ze zijn gedachten had gelezen. Was dat daarnet ook gebeurd? Waarschijnlijk was het gewoon haar intuïtie die sterker werd, net als bij meneer Benedict (en ook bij Rens, trouwens). Maar stel dat...

'Meneer Benedict heeft er niet veel over gezegd,' zei Constance, 'behalve dat ik goed ben met patronen en zo en dat dat misschien alles verklaart... of misschien ook niet.'

'Wat bedoel je met patronen en zo,' vroeg Chip, en hij probeerde minder dwingend te klinken.

'Alsof... het is alsof...' hakkelde Constance. 'Waar ik niet goed in ben is dingen uitleggen.'

'Hoe heeft meneer Benedict het jou uitgelegd?' vroeg Rens.

Constance dacht na. 'Hij zei dat het zoiets is als wanneer mensen een bekend woord zien, dat ze het niet letter voor letter hoeven te spellen om te begrijpen wat er staat. Zelfs met lange woorden zoals... eh... noem eens een echt lang woord, Chip.'

'Epidemiologisch,' opperde Chip.

'Oké, Chip kent dat woord al en als hij het woord op papier ziet staan, hoeft hij het niet letter voor letter te lezen. Toch, Chip? Je herkent gewoon het letterpatroon. Ik kan hetzelfde, maar dan met ingewikkeldere dingen.'

'Zoals?' vroeg Kat.

Constance leek zich te schamen. Ze begon aan haar nagels te pulken en nauwelijks hoorbaar zei ze: 'Zoals het weer en zo, dat soort dingen.'

Rens trok zijn wenkbrauwen op. 'Het weer?'

Constance mompelde iets over dat ze zich niet goed voelde. Dit was toevallig de waarheid (en ze was niet de enige, want Rens en Chip hielden nu alle twee hun buik vast), maar de anderen lieten zich niet afschepen. En dus verklaarde ze uiteindelijk: 'Ik kan blijkbaar het weer voorspellen. Ik had het eerst niet door. Maar toen begon meneer Benedict me elke ochtend te vragen of het die dag ging regenen. En ik raadde er maar wat naar, dacht ik. Maar het bleek altijd raak te zijn.'

'Hoe kan dat?' vroeg Chip.

Constance haalde haar schouders op. 'Meneer Benedict zegt dat iedereen voortdurend allerlei signalen oppikt, ook al hebben we het niet door. Dingen die we zien, ruiken, veranderingen van temperatuur... Hij zegt dat wij het misschien niet doorhebben, maar dat onze hersenen al die dingen gewoon registreren en verwerken, en dat die... die waarnemingen of hoe je het ook wil noemen, een patroon vormen. Dus als je goed bent met patronen, wat ik volgens meneer Benedict ben, kun je soms dingen voorspellen.'

'Omdat je de patronen herkent,' zei Rens. 'Ik snap het.'

'Maar ik snap niet hoe dat verklaart wat er daarnet gebeurde,' zei Chip. 'Welk patroon kon voorspellen dat kapitein Noland op de deur zou kloppen?'

'Misschien herkenden Constances hersenen het geluid van voetstappen in de gang,' opperde Rens, 'terwijl het voor de rest van ons onderdeel was van alle onbekende geluiden van het schip. Tenslotte volgen ook die geluiden een bepaald patroon. Misschien is het niet ingewikkelder dan dat.'

Chip overwoog de mogelijkheid. 'Hoogontwikkelde, onbewuste patroonherkenning,' mompelde hij. 'Oké, dat kan.'

'Maar kan ze niet paranormaal begaafd zijn,' vroeg Kat. 'Heeft meneer Benedict het nooit over die mogelijkheid gehad, Constance?'

Constance, die zich nu echt ziek voelde, zei geïrriteerd: 'Je weet dat het mogelijk is, Kat. Hou nou maar op met stomme vragen stellen.' Ze sloeg haar armen over elkaar en sloot haar ogen, deels omdat ze zich draaierig voelde en deels omdat ze er niet van hield te worden ondervraagd. Zeker niet over dit onderwerp.

Paranormale begaafdheid, dat was niet niks, dacht Rens. Zeker voor iemand van Constances leeftijd. De mogelijkheid leek haar erg dwars te zitten. Maar Rens zei niets, want op dit moment werd hij zelf erg dwarsgezeten door zijn maag, die gevuld leek met klotsende gelatine.

Kat liet het er echter niet bij zitten. 'Ik stop met mijn vragen als jij met antwoorden komt, Constance. Heeft meneer Benedict ooit iets gezegd over paranormale begaafdheid?'

Constance kreunde. 'Als ik het je vertel, kunnen we er dan verder over ophouden?'

'Afgesproken,' zei Kat.

De jongens zeiden niets. Ze waren alle twee misselijk en probeerde zich zo rustig mogelijk te houden.

'Meneer Benedict zei dat het kon lijken alsof ik paranormaal begaafd was, ook al was ik dat niet,' zei Constance, terwijl ze op haar zij ging liggen. 'Iemands gedrag, de uitdrukking op zijn gezicht, zijn stem: het bestaat allemaal uit patronen, en mijn hersenen zijn goed in het herkennen ervan. Dus weet ik soms dingen die je niet zou verwachten. Zoals nu. Ik weet dat je me om een voorbeeld gaat vragen.'

Kats ogen werden groot. 'Hoe wist je dat?'

'Ik heb geen idee,' zei Constance. 'Misschien is het iets in je ogen, misschien is het iets wat je altijd doet wanneer ik iets probeer uit te leggen. Het gaat erom dat mensen ook patronen hebben. Alsjeblieft, je stomme voorbeeld.'

'Hé, maar dat is hartstikke leuk!' riep Kat uit, die niet in de gaten had dat Constance het allerminst leuk vond. 'Hoewel het de mogelijkheid dat je gedachten kunt lezen natuurlijk niet helemaal uitsluit.'

'Dat doet het wel,' zei Constance, terwijl ze zich naar de achterwand draaide. 'En spreek me niet tegen want ik voel me zieker dan ziek.'

Dat gold ook voor Rens en Chip, die hevig verlangden naar vaste grond onder hun voeten. Kat daarentegen voelde zich prima. Ze pakte nog een koekje en begon ijsberend over Constance woorden na te denken. Dat vereiste heel wat evenwichtskunst, want er was nauwelijks ruimte om te lopen en de hellingshoek van de vloer veranderde voortdurend.

Rens probeerde niet naar haar te kijken. Hij had graag zijn ogen dichtgedaan, maar dan voelde hij zich nog zieker. 'Kat, vind je het erg om niet zo heen en weer te lopen? Het maakt het alleen maar erger.'

Kat bleef abrupt staan. 'Het maakt wat erger? O, je ziet er niet goed uit, Rens! En jij ook niet, Chip! Zijn jullie allemáál ziek?'

'Je had arts moeten worden,' gromde Chip.

Niet lang daarna lagen de zieken zo hard te kreunen dat het klonk alsof de hut in een kikkervijver was veranderd. Toen Kat zag dat haar vrienden er steeds slechter aan toe waren, ging ze op zoek naar de kortste weg naar alle wc's aan boord. (Het was ook een goed excuus om het gejammer en gesteun te ontvluchten.) Haar vrienden bleken de routes uitstekend te kunnen gebruiken. Maar toen waren ze allemaal al te ziek om haar te bedanken.

Aanwijzingen, herinneringen en oude schulden

Rens' eerste gedachte toen hij wakker werd, was dat hij honger had. Hij had sinds de vorige avond niet gegeten en nu was het... hoe laat was het eigenlijk? Hij had geen idee hoelang hij had geslapen. Zijn zeeziekte was gelukkig over; liever een knorrende maag dan zeeziek. Alles liever dan zeeziek!

Nog nooit waren Chip, Constance en hij zo ziek geweest als in hun eerste nacht op *De Doorsteek*. (Kat, die hen naar de wc's had gebracht, had vredig in de uitgestorven hut liggen slapen.) Toen ze eindelijk in de kleine uurtjes het ergste achter de rug hadden, waren ze in hun kooi gerold en onder zeil gegaan. Rens herinnerde zich alleen vaag dat kapitein Noland bij de deur met Kat had staan fluisteren.

Rens' gedachten gingen nu uit naar meneer Benedict en Nummer Twee. Ze hadden nog maar drie dagen! De urgentie die hij gisterochtend had gevoeld, had hem nu nog sterker in haar greep. Hij opende zijn ogen en kwam overeind. Het was donker in de hut. Misschien had Kat het raampje verduisterd? Nee, de patrijspoort zag er nog net zo uit als eerst. Hij krabde zich op zijn hoofd, gaapte en deed zijn mond met een klap weer dicht – en beet pijnlijk op zijn tong – toen Kat vanuit het niets op zijn kooi sprong. Ze scheen met haar staaflampje in zijn gezicht.

'Wat is er?' vroeg ze. 'Heb ik je laten schrikken?'

'Maakt niet uit,' zei Rens humeurig. 'Wat is er aan de hand? Hoelang ben ik onder zeil geweest?'

'Te lang. Het is al avond. De kapitein komt zo.'

'Is het avond?'

'Ja, en ik ben gek geworden van het moeten wachten totdat jullie wakker werden. Knoert heeft me tijdens de lunch een paar minuten bij Maatje gelaten, maar verder had ik de hele dag niemand om mee te praten. Ze maakt het trouwens goed. Knoert voert haar eersteklasvlees uit de kombuis, hij noemt het "kikkervoer". Zo meteen wordt ze nog verliefd op hem.'

'Is de kapitein langs geweest, of heb ik dat gedroomd?'

'Hij is vanochtend langs geweest. Weet je het niet meer? Je ging overeind zitten en mompelde iets, en viel toen weer in slaap.' Kat schoof een vel papier naar hem toe. 'Hij kwam dit brengen. Hij wist niet goed wat het betekende, maar hij zou erover nadenken.'

Rens keek naar het vel, maar het was te donker om te lezen wat er stond. 'De kapitein heeft het gelezen? Heeft hij het niet eerst aan ons laten zien?'

'Nee,' zei Kat. 'Hij had er al naar gekeken. Ik denk dat hij gewoon wilde helpen.'

'Ja, dat zal wel,' zei Rens ongemakkelijk. Ronda had hén de envelop laten openmaken en blijkbaar had hij verwacht dat kapitein Noland hetzelfde zou doen. De omstandigheden waren nu echter anders dan toen, zei Rens tegen zichzelf. Misschien moest hij gewoon blij zijn dat de kapitein zich om hen bekommerde.

'Ik heb er de hele dag naar zitten staren,' zei Kat. 'Het is niet echt een raadsel. Het zijn meer richtingaanwijzingen, maar ik heb er nog niet wijs uit kunnen worden.'

'Geef me je lampje eens,' zei Rens. Hij scheen op het papier en las:

Goed gedaan, vrienden. Dat jullie veel plezier mogen beleven aan de zeereis! Ga nu omlaag voor de hint, en volg dan de aanwijzingen weer omhoog: daar zullen jullie de volgende envelop aantreffen!
Meneer Benedict

Het midden van de bladzijde was leeg, op een grote schroeiplek na. ('Geen citroensapberichten,' mompelde Kat.) Rens' blik gleed omlaag. Onderaan had meneer Benedict de volgende regels geschreven:

Kasteel van Chips naamgenoten
Aan de meest westelijke muur
Niet met het blote oog te zien, gereedschap vereist
Olijfbomen vlakbij, maar
Naaldbomen en kurkbomen op meer dan twee meter

'Dat kasteel zal wel op een heuvel liggen,' zei Kat. 'Daarom heeft hij het over de aanwijzingen omhoog volgen. Maar ik heb nog nooit van een kasteel met de naam Chip of George of Washington gehoord. Jij?'

Rens schudde zijn hoofd. 'Maar Chip vast wel.'

'Ik zal hem wakker maken,' zei Kat en ze rolde de kooi uit.

Een paar tellen later slaakte Chip een kreet in de duisternis en Rens hoorde Kat vragen: 'Heb ik je laten schrikken?'

Chip was nog aan het mopperen toen kapitein Noland hun avondeten kwam brengen. Hij had een dienblad bij zich vol boterhammen met pindakaas, fruit, koekjes en melk. Hij verontschuldigde zich dat hij geen koffie bij zich had.

'Ik ben bang dat ik mijn koffiekan gisteravond hier heb laten staan,' zei kapitein Noland, toen ze Constance hadden gewekt en het licht hadden aangedaan. 'En meneer Pressius wilde een eigen kan in zijn hut, dus ik heb geen kannen meer.' De kinderen verzekerden de kapitein dat het niet erg was en vielen hongerig op het eten aan. (Constance natuurlijk eerst op de koekjes.)

'Ik ben blij dat jullie je weer beter voelen,' zei kapitein Noland, die er zelf belabberd uitzag. Zijn uniform was even onberispelijk als altijd, maar het was duidelijk dat hij niet had geslapen. Zijn schouders hingen naar beneden, er zaten dikke wallen onder zijn bloeddoorlopen ogen en hij onderdrukte een gaap toen hij vroeg: 'Worden jullie wijs uit de brief? Ik moet bekennen dat ik er geen tijd voor heb gehad.'

'Eerlijk gezegd, wij ook niet,' zei Rens. 'Ik heb er maar even naar gekeken en Constance en Chip hebben hem helemaal nog niet gezien.' Hij probeerde de brief aan Constance te geven, maar ze sliep nog half en weigerde hem aan te pakken. 'Ik kijk later wel,' mompelde ze versuft.

En dus gaf Rens de brief aan Chip, die vrijwel onmiddellijk uitriep: 'Hé, dat is makkelijk! Dat kasteel ligt in Lissabon!'

Chip was nog maar nauwelijks uitgesproken, of Kat sloeg hem op zijn rug (zo hard dat hij zich bijna in zijn boterham verslikte). 'Ik wíst dat jij het antwoord zou weten, ik wíst het,' herhaalde Rens keer op keer, met een blos van opwinding op zijn wangen. Zelfs Constance toonde haar waardering door niet Chips koekje te pikken tijdens de opschudding. Chip had hun weer hoop gegeven.

Toen ze tot bedaren waren gekomen zei kapitein Noland: 'Is Jorge je doopnaam, Chip?'

'George,' antwoordde Chip.

'Natuurlijk!' zei kapitein Noland diep onder de indruk. (Chip, die eerst glom van trots, begon nu werkelijk te stralen.)

'Zou een van jullie zo vriendelijk willen zijn het de rest uit te leggen?' vroeg Constance.

'Het is het Castelo de São Jorge,' zei kapitein Noland. 'En Jorge is Portugees voor George. Waar heb je Portugees leren spreken, Chip? Of moet ik je Jorge noemen?'

Chip lachte – een beetje zenuwachtig, had Rens de indruk – en zei: 'Ik ken een heleboel talen, maar dat stelt niet zo veel voor.' (Het viel Rens op dat het niet echt een antwoord op kapitein Nolands vraag was, maar de kapitein leek het niet te merken, of niet erg te vinden.)

'Ik snap best waarom Nicolaas wil dat jullie daarheen gaan,' zei kapitein Noland. 'Hij houdt erg van het uitzicht vanaf het kasteel. Dat wilde hij jullie waarschijnlijk laten zien.'

'Het kasteel staat dus inderdaad op een heuvel,' zei Kat. 'Dat dacht ik al.'

'De hoogste heuvel van Lissabon zelfs.' Kapitein Nolands vermoeide ogen stonden plotseling bedachtzaam en melancholiek. 'Nicolaas en ik zijn er ooit, jaren geleden, samen naartoe gegaan. Het uitzicht ontroerde hem zo dat hij in slaap viel en bijna over de kasteelmuur omlaagviel. Ik had het mezelf nooit vergeven als hij was gevallen! Ik stond naar de veerboot te kijken en lette niet op. Ik had beter op hem moeten passen.'

'En toen?' vroeg Constance benauwd, alsof meneer Benedict op dat moment in de diepte dreigde te verdwijnen.

'Hij viel achterover in plaats van voorover. Zo simpel als dat. Hij had een nare buil op zijn achterhoofd, maar als ik eraan denk wat er anders was gebeurd...' Kapitein Noland huiverde. 'Het scheelde niet veel of ik was mijn vriend voor altijd kwijt geweest. En om te bedenken hoeveel levens hij dat jaar heeft gered.' Hij knipte met zijn vingers. 'Eén moment van onoplettendheid en het was door mijn schuld allemaal voorbij geweest.'

'Was het de meest westelijke muur waar hij bijna vanaf viel?' vroeg Rens. Hij had een heleboel vragen, bijvoorbeeld: wat bedoelde kapitein Noland met al die levens die meneer Benedict had gered? Het was op dit moment echter belangrijker om de aanwijzing te begrijpen.

'Inderdaad,' zei kapitein Noland. Hij gaapte en wees op het koffertje. 'Ik neem aan dat er geen koffie meer in de kan zit? Hebben jullie gisteravond alles opgedronken?'

'We, eh... konden hem niet opdrinken,' zei Rens. 'We werden zeeziek zodra u weg was.'

Kapitein Noland perste zich langs hem heen en opende het koffertje. 'Kijk nou toch, er is nog een halve kan over! Ik heb geluk!' Hij veegde zijn kop van de vorige avond schoon en vulde hem met de stroperige zwarte vloeistof. Misschien was de smaak van de koffie er wel op vooruitgegaan, dacht Rens. Viezer had hij in ieder geval niet kunnen worden. De kapitein was hoe dan ook vergeten hun een kop aan te bieden en daar waren alle kinderen hem dankbaar voor.

Kapitein Noland sloeg de helft van het kopje in één teug naar binnen, vulde het bij, deed het koffertje weer dicht en ging erop zitten. 'Dat is veel beter,' zei hij. 'Jullie hebben niets aan me als ik zit te slapen. Goed dan, wat de aanwijzingen van Nicolaas betreft, die zijn me nu ook duidelijk. Als we eenmaal boven bij het kasteel zijn, wijst het zich vanzelf.'

'Hoezo?' vroeg Rens.

'Zoals je je kunt voorstellen zijn er geen olijfbomen in het kasteel zelf,' zei de kapitein. Nicolaas heeft het dus over de buitenmuur van het terrein, dat eruitziet als een groot park. Ik herinner me een heel lange muur aan de westkant, maar ik weet zeker dat we de locatie aan de hand van de andere aanwijzingen – over welke bomen er wel en niet staan –heel nauwkeurig kunnen bepalen. Ik denk dat we meteen kunnen zien waar hij de envelop heeft begraven. We gaan gewoon op zoek naar een plek waar de grond niet zo lang geleden is omgewoeld.'

'U denkt dat hij is begraven?' vroeg Chip.

'Dat is vast wat Nicolaas bedoelde met "Niet met het blote oog te zien, gereedschap vereist". Hij bedoelde dat we moesten graven. Zodra we in de haven zijn, zal ik zorgen dat Joe een schop haalt.'

De kinderen keken elkaar verrast en ook opgelucht aan.

'Nou, dat was makkelijk,' zei Kat en ze deed de brief in haar emmertje. 'Nu hoeven we alleen nog maar daar te komen!'

'Laat dat maar aan mij over,' zei kapitein Noland. 'Ik zal via de radio laten weten dat er in de haven een taxi klaar moet staan. Dan verliezen we geen tijd. Joe en ik zullen burgerkleren aantrekken – we kunnen maar beter zo min mogelijk de aandacht trekken – en jullie naar het kasteel vergezellen.'

'Wat bedoelt u met burgerkleren?' vroeg Constance. 'Bent u dan geen burger?'

'Ha!' riep kapitein Noland uit en hij krabde zich in zijn baard. 'Een oude gewoonte van me, Constance. Ik heb zo lang bij de marine gezeten, dat ik vergeet dat de dingen zijn veranderd. Ik bedoelde alleen maar dat we geen uniform zullen dragen.'

'Dat doet me eraan denken,' zei Kat, 'zei u niet dat meneer Benedict en u elkaar bij de marine hebben leren kennen?'

'Dat is zo,' zei kapitein Noland. 'We zaten samen bij de inlichtingendienst van de marine. Dat is natuurlijk heel lang geleden... Heeft Nicolaas jullie er nooit over verteld?' Toen de kapitein de vragende uitdrukking op hun gezichten zag, grinnikte hij en schudde zijn hoofd. 'Het verbaast me niets. Hij had niets kunnen vertellen zonder dat het op opschepperij had geleken, en Nicolaas is allesbehalve een opschepper. Maar ik heb er geen enkel probleem mee om over hem op te scheppen. Ik grapte altijd dat hij elke ochtend voor het ontbijt al honderd levens had gered, en dat was niet ver van de waarheid. We waren namelijk in een afschuwelijke oorlog verwikkeld – een lang vergeten oorlog waar niemand meer over wil praten – en Nicolaas was onze beste codekraker. Zodra we een bericht van de vijand hadden onderschept, gingen we ermee naar hem. Meestal brak hij de code binnen enkele minuten, zo niet sneller. Onze soldaten hebben dankzij Nicolaas talloze verrassingsaanvallen kunnen verijdelen.'

De kinderen grinnikten. Het deed hun goed om lovende dingen over meneer Benedict te horen. Nu hij er niet was, luisterden ze nog gretiger naar verhalen over hem – alsof die hem op de een of andere manier iets dichterbij brachten.

'Zei u niet dat hij ook úw leven heeft gered?' vroeg Rens.

Kapitein Noland had net het laatste restje koffie achterovergeslagen en stond op om de kan te pakken en zijn kop bij te vullen. 'Nicolaas heeft mijn leven zelfs meer dan eens gered. De eerste keer waren we samen op een geheime missie. Het was een uitzonderlijk belangrijke missie, anders hadden ze Nicolaas er nooit op afgestuurd. Hij deed nooit veldwerk, omdat zijn narcolepsie een te groot risico vormde. Onze missie slaagde, maar de vijand nam ons wel gevangen. Nam míj gevangen, moet ik zeggen. Maar Nicolaas kwam terug en gaf zich aan mijn overmeesteraars over om mij te redden.'

Kapitein Noland nam weer plaats op het koffertje. 'Ik weet zeker dat jullie hetzelfde denken als ik indertijd. Hoe dacht hij me in hemelsnaam te kunnen redden door zichzelf op te offeren? Welnu, in die situatie heb ik ontdekt dat Nicolaas een overredingskunstenaar is. Een wonderbaarlijk knappe zelfs. In de daaropvolgende dagen praatte hij met elke officier van het vijandelijke hoofdkwartier. Als hij een bepaalde officier niet wist te overtuigen, veranderde hij van tactiek en liet de man weten dat hij met een andere officier wilde spreken. Op de een of andere manier lukte het hem steeds, en aan het eind van de tweede dag was hij erin geslaagd de juiste dingen tegen de juiste personen te zeggen en de vijand ervan te overtuigen dat ze ons moesten laten gaan. Tot op de dag van vandaag sta ik er versteld van.'

'Ongelofelijk!' riep Kat uit. 'Hoe heeft hij dat voor elkaar gekregen?'

'Ik weet het niet zeker, maar ik denk dat het deels komt doordat Nicolaas iets heeft waardoor mensen hem vertrouwen. En met reden. Vergeleken met Nicolaas zijn zelfs de beste mensen onbetrouwbaar.'

Rens werd opeens overvallen door een zweem van wantrouwen. De laatste opmerking van de kapitein klonk als een soort rechtvaardiging. Alsof iemand onbetrouwbaar kon zijn en desondanks tot 'de beste mensen' gerekend kon worden. Daarbij had Rens op het gezicht van de kapitein een subtiele verandering bespeurd, die hij niet helemaal kon thuisbrengen. Misschien was de kapitein gewoon jaloers op het betrouwbare karakter van meneer Benedict of op de waardering die hij ervoor kreeg. Dat zou een begrijpelijke reactie zijn voor iemand die wel goed was, maar toch betrouwbaarder zou willen zijn. Toch gaf het Rens een ongemakkelijk gevoel.

Ondertussen had Chip kapitein Noland gevraagd hoe meneer Benedict zijn leven nog meer had gered. Rens probeerde zijn wantrouwen aan de kant te schuiven en te luisteren. Tenslotte mocht hij de kapitein. En als meneer Benedict de kapitein vertrouwde, waarom zou hij dat dan niet doen?

'Hij heeft me nog een keer gered door de juiste dingen tegen de juiste persoon te zeggen,' zei kapitein Noland. 'Deze keer was ik die persoon. De oorlog was net afgelopen en Nicolaas verliet de marine om zijn onderzoekswerk voort te zetten. Ik overwoog ook bij de marine weg te gaan, want ik voelde me er de helft van de tijd doodongelukkig. Ik was opgegroeid op schepen – mijn vader was koopvaardijschipper – maar aan het eind van de oorlog had ik het gevoel mijn roeping te zijn misgelopen. Waarom voelde ik me anders zo ellendig?

'Toen ik het aan Nicolaas vertelde, moest hij zo hard lachen dat hij in slaap viel. Ik was behoorlijk kwaad, dat kan ik je wel zeggen. Maar hij was altijd al goedlachs geweest en toen hij wakker werd verontschuldigde hij zich diep en zei: "Phil, jouw ongeluk heeft niets te maken met op een schip zitten. Jij wordt ongelukkig als je eráf moet. Jij wordt altijd somber als we de haven naderen en je blijft somber zolang je aan land bent, tot op de dag van vertrek. Het ergste wat jij jezelf kunt aandoen is aan land blijven."

'In feite had een kind het kunnen zien en ik moet bekennen dat ik het Nicolaas bijna kwalijk nam dat hij me voor aap had gezet. Maar zo lagen de zaken: Nicolaas kende me beter dan ik mezelf. Zolang ik vaar, ben ik gelukkig. En dat is de reden dat deze maidentrip zo belangrijk is. Ik kan het me niet veroorloven mijn reputatie als kapitein te verspelen. Als ze me de wal op sturen, dan ga ik mijn ondergang tegemoet.'

'Waarom bent u dan weggegaan bij de marine?' wilde Constance weten.

'Ik had geen keus. Ze wilden me al een hele tijd promoveren, wat leuk klinkt, totdat je beseft wat die promotie inhoudt: een comfortabele, hooggewaardeerde functie – aan land. Een kwelling! Ik had er steeds onderuit weten te komen, maar uiteindelijk hielden ze voet bij stuk. Toen heb ik de marine verlaten en gesolliciteerd naar mijn huidige functie, die precies was wat ik zocht. *De Doorsteek* is vrijwel constant op zee – het laden en lossen gaat sneller dan bij andere schepen – en zoals ik de aandeelhouders heb laten weten...'

Zijn stem stierf weg en hij keek de kinderen schaapachtig aan. 'Ik zit al veel te lang over die arme ouwe kapitein te praten. Jullie waren nieuwsgierig naar Nicolaas, en gelijk heb je. Een beter mens ben ik nooit tegengekomen. En dan heeft hij nog eens al die tegenslagen moeten verwerken, zoals jullie weten. Om je ouders op zo jonge leeftijd te moeten verliezen, en dan nog eens de strijd moeten aangaan met die narcolepsie... Ik bedoel niet het voortdurend in slaap vallen, maar de nachtmerries!'

Kapitein Noland wreef in zijn rode ogen. Hij zag eruit alsof hij zelf een nacht met nare dromen achter de rug had. 'Nicolaas en ik hebben meer dan eens een hut gedeeld,' zei hij, 'en de angstkreten die hij in zijn slaap slaakte, waren zo schrikwekkend dat ik uren-lang klaarwakker in mijn bed lag te sidderen. Bijna elke nacht werd hij door die fantomen bezocht. De Oude Hag was de ergste, herinner ik me. Over zo'n afschuwelijke hallucinatie wilde ik niet eens iets horen. Maar overdag merkte je niets aan hem. Altijd opgewekt, altijd dapper. Dat is Nicolaas. Toch hoopte hij dat hij ooit – Wacht eens even!'

Kapitein Noland ging zo abrupt overeind zitten, dat hij koffie over zijn uniform morste. 'Hoe is het mogelijk! Waar heb ik mijn verstand gelaten! Hoe kan ik dát vergeten!' Hij keek de kinderen aan. 'Vergeef me. Het dringt nu pas tot me door, maar we hebben nog een aanwijzing!'

De Oude Hag, een verdacht geschenk en commotie op het kasteel

Iets meer dan een jaar geleden, vertelde kapitein Noland, had meneer Benedict een brief ontvangen van een Nederlands wetenschapsmuseum met het bericht dat op een geheime locatie bepaalde papieren waren gevonden: een krant en een stapeltje documenten. De papieren hadden aan zijn ouders toebehoord. Meneer Benedict, die zijn ouders als baby had verloren, had de papieren onmiddellijk willen inzien. Hij had het echter te druk met zijn onderzoek naar de verborgen berichten, dat hem uiteindelijk naar meneer Gordijn en de Fluisteraar zou leiden. Nog maar kort geleden was die belangrijkere kwestie zodanig afgerond dat hij zich wat tijd voor zichzelf kon veroorloven en dit persoonlijke reisje kon maken.

'Dus toen hij u vanuit Lissabon belde,' zei Rens, 'was hij op weg naar Nederland?'

'Of hij was op de terugweg,' zei kapitein Noland. 'Ik kan het niet zeggen. Ik had weinig tijd en we hebben elkaar maar kort gesproken. Tot mijn spijt weet ik niet hoe het museum heet of in welke stad het zich bevindt. Ik weet alleen dat hij het wilde bezoeken.'

'Ik weet dat zijn ouders Nederlandse wetenschappers waren,' zei Chip. 'Maar waarom zou dat museum hun papieren hebben? Hadden die niet naar meneer Benedict gemoeten?'

Kapitein Noland legde uit dat er wat juridisch geharrewar was geweest. Meneer Benedicts ouders hadden al hun documenten aan dit museum nagelaten, maar het lag niet voor de hand – in ieder geval niet voor meneer Benedict – dat deze pas ontdekte papieren ook naar het museum moesten.

'Hoe dan ook, Nicolaas was opgewonden,' vertelde de kapitein hun. 'In al die jaren had hij namelijk niet meer dan een glimp van het leven van zijn ouders opgevangen. Een paar van hun eerste onderzoeksverslagen waren in wetenschappelijke tijdschriften gepubliceerd en Nicolaas had ze opgespoord en gelezen. Het waren geavanceerde studies van narcolepsie, zei hij, waardoor hij vermoedde dat hij zijn aandoening van een van zijn ouders had geërfd. Meer is hij nooit over zijn ouders te weten gekomen.'

'Daar heb ik me vaak over verbaasd,' zei Rens. 'Als er iemand is die alles over hen te weten had kunnen komen, dan is het meneer Benedict wel.'

'O, Nicolaas was dolgraag meer te weten gekomen,' zei kapitein Noland. 'Maar in zijn jonge jaren had hij het geld niet om te reizen en toen brak die verschrikkelijke oorlog uit. Het duurde jaren voordat hij een beetje geld had. Tegen die tijd zat hij al midden in zijn naspeuringen van Gordijns doen en laten, en het is natuurlijk voor iedereen een geluk dat hij dat heeft gedaan. Het ongeluk was echter dat hij erachter kwam dat hij een tweelingbroer had. Blijkbaar van elkaar gescheiden bij de geboorte, naar verschillende familieleden gestuurd: het soort verhaal dat tot een blijde hereniging had kunnen leiden. Maar in plaats daarvan kwam hij tot de ontdekking dat zijn broer een verdorven mens was geworden. Hij was gebroken. En wie kan het hem kwalijk nemen? Na al die jaren zonder familie kreeg hij een broer, maar was hem meteen weer kwijt!'

Bij die woorden voelden de kinderen het schuldgevoel prikken. Natuurlijk had die ontdekking meneer Benedict pijn gedaan. Maar dat had hij niet laten merken, en aangezien de kinderen allemaal hun eigen problemen hadden gehad, had niemand er lang bij stilgestaan. Vooral Rens voelde zich schuldig, want tegen hem had meneer Benedict het wel over zijn verdriet gehad, maar algauw was hij van onderwerp veranderd. En Rens had er niet meer aan gedacht.

Kapitein Noland legde een hand op zijn voorhoofd. Hij keek hen ongemakkelijk aan. 'Dat had ik jullie niet moeten vertellen,' zei hij. 'Het spijt me. Nicolaas zou nooit willen dat jullie je zorgen om hem maakten. Omwille van hem ondernemen jullie een gevaarlijke reis en dan doe ik er nog eens een schepje bovenop.'

'Het is in orde,' zei Kat. 'Als bepaalde dingen voor meneer Benedict belangrijk zijn, dan willen wij ze ook weten, ook al vindt hij dat hij ons moet beschermen.'

Dat was helemaal waar, maar toch bleef Rens twijfels hebben over kapitein Nolands betrouwbaarheid. Het was waar dat meneer Benedict zijn gevoelens voor de kinderen had verborgen. En nu had kapitein Noland ze onthuld. Misschien had hij geen kwade bedoelingen gehad, maar toch...

'Nu we het toch over dingen hebben die voor Nicolaas belangrijk waren,' zei kapitein Noland, 'er was nog een andere reden waarom hij opgewonden was over de documenten. Hij dacht dat ze belangrijke informatie bevatten over zijn narcolepsie. Hij maakte zelfs grapjes over handjes schudden met de Oude Hag en haar de laan uit sturen.'

'Mag ik ook weten over wie het gaat?' vroeg Constance. 'Dit is al de tweede keer dat u die naam noemt.'

'De Oude Hag is een beruchte hallucinatie,' zei Chip op mechanische toon, alsof hij uit een schoolboek voorlas, 'waar mensen met bepaalde slaapstoornissen aan kunnen leiden. Ze verschijnt als een gedaante van iemand die naast het bed neerhurkt, of zelfs op de borstkas van de persoon plaatsneemt. Naar verluidt is het een afschrikwekkende ervaring.'

Kapitein Noland trok zijn wenkbrauwen op. 'Jij weet een heleboel, hè, Chip? Je hebt het helemaal bij het rechte eind. Het is inderdaad een afschrikwekkende ervaring en Nicolaas heeft dat herhaaldelijk aan den lijve ondervonden.'

Kat floot medelevend. 'Geen wonder dat hij ernaar uitkeek om haar kwijt te zijn. Hij moet elke avond met angst en beven zijn gaan slapen.'

Als op commando begon kapitein Noland te gapen en hij keek op zijn horloge. 'Over slapen gesproken, beste kinderen, ik ga een paar uur mijn bed in. Morgen staat ons een belangrijke dag te wachten. En laten we optimistisch blijven, oké? Jullie plan zit goed in elkaar. We gaan Nicolaas en Nummer Twee vinden, ik weet het zeker, en dan nemen we contact op met Ronda en Molenweer. Ronda weet ongetwijfeld het best wat er daarna moet gebeuren en als íémand onze vrienden kan redden, dan is het Molenweer. Dus, kop op, iedereen!'

Rens, Chip en Constance probeerden gehoorzaam een opgewekt gezicht te trekken, en Kat, die al straalde vanwege de lovende woorden over haar vader, knipoogde naar de kapitein en stak haar duim naar hem op.

'Zo mag ik het zien,' zei kapitein Noland. 'Rens, wil jij me helpen met deze dingen naar mijn hut te dragen? Door jouw hulp bij de kleine diamantcrisis heb je het wel verdiend om je benen even te mogen strekken. Het spijt me zeer dat jullie hier opgesloten zitten. Wil jij dat dienblad en het melkflesje nemen? Ik neem het koffertje wel.'

Toen Rens achter de kapitein de hut uit ging, keken de andere kinderen hem jaloers na.

'Onthoud de route goed,' zei kapitein Noland, terwijl ze door de nauwe gangen liepen. 'We maken wat omweggetjes om te voorkomen dat we – eh, om onaangename ontmoetingen te voorkomen.'

Rens vond het niet prettig om te moeten rondsluipen om te zorgen dat ze geen brulkikkers zouden tegenkomen – want dat had de kapitein ongetwijfeld bedoeld – maar hij vond het niet erg om een langere weg te nemen. Het deed hem inderdaad goed om zijn benen te strekken. Maar het was niet eerlijk dat zijn vrienden die mogelijkheid niet kregen, bedacht Rens fronsend. Zij hadden net zo lang als hij in de hut opgesloten gezeten. Was het echt zo erg geweest als ze mee waren gekomen?

Het gevoel van onrecht werd nog groter toen Rens de hut van de kapitein zag. Het was een grote, comfortabele, mooi ingerichte ruimte waarbij vergeleken die van de kinderen nog meer op een kast leek. Het was echter een grote zwijnenstal in de hut. Overal lagen vieze borden, schotels, zilveren messen en vorken, glazen, en de vloer was bezaaid met verfrommelde servetten en etensresten. Het zag eruit alsof iemand een keuken in de hut had geleegd, alle lades, kasten, vuilnisbakken: de hele mikmak.

Kapitein Noland gromde vol afkeer terwijl hij zijn eigen keurig ingepakte koffertje neerzette. 'Ik moest mijn hut ter beschikking stellen voor een feestje van de aandeelhouders,' legde hij uit. 'Ik heb momenteel zo weinig personeel dat ik niemand heb laten schoonmaken. Het zal moeten wachten totdat we in de haven liggen. Nu is slapen belangrijker.'

'Ik kan u wel helpen met opruimen,' zei Rens. Hij zei het met tegenzin, want het was werkelijk een ongelooflijke smeerboel. Maar hij had meer dan genoeg slaap gehad en dus vond hij dat hij het moest aanbieden.

Tot zijn grote opluchting zei kapitein Noland: 'Nee, je hebt al meer dan genoeg gedaan. Ik wil je zelfs een beloning geven voor je hulp bij dat gedoe met die diamanten. Nee, nee, niet weigeren. Ik weet zeker dat ik dankzij jou mijn baan niet ben kwijtgeraakt. En zoals je weet is mijn baan alles voor me. Steek je hand uit. Ik meen het.'

Rens' opluchting maakte plaats voor een plotselinge onverklaarbare angst. Onzeker stak hij zijn hand uit.

Kapitein Noland sloot de deur van de hut – na eerst links en rechts de gang in te hebben gekeken of er niemand aankwam – en stak zijn hand in zijn zak. Hij legde iets hards en glinsterends in Rens' handpalm en sloot zijn vingers eromheen. 'Dit blijft onder ons, afgesproken?'

'Oké.' Rens' hart bonkte tegen zijn ribben. 'Eh... dank u wel, meneer.'

'Heel graag gedaan,' zei de kapitein. Hij deed de deur van de hut open en keek weer in beide richtingen de gang in. Hij knikte en deed een stap opzij. 'Welterusten, Rens.'

Rens wenste de kapitein een goede nacht en ging de hut uit. Hij stak zijn nog steeds ongeopende hand diep in zijn broekzak. Hij wilde niet zien wat kapitein Noland hem had gegeven en hij kon het ook de anderen maar beter niet laten zien, dacht hij. Hij had er natuurlijk wel een glimp van opgevangen en het gevoel in zijn hand zei hem genoeg. Maar Rens wilde het niet van dichtbij bekijken. Hij wilde niet dat zijn angstigste vermoeden werd bewaarheid.

Ze hadden nog twee dagen. Nog maar twee dagen en de kinderen hadden geen flauw idee hoeveel verder deze reis hen zou voeren. Ze hadden geen idee of die twee dagen voldoende zouden zijn.

Dit waren Rens' eerste bezorgde gedachten toen hij de volgende ochtend wakker werd. Hij wilde zich net verdiepen in nog meer bezorgde gedachten (hij had blijkbaar een hele voorraad), toen Knoert verscheen om te zeggen dat de kapitein niet mee aan land ging.

'Kijk niet zo onthutst,' zei Knoert, terwijl hij een blad met geroosterd brood en jam op de grond neerzette. 'Ik ga nog steeds met jullie mee. De kapitein heeft me de hele situatie uitgelegd en het spijt me heel erg van jullie vrienden, ongelogen waar. Maar wacht maar eens af. We zullen ze veilig –'

'Kapitein Noland zei dat jullie alle twee zouden meegaan,' onderbrak Rens hem. 'Waarom is hij van gedachten veranderd?'

Als Knoert de licht beschuldigende toon van Rens al had opgepikt, liet hij het niet merken. 'Het is die brulkikker van een Pressius weer. Eigenlijk zouden we een paar dagen in Lissabon blijven om een aantal feesten en festiviteiten te bezoeken. De kapitein was van plan die over te slaan en met jullie mee te gaan. Maar nu heeft Pressius de kapitein laten weten dat hij wil dat *De Doorsteek* meteen weer afvaart: gewoon om een paar dagen op zee rond te varen.'

'Waarom wil hij dat in hemelsnaam?' vroeg Kat, die de geroosterde boterhammen opzij schoof voordat Constance, die slaperig uit haar bed rolde, erbovenop kon gaan staan.

'Vanwege die gestoorde diamanten,' zei Knoert, terwijl hij met zijn ogen rolde. 'Pressius is ervan overtuigd dat iemand hem wil bestelen. Zodra we in de haven liggen, gaat hij met groot vertoon de koffer met de nepdiamanten voor de ogen van de verslaggevers en de bemanningsleden openen. Hij zal aankondigen dat de koffer naar een particuliere safe in Engeland wordt gebracht. In werkelijkheid neemt hij de echte diamanten met zich mee in de trein naar god weet waar. Daarom wilde hij al die extra beveiligingsmensen: om een aantal met de nepdiamanten te kunnen meesturen en zijn verhaal geloofwaardig te maken. Blijkbaar is hij dat vanaf het begin van plan geweest. Hij vond het alleen niet nodig om het de kapitein te laten weten.'

'En kapitein Noland kan natuurlijk niet weigeren,' zei Rens. Wat hij eigenlijk wilde zeggen was dat de kapitein niet wílde weigeren. Voor iemand die naar eigen zeggen zijn leven aan meneer Benedict had te danken, was kapitein Noland niet erg bereid om risico's te nemen in het belang van meneer Benedicts welzijn.

'Dus wat nu?' wilde Chip weten.

'We gaan ervandoor terwijl het schip wordt uitgeladen, voordat de ceremonie begint,' zei Knoert. 'Ik neem een portofoon mee. De kapitein wil dat we voortdurend contact onderhouden. Hij wil nog steeds helpen, maar dan vanaf het schip.'

Rens beet zich op zijn lippen en keek de andere kant uit.

'En Maatje?' vroeg Kat. 'Kan iemand voor haar zorgen? Het is niet voor lang, maar een paar dagen...' Opeens werd ze ernstig en haar stem stierf weg. Want een paar dagen was inderdaad niet zo lang en meer hadden ze niet om hun vrienden te redden.

'Dat heb ik allemaal al geregeld,' zei Knoert vriendelijk. 'Maak je maar geen zorgen. Maatje blijft in mijn hut en ze zal als een koningin worden behandeld.'

De Doorsteek zou pas laat in de middag de haven bereiken, zodat de kinderen alle tijd hadden om zich te wassen – iets waar ze nog nooit zo naar hadden uitgekeken als nu. Ze hadden al een hele tijd in dezelfde kleren rondgelopen en hun tanden niet gepoetst. Knoert had geen schone kleren voor hen, maar wel handdoeken en zeep, en hij gaf hun zijn eigen halfuitgeknepen tube tandpasta.

Nadat ze zich van de ergste viezigheid hadden ontdaan, keken ze om beurten door de patrijspoort naar buiten. Nu het vasteland van Portugal in de verte zichtbaar werd, beseften ze weer hoe snel *De Doorsteek* voer. Binnen enkele seconden veranderden de vage contouren aan de horizon in een scherp afgetekende kustlijn.

'Het duurt nu niet lang meer,' zei Chip, terwijl hij van Kats emmertje stapte. 'De haven bevindt zich maar een paar kilometer landinwaarts aan de rivier de Taag. Er is daar voldoende diepgang om –' Hij snoerde zichzelf fronsend de mond, want hij was bijna een lange, technische verhandeling begonnen. 'Het duurt nu niet lang meer,' herhaalde hij eenvoudigweg.

Toen Knoert hen uiteindelijk kwam halen, had hij een schop bij zich en droeg hij zijn burgerkleren – dat dacht hij in ieder geval. Hij had een bermuda, sandalen en een schreeuwerig gebloemd hemd aangetrokken. Zijn gebruinde gezicht had hij met zonnebrandcrème ingesmeerd, in een poging er als een toerist uit te zien. Het hemd, dat hij van een bemanningslid had geleend, was echter niet op zijn enorme borstkas berekend. Nog voordat hij goed en wel in de hut stond schoot er al een knoopje af, dat onder Constances bed verdween.

'Ik pak het wel,' zei Constance met een bereidwilligheid die de andere kinderen verraste. Maar haar stem was onvast geweest en toen ze onder het bed vandaan kwam, stond de angst op haar gezicht te lezen. Ze was wanhopig op zoek naar afleiding, want nu ze het volgende stadium van hun reis hadden bereikt, nam haar angst alleen maar toe.

Knoert knielde naast haar neer. 'Weet je wat ik zo leuk vind aan knoopjes?' zei hij, terwijl hij het knoopje van Constance aannam en er bewonderend naar keek. 'Het zijn hele kleine dingetjes die grote dingen bij elkaar houden. Ontzaglijk belangrijk, knoopjes: klein maar sterk.' Hij knipoogde. Toen Knoert weer opstond, was de uitdrukking op Constances gezicht een stuk rustiger geworden en was de waardering van de andere kinderen voor hem nog een stukje gegroeid.

'Wat de formaliteiten betreft,' zei Knoert, terwijl hij een papier met een groot aantal officiële stempels openvouwde. Op de achterkant stond een foto van de kinderen die het jaar daarvoor was genomen. 'Meneer Benedict heeft de kapitein gevraagd dit aan jullie te geven. Het is een soort paspoort, maar dan beter. Zorg dat je het niet kwijtraakt.'

Zonder erbij na te denken pakte Kat het document aan en stopte het in haar emmertje. Haar vrienden protesteerden niet, want afgezien van het feit dat Kats emmertje de veiligste plek was, vonden ze het allemaal een vreselijke foto en wilde niemand er langer naar kijken dan absoluut noodzakelijk.

'Nog een minuutje,' zei Knoert. Hij keek door de patrijspoort naar de haven onder hen en hield ondertussen zijn hoofd schuin om naar de scheepsmotoren te luisteren. De kinderen konden de fanfare bij het havenhoofd al horen. 'Zo,' zei hij. 'Nu smeren we 'm.'

Toen Knoert en de kinderen op het bovendek kwamen, werden ze verwelkomd door het stralende zonlicht, een warm briesje en een overstelpende hoeveelheid herrie. Zowel op het dek als de kaden onder hen was het een drukte van jewelste: juichende mensenmassa's, schetterende trompetten, roffelende trommels en slierten serpentine die op de wind werden meegevoerd. Het leek alsof heel Lissabon was uitgelopen om het recordbrekende schip te begroeten.

Doortastend gebruikmakend van zijn ellebogen baande Knoert zich met de kinderen een weg naar hun taxi. Met gesloten raampjes tegen het lawaai schoten ze ervandoor naar het Castelo de São Jorge. De taxi zigzagde door de doolhof van de met kinderkopjes geplaveide straten, eerst door het oude havendistrict en toen steeds hoger de steile heuvel op naar waar het kasteel zich bevond. Bij elke bocht was het kasteel iets dichterbij gekomen, totdat ze uiteindelijk de toegangspoort bereikten. Achter de hoge muur die het hele terrein omringde, rees het kasteel als een indrukwekkend gevaarte op; maar de kinderen hadden eigenlijk alleen maar aandacht voor de muur.

De taxichauffeur draaide zich om en zei met een zwaar accent: 'Iek waarskuw naar jullie. Iek niet weet jullie plánen, maar hier kraven ies verboden. Iek zie skop en emmer. Maar kasteel ies openbaar beziet. Bewakers zullen jullie – hoe zeg iek dat? – jullie kooien.'

'Ons eruit gooien?' opperde Rens.

'Ja!' riep de taxichauffeur met een brede grijns uit. 'Dat bedoel iek! Jullie eruit kooien!'

'Bedankt voor de waarschuwing,' zei Knoert. Hij betaalde de taxichauffeur en vroeg hem te blijven wachten.

Om de een of andere reden had Rens een verlaten ruïne verwacht, maar Castelo de São Jorge was precies het tegenovergestelde. Het bleek een enorme toeristische trekpleister te zijn en de mensen stroomden de poort in en uit. Ze staken de straat over en liepen het terrein op dat er, zoals kapitein Noland al had gezegd, uitzag als een prachtig park. De bezoekers wandelden over de met struikgewas omzoomde paden, zaten op banken in een gids te bladeren of bewonderden geanimeerd pratend de architectonische bijzonderheden van het kasteel. Bij een groepje olijfbomen begeleidde een muzikant zichzelf op de gitaar. En om dit alles heen bevond zich de muur, die op sommige plekken laag genoeg was om op te zitten en op andere zo hoog dat hij lange schaduwen op de wandelaars wierp.

'We moeten het meest westelijke gedeelte hebben, toch?' zei Constance. 'Dus waar ligt het westen?'

'Daar,' zei Rens en hij wees in de richting van de late middagzon.

'Constance!' zei Chip afkeurend. 'Weet je niet dat de zon –'

Gelukkig werd hij onderbroken doordat er een vervormde stem uit Knoerts portofoon klonk. Knoert gebaarde dat de kinderen even moesten wachten en liep naar een rustiger plekje om te kunnen praten. Toen hij zich weer bij hen voegde, zag hij er ontdaan uit.

'Dat was kapitein Noland,' zei Knoert. 'Vanwege de grote mensenmassa hebben ze vertraging opgelopen bij het lossen van de containers en nu heeft hij mijn hulp nodig. Maken jullie je alsjeblieft geen zorgen. Ik hoef het alleen maar in gang te zetten en dan loopt het verder vanzelf. Ik ben binnen een uur terug, twee uur op z'n hoogst.'

'Maar als je er dan nog niet bent?' vroeg Kat. 'We hebben haast, Knoert! Onze vrienden hebben ons nodig!'

'Ik weet het,' zei Knoert somber. 'Het spijt me heel erg, en kapitein Noland ook. Hij vraagt jullie om vergiffenis.' Hij overhandigde Kat de portofoon en de schop. 'Beginnen jullie maar alvast, oké? Met een beetje geluk ben ik terug voordat jullie uitgegraven zijn. Als er problemen zijn, moet je het de kapitein onmiddellijk laten weten. Dan kom ik zo snel mogelijk hierheen!'

Voordat Knoert ervandoor stoof, ving Rens nog net de uitdrukking op zijn gezicht op. Hij vond het duidelijk vreselijk dat hij de kinderen moest achterlaten en hij zou het nooit hebben gedaan als het hem niet was bevolen. Rens schudde zijn hoofd en draaide zich om naar de anderen. Kat deed de portofoon in haar emmertje en met Constance op haar rug liep ze samen met de jongens naar de westelijke muur, die zich aan de andere kant van het kasteel bevond.

Tussen de dagjesmensen en de picknickers door gingen ze zo snel mogelijk een aantal trappen op, een stenen pleintje over en volgden toen het kronkelende pad tussen het struikgewas door. Hun voetstappen deden de pauwen die in de bosjes scharrelden opschrikken en luid klokkend en met hun vleugels fladderend zigzagden ze voor de voeten van de kinderen over het pad.

'Stomme beesten,' mompelde Kat, die bijna over de vogels was gestruikeld. 'Maatje had hier haar hart kunnen ophalen.'

Uiteindelijk kwam het pad bij het eind van de kasteelmuur, maar toen ze de hoek om sloegen, bleven ze teleurgesteld staan. Ze hadden weliswaar de westelijke muur bereikt, maar die strekte zich eindeloos voor hen uit. Nog erger was dat er overal mensen waren: op de muur, vanwaar ze uitkeken over de stad en de rivier die in de diepte lagen, bij de oude zwarte kanonnen die op regelmatige afstand van elkaar in de muur waren geplaatst, kuierend over het grasveld dat zich tussen het kasteel en de muur bevond... En er waren niet alleen overal mensen, maar ook overal olijfbomen. Plotseling leken meneer Benedicts aanwijzingen hopeloos raadselachtig. Kat haalde het papier tevoorschijn en las het opnieuw:

Kasteel van Chips naamgenoten
Aan de meest westelijke muur
Niet met het blote oog te zien, gereedschap vereist
Olijfbomen vlakbij, maar
Naaldbomen en kurkbomen op meer dan twee meter

'Daar hebben we dus niet zo veel aan,' zei Kat. 'Er zijn overal olijfbomen "vlakbij" en naaldbomen zijn er vrijwel niet te bekennen. Welke zijn de kurkbomen, Chip? Ik heb geen flauw idee.'

146

Chip wees. 'Die daar is een kurkboom. En die en die. Voor zover ik kan zien zijn dat de enige.'

'Wat een rare aanwijzing, dan,' merkte Rens op. 'Waarom staat er "olijfbomen vlakbij" en "Naaldbomen en kurkbomen op meer dan twee meter" als dat voor de hele muur opgaat? Het beperkt niet echt het aantal mogelijkheden. Mag ik de aanwijzingen nog eens zien, Kat?'

Terwijl Rens met gefronste wenkbrauwen de brief bestudeerde, haalde Kat haar schouders op. 'Misschien moeten we maar langs de muur gaan lopen en gewoon goed kijken. Zoals kapitein Noland al zei moet je het kunnen zien als iemand ergens heeft staan graven.' Ze keek om zich heen. 'Het moeilijkste zal het zijn om ongemerkt te graven. Als we meer tijd hadden, konden we vannacht naar binnen sluipen. Misschien dacht meneer Benedict dat we dat zouden doen. Anders snap ik niet hoe hij verwachtte dat we dit zouden oplossen zonder in de problemen te komen.'

'Ik ook niet,' beaamde Rens, die nog steeds naar de brief staarde. 'Daarom vraag ik me af of –'

'Duiken!' beet Constance hen toe. Ze greep Kats paardenstaart beet alsof ze aan de teugels van een op hol geslagen paard trok. 'Achteruit! Terug de hoek om! Het is Jenne! Hij is hier!'

'Waar heb je het over?' beet Kat haar toe, terwijl ze haar paardenstaart uit Constances knuistjes probeerde te bevrijden. 'Dat doet pijn, Con–'

'Doe wat ze zegt, Kat!' zei Rens, terwijl hij Kat bij haar arm pakte. 'Naar achteren!'

Verwonderd en geïrriteerd liep Kat terug de hoek om. Daar zette ze Constance, niet te zachtzinnig, op de grond en zei: 'Ik hoop voor je dat je een goede reden hebt.'

Constance negeerde haar en keek Rens vragend aan. 'Waarom denk je dat hij hier is, Rens? Wist hij dat we zouden komen? Wat moeten we doen?'

Rens legde zijn handen op haar schouders. 'Haal maar even diep adem en vertel me dan wat er aan de hand is. Heb je Jenne gezíén? Of heb je –'

'Ik wist het gewoon opeens.'

'Hebben jullie het over Jenne het staflid?' vroeg Chip.

'De enige echte,' zei Rens. Hij gluurde om de hoek van het kasteel en bestudeerde de mensen op de muur, bij de kanonnen, op het grasveld... En toen zag hij hem: een verwaande jongeman die uit de schaduw van een olijfboom tevoorschijn kwam. Jenne. Hun oude kwelgeest, een van meneer Gordijns trouwe stafleden. Eerst herkende Rens hem bijna niet – het jasje en de das die hij altijd op het Instituut had gedragen ontbraken – maar het was hem wel degelijk. Die messcherpe neus, het aanmatigende loopje, het gedrongen postuur en het knalrode haar. Rens voelde zijn hart tekeergaan. 'Ze heeft gelijk. Ik zie hem.'

'Je maakt een geintje,' zei Chip ongelukkig. 'Hier?'

Constance was van slag. 'Ik heb hem vast gezien zonder dat ik het doorhad, denk je niet?'

'Dat denk ik ook, Constance,' zei Rens, die zijn stem in bedwang probeerde te houden. 'En daar hebben we geluk mee gehad. Anders had hij ons vast gezien. Hij is de muur aan het bewaken.'

'Aan het bewaken?'

'Zo ziet het er wel uit,' zei Rens, terwijl hij nog een keer om de hoek keek. 'Hij paradeert heen en weer, alsof hij op iets wacht.'

'Of op iemand,' zei Constance.

'Ik wist het. Het was te mooi om waar te zijn,' zei Chip, terwijl hij zijn poetsdoekje uit zijn zak haalde. 'En ik dacht nog wel dat dít een gemakkelijk onderdeel zou zijn.'

Er gleed een schaduw over Kats gezicht. 'Rens, als Jenne hier is...'

'Dan is Jutte er hoogstwaarschijnlijk ook. Ik weet het.'

Jenne, die in zijn eentje al gevaarlijk was, was samen met Jutte, zijn onafscheidelijke metgezel, twee keer zo gevaarlijk. De kinderen waren er nooit achter gekomen of de twee stafleden broer en zus, een stel, of gewoon elkaars handlangers waren. Ze kenden hen alleen maar als Jenne en Jutte en wisten zelfs niet of dat hun voornamen, achternamen of bijnamen waren. Maar dat deed er allemaal niet toe. Het enige wat ertoe deed, was dat Jenne zich tussen hen en hun missie in bevond en dat Jutte, zonder enige twijfel, ergens in de buurt rondhing.

'Constance,' zei Rens, 'kun je iets over Jutte zeggen?'

'Ja hoor. Ik haat haar,' antwoordde Constance. 'Jij niet?'

'Ik bedoel eigenlijk of je kunt zeggen of zij er ook is.'

'O. Nee. Nee, anders had ik het je toch wel verteld? Maar dat wil niet zeggen dat ze er niet is. Misschien is ze wel aan de andere kant van het kasteel.'

'Of misschien is er wel iets vreselijks met haar gebeurd,' opperde Kat hoopvol. 'Ze bond haar paardenstaart altijd met een stuk ijzerdraad vast, weten jullie nog? Misschien is ze wel door de bliksem getroffen!'

'Dat je op dit soort momenten nog grapjes kunt maken, zal ik nooit begrijpen,' zei Chip, terwijl hij angstig om zich heen keek.

'Wie zegt dat dat een grapje was?' zei Kat. 'Maar hoe dan ook, als ze opduikt, kunnen we haar toch wel aan? Ik weet zeker dat ik haar ook in m'n eentje aankan, zowel haar als Jenne. En met jullie drieen...' ze wierp een blik op Constance '... nou ja, met jullie tweeënhalven om de ander te grazen te nemen, kunnen we het wel winnen als het tot een vechtpartij komt. We kunnen ze op zijn minst peentjes laten zweten.'

'Dat gaat niet, Kat,' wierp Rens tegen. 'Ik weet niet waarom Jenne hier is, maar als hij ons ziet, rapporteert hij het aan meneer Gordijn en dan is alles verloren. Het minste vermoeden van onze aanwezigheid kan meneer Benedict en Nummer Twee al in groot gevaar brengen.'

'Dus wat nu?' vroeg Constance. 'Hoe kunnen we nu graven? Hoe komen we er überhaupt achter wáár we moeten graven?'

Rens richtte zijn aandacht weer op de brief. Hij wist zeker dat meneer Benedict het antwoord al had gegeven, als hij maar wist hoe hij de woorden moest lezen. Een heel stel aanwijzingen leek onbelangrijk of op z'n minst niet behulpzaam, dus misschien waren die bedoeld als afleidingsmanoeuvre, net als de extra woorden aan de onderkant van de bladzijden van het dagboek. En wat zou hij hebben bedoeld met dat ze eerst omlaag moesten voor de hint, en daarna de aanwijzingen omhoog moesten volgen? Meneer Benedict had de aanwijzingen onder aan de bladzijde geschreven, en ze voerden hen inderdaad omhoog naar het kasteel, maar waarom had hij het zo geformuleerd? Waarom had hij het trouwens eerst over één hint en vervolgens over 'aanwijzingen', alsof dat er meer waren? Bedoelde hij te zeggen dat er een verschil was tussen 'hint' en 'aanwijzingen'? Maar hoe dan?

Chip werd met de minuut angstiger. 'Rens?' drong hij aan. 'We hebben haast!'

'Ik weet het,' zei Rens, nog steeds over de brief gebogen. 'Dat is precies wat me dwarszit. Ik denk niet dat het meneer Benedicts bedoeling was om ons uren te laten zoeken naar de volgende aanwijzing. Hij verwachtte dat we er zo op af zouden lopen, zonder te worden opgepakt. De oplossing moet hier te vinden zijn. Dat kan niet anders!'

'Vind hem dan,' zei Constance snibbig. 'Kom op, Rens, doe je ding. Waar moeten we graven?'

Rens staarde wanhopig naar de brief, in de hoop dat het antwoord hem te binnen schoot. En opeens wist hij het. Met een ruk keek hij op. 'Ik denk niet dat we hoeven te graven.'

Constance keek hem kwaad aan. 'Niet graven? Maar kapitein Noland heeft gezegd –'

'Het kan me niet schelen wat kapitein Noland heeft gezegd,' onderbrak Rens haar met een scherpte die hen allemaal verraste. 'Ik durf te wedden dat we alleen maar wat verf en plamuur hoeven weg

150

te krabben. Dáár hebben we dat gereedschap voor nodig. Kat kan haar Zwitserse zakmes gebruiken.'

De anderen staarden hem sprakeloos aan.

'Je hebt een deel overgeslagen,' zei Kat. 'Waar gaan we verf en plamuur van afkrabben?'

Rens overhandigde haar de brief. 'Meneer Benedict zegt eerst dat we omlaag moeten. Hij bedoelde niet omlaag naar de onderkant van de bladzijde; dat hij de aanwijzingen daar heeft opgeschreven is slechts een afleidingsmanoeuvre. Hij wilde het er als een spelletje laten uitzien: omlaag voor dit, omhoog voor dat. Maar als je goed kijkt... Ga omlaag langs de aanwijzingen: neem de eerste letter van elke regel.'

Kat deed wat Rens zei. Haar ogen sperden zich open. Constance en Chip verdrongen zich rond haar om te zien wat zij had gezien. Er daar stond het antwoord, zo helder als glas.

Gebrekkige gesprekken en vernuftige vermommingen

'Ik vind het onvoorstelbaar dat je dat niet eerder hebt gezien,' zei Constance en ze snoof vol ongeloof. 'Het ligt zo voor de hand!'

'De volgende keer moet je er misschien zelf een blik op werpen,' zei Rens, die erg zijn best deed om niet te snauwen.

Kat gluurde om de hoek van het kasteel. 'Het is het eerste kanon. Bij alle andere kanonnen staan er kurk- of naaldbomen binnen twee meter afstand.' (Kat zei het met grote stelligheid, want ze was heel goed in afstanden schatten.) Ze haalde haar telescoop tevoorschijn, trok de caleidoscooplens eraf en onderwierp het kanon aan een nauwkeurig onderzoek.

'Zie je iets speciaals?' vroeg Rens.

'Nog niet.'

'Misschien zit er iets in de loop,' opperde Chip.

'Ho, ik denk dat ik iets zie. Ja, dat is het! Onder aan het kanon zit een wat donkerder stukje...' Kat liet haar telescoop zakken en keek hen grinnikend aan. 'Het is rechthoekig.'

'Ter grootte van een envelop,' zei Rens.

Kat knikte. 'Ik denk dat je gelijk had. Een beetje plamuur en wat verf, en er was niets meer te zien van de envelop.' Ze borg haar telescoop op en haalde haar Zwitserse mes uit het emmertje. 'Binnen vijftien seconden heb ik hem hier.'

'Moeten we niet iets doen om Jenne af te leiden?' vroeg Chip.

'Te riskant,' zei Kat. Ze haakte het emmertje van haar riem en maakte vervolgens haar paardenstaart los. 'Er lopen hier te veel mensen rond en we hebben te weinig tijd. Jutte kan elk moment verschijnen. Ik moet gewoon wachten totdat hij de andere kant uit kijkt.'

'Ik ben het met Kat eens,' zei Rens. 'Maar stel dat hij jouw kant uit kijkt –'

'Ik ben je een stap voor, knul.' Kat schudde woest met haar hoofd, ging met haar vingers door haar haar, trok het omhoog en naar voren, totdat het alle kanten uit piekte en haar gezicht bijna volledig aan het zicht onttrok. 'Chip, mag ik je bril lenen?'

Chip kromp ineen, maar hij kon natuurlijk niet weigeren. 'Wil je er wel voorzichtig mee zijn?'

'Ben ik ooit niet voorzichtig?' zei Kat. Ze liet de bril op het puntje van haar neus balanceren zodat ze eroverheen kon kijken. 'Hoe zie ik eruit?'

Chip kneep zijn ogen tot spleetjes. 'Wazig.'

'Raar,' zei Constance.

'Perfect,' zei Rens met een goedkeurend knikje.

Kat maakt een van haar veters los en keek weer om het hoekje. 'Hij is nog steeds aan het ijsberen. Naar beide kanten hetzelfde aantal passen. Kijkt naar links, kijkt naar rechts, kijkt weer naar links. Dát mag ik nou wel aan Jenne. Hij is voorspelbaar. Oké. Daar gaan we!'

Rens nam Kats plek op het hoekje in en keek haar na. Ze liep snel, maar niet zo snel dat ze de aandacht zou trekken. Het lukte haar zelfs om een beetje met O-benen te lopen. Als ter plekke bedachte vermomming was het helemaal niet slecht. Een meisje met een wilde haardos, O-benen, een stalen brilletje en een losse veter, en zonder rood emmertje. Als Rens niet beter wist, had hij haar misschien ook niet herkend. Hij wierp een blik op Jenne, die nog steeds de andere kant uit liep. Tot zover verliep alles volgens plan.

Kat liep om een gezin heen dat een foto van het kanon wilde maken en knielde bij de sokkel van het kanon neer om zogenaamd haar veter vast te maken, wat ze met één hand deed. In haar andere hand zag Rens het Zwitserse mes glinsteren. Er was echter geen tijd om Kats behendigheid te bewonderen, want haar snelheid was minstens zo indrukwekkend. In een mum van tijd had ze de envelop losgesneden en haar veter vastgemaakt. Ze stond weer op en stopte met een triomfantelijke glimlach de envelop en het mes in haar zak. Toen kwam de moeder van het gezin met de camera in haar uitgestoken hand op Kat af en sprak haar aan. Ze wilde dat Kat een foto van het hele gezin maakte. Kat aarzelde.

'O, nee,' zei Rens.

'Wat gebeurt er?' siste Constance.

'Maak je klaar om te vluchten,' zei Rens. Hij hoorde de andere twee naar adem happen.

Kat schudde haar hoofd en deed of ze het niet begreep. De moeder had Kat bij haar arm gegrepen en probeerde haar uit te leggen wat ze wilde. Uiteindelijk lukte het Kat met een verontschuldigend glimlachje en een behendige draai van haar arm te ontkomen. Maar ze had kostbare seconden verloren, besefte Rens. En te oordelen naar de uitdrukking op Kats gezicht, besefte zij het ook. Ze liep regelrecht op hen af, maar het was te gevaarlijk om te gaan rennen. Rens keek of Jenne haar had gezien. Jenne had haar niet gezien. Maar Jutte wel.

Er was geen vergissing mogelijk. Een meter tachtig lang, vettige, bruine paardenstaart, armen als drilboren. Ze kwam net om de andere hoek van het kasteel zetten en terwijl ze op Jenne afliep, wees ze in Kats richting. Van haar gezicht viel niet direct herkenning af te lezen, maar ze vertrouwde het duidelijk niet. Vlak voordat Kat om de hoek verdween, keek Jenne haar kant uit. Rens wist niet of hij haar had herkend, want om zelf niet ontdekt te worden had hij zich snel teruggetrokken.

'Heeft hij me gezien?' vroeg Kat.

'Jutte wel,' zei Rens. 'We moeten ervandoor.'

'Jutte?' riep Chip uit.

Kat griste de schop uit Rens' handen. 'Wegwezen dan! Neem Constance op je rug. Ik zie jullie voor de poort.'

Ze kregen niet de tijd om ertegenin te gaan of vragen te stellen, en Chip zelfs niet om zijn bril terug te pakken. Rens nam Constance op zijn rug, en op zijn hielen gevolgd door Chip, die zijn ogen tot spleetjes had geknepen, rende hij langs het kronkelende pad door het struikgewas omlaag – waar de pauwen weer verschrikt opzijstoven – het pleintje over en de trappen af naar de ingang. Toen Rens achter zich keek, zag hij dat Kat een heel stel pauwen naar de hoek van het kasteel had gedreven. Zelfs op deze afstand hoorde hij de boze, verraste kreten van een vrouw – dat moest Jutte zijn – gevolgd door een kakofonie van geklok, gekoer en gekrijs.

Ondertussen mikte Kat de schop als een speer in de richting van het struikgewas. Rens keek voor zich uit naar de poort – ze waren er bijna – en toen hij weer achteromkeek, verdween Kat om de verste hoek van het kasteel. Net toen Rens de poort door stoof, verschenen Jenne en Jutte om de andere hoek van het kasteel.

'Ik geloof niet dat ze ons gezien hebben,' zei Constance, die ook achterom had gekeken. 'Maar stel dat ze iedereen gaan ondervragen? Een heleboel mensen hebben ons naar de poort zien rennen.' En inderdaad. Ook nu waren er nog mensen die hen nakeken. Sommigen keken om zich heen alsof ze zich afvroegen wie hun ouders waren.

'Ik kan me niet voorstellen dat ze Portugees spreken,' zei Chip. 'We moeten maar hopen dat ze niemand vinden die hen verstaat. Misschien komt het niet eens bij hen op. We weten allemaal dat ze niet erg slim zijn.'

Als om Chips opmerking kracht bij te zetten, klonk op dat moment een harde dreun uit de richting van hun achtervolgers, gevolgd door luid gevloek. Jenne was op het blad van de schop gaan staan en had het handvat in zijn gezicht gekregen. De kinderen hadden echter geen tijd om zich erover te verkneukelen, want Jennes boosaardige gegrom klonk met de seconde luider en dichterbij.

'Slim of niet, ze komen deze kant uit,' zei Rens, die angstig naar de poort staarde. 'We moeten ons uit de voeten maken. Maar Kat –'

'Wat is er met mij?'

De kinderen draaiden zich verschrikt om en zagen toen een grijnzende Kat staan.

'Waar kom jij vandaan?' wilde Constance weten.

'Ik ben over de achterste muur gelopen,' zei Kat. Ze overhandigde Chip zijn bril. 'Luister, ik heb ze horen praten. Ze wisten niet zeker wie ik was, maar ze komen poolshoogte nemen. Kom maar, Rens, ik neem Constance wel.'

De kinderen haastten zich omlaag, langs de met keien geplaveide kronkelstraatjes, de betegelde plaza's over, steeds verder naar beneden waar de straten almaar smaller werden en zich vertakten in allerlei weggetjes en steegjes. Ze waren in het havendistrict gekomen. De vislucht vermengde zich met de subtiele geuren van de bougainville waarmee de oude stenen muren waren bedekt. De plaatselijke bevolking en de toeristen verdrongen elkaar in de steile straatjes en dromden de winkeltjes in en uit.

De kinderen bleven staan om op adem te komen. Rens en Chip stonden voorovergebogen uit te hijgen en Chip wiste met zijn mouw het zweet van zijn voorhoofd.

'Jullie zien er niet uit,' merkte Constance vanaf Kats rug op.

Kat keek achterom naar waar ze vandaan waren gekomen. De telescoop was hier nutteloos: de straten waren te kronkelig om ver te kunnen zien. Maar Jenne en Jutte zaten hen in ieder geval niet op de hielen, zoals ze hadden gevreesd.

'We weten niet waar we heen moeten,' zei Rens hijgend. 'We moeten de aanwijzing lezen.'

Ze gingen een steeg in en kropen achter een kraam met enorme vissen bij elkaar. Hier zouden ze niet opvallen. De visverkoper, een potige man met een groot mes in zijn handen, nam hen onderzoekend op. Toen hij zag dat ze nog maar kinderen waren, ging hij weer verder met het fileren van zijn vissen. Kat sneed de envelop open met haar Zwitserse mes. Er zaten een briefje en een sleutel in.

Ze las het briefje. 'Hier kan ik geen chocola van maken,' zei ze. Ze gaf het briefje aan Chip en richtte haar aandacht op de sleutel. Het was een gewone metalen sleutel, niet al te groot en met het getal 37 erin gegraveerd. Kat haalde de sleutels van de boerderij uit haar emmertje om ze met elkaar te vergelijken en uit te vinden wat voor soort sleutel het was. Ze dacht van een kast, of nee, een kluisje: de sleutel leek erg op die van de kluisdeur die ze in de graanschuur hadden moeten aanbrengen, omdat de dieren steeds bedrevener waren geworden in het openmaken van hekken en deuren. En kluisjes hadden tenslotte vaak een nummer.

Ondertussen las Chip het briefje hardop voor: 'Puzzel je spoor naar het voeren door deze laat.'

'Wat is dat in hemelsnaam, een "laat"?' vroeg Kat.

'Nog nooit van gehoord,' zei Chip. 'Misschien is het een –'

'Het station,' zei Constance. 'Ja hè, Rens? *Laat je door deze puzzel naar het spoor voeren.* Dat is de oplossing!'

Verbijsterd keek Chip van Constance naar het briefje in zijn hand en weer terug. Deze nieuwe Constance, die patronen kon ontdekken en dingen voelen die anderen ontgingen... Hij was er nog niet aan gewend.

'Lijkt me helemaal goed,' antwoordde Rens.

'Ik durf te wedden dat dit het sleuteltje van een huurkluisje is!' riep Kat uit. 'Snel, Chip. Vraag die visboer hoe we bij het station komen!' Ze tikte de man op zijn schouder.

Chip knipperde met zijn ogen, opende zijn mond, en sloot hem weer. De visboer keek Kat aan, en toen Chip. Hij zwaaide ongeduldig met zijn hakmes en zei iets in het Portugees.

'Ik... ik spreek geen Portugees,' stamelde Chip.

Kat keek hem vol ongeloof aan, en Constance met onverholen afschuw. 'Maar op het schip,' begon ze, 'toen kapitein Noland je vroeg –'

'Ik kan het wel schríjven!' zei Chip, en hij doorzocht zijn zakken naar een pen. Terwijl de visboer toekeek – en de anderen bezorgde blikken wisselden – schreef Chip iets op de achterkant van meneer Benedicts briefje. De visboer zei weer iets in het Portugees. Hij maakte een schrijvende beweging met zijn hand, haalde toen zijn schouders op en schudde zijn hoofd.

'Hij kan niet lezen,' zei Rens.

'Als ik het goed begrijp,' zei Kat, 'kan Chip Portugees schrijven maar niet spreken en kan deze man het spreken maar niet lezen.' Ze leek in dubio of ze gefrustreerd of geamuseerd moest reageren.

Chip leek ondertussen elk moment in tranen te kunnen uitbarsten.

Rens deed een stap naar voren. 'Spreekt u Engels?' vroeg hij.

De man haalde verontschuldigend zijn schouders op en draaide zich om.

'*Español?*' vroeg Rens. Hij had een paar jaar Spaanse les gehad toen hij in het weeshuis woonde. Portugal lag naast Spanje, dus wie weet...

'*Sí,*' zei de man, terwijl hij zich naar Rens omdraaide. '*Un poquito.*'

'Wat zegt hij?' vroeg Kat.

'Hij spreekt een beetje Spaans,' zei Rens. Snel vroeg hij de man waar het treinstation zich bevond. Na een korte, moeizame uitwisseling (ze spraken alle twee nogal onbeholpen Spaans) concludeerde Rens dat het station een klein eindje lopen was. De man wilde de route zelfs wel uittekenen en met een paar vakkundige streken schetste hij een eersteklaskaart op de achterkant van meneer Benedicts briefje. Omdat hij de straatnamen niet kon opschrijven, sprak hij ze duidelijk uit voor Rens, die hem hartelijk bedankte en zich toen weer tot de anderen wendde.

De meisjes stonden al klaar, Constance op de rug van Kat, die om het hoekje de drukke straat in keek of Jenne en Jutte eraan kwamen. Chip ontweek Rens' blik, maar als hij kritiek verwachtte, zou hij die zeker niet van Rens krijgen. Daar was het nu niet het moment voor.

Op het treinstation was het een drukte van belang. Op de verschillende platforms wemelde het van mensen die geanimeerde gesprekken voerden. Het geratel, gebonk en gesis van de treinen die het station in- en uitreden werd nog overstemd door de aankondigingen die echoënd uit de luidsprekers klonken. Het was vrijwel onmogelijk om iets te verstaan.

'Probeer het nog eens,' zei Constance.

Kat probeerde via Koerts portofoon contact te maken met kapitein Noland. Maar zij kon geen wijs worden uit het gekraak dat uit het speakertje kwam en ze vermoedde dat haar stem aan de andere kant even krakerig had geklonken. En anders had het lawaaiige station haar woorden wel onverstaanbaar gemaakt. Om de batterijen te sparen schakelde Kat de portofoon uit. Ze zouden het later nog eens proberen.

Constance keek haar kwaad aan. 'Je had het vanaf het kasteel moeten doen, Kat.'

'Het is je misschien ontschoten,' zei Kat luchtig, 'maar toen had ik het een beetje druk met jullie helpen ontsnappen.'

Rens zweeg. Hij had Kats pogingen om met de kapitein in contact te komen met een vreemde mengeling van hoop en twijfel gevolgd. Zolang hij niet zeker wist wat hij ervan vond, hield hij liever zijn mond.

Chip kwam teruggerend van het loket en zwaaide met het papiertje in zijn hand. 'Ik weet waar we heen moeten,' zei hij. 'De kluisjes zijn daar.'

Ze volgden Chip een deur door naar een korte gang. Als dit op niets uitliep, hadden de kinderen geen idee wat ze moesten doen. Dus keken ze gespannen toe hoe Kat het sleuteltje in kluis nummer 37 stak. Ze draaide het sleuteltje om. Het slot sprong open.

In het kluisje lag een envelop en een stapeltje papiergeld. Het waren kleurige biljetten, heel anders dan de kinderen gewend waren, en Constance bekeek ze wantrouwig. 'Nepgeld? Waarom zou hij ons nepgeld geven?'

'Dat zijn eurobiljetten,' zei Chip. 'Dat is het geld dat ze in Europa gebruiken.'

'Oké, echt geld dan,' zei Constance. 'En wat zouden we ermee moeten kopen?'

'Treinkaartjes, denk ik,' zei Rens.

Hij pakte de envelop, haalde de brief eruit en las hem hardop voor:

Dankzij jullie gaven zijn jullie zo ver gekomen
(en hebben het voortreffelijk gedaan)
De volgende stap vereist ook bepaalde gaven,
In het bijzonder die van Constance.

'Ik?' zei Constance. 'Wat moet ik dan doen? Dat stomme weer voorspellen?'

De anderen keken elkaar onzeker aan.

'Misschien moet je om je heen kijken,' opperde Rens. 'Misschien komt het antwoord dan vanzelf.'

'Doe me een lol!' zei Constance strijdlustig. Ze keek het gangetje door. 'Ik zie alleen maar kluisjes. Verder niets.'

'Geen patronen?' vroeg Chip.

'Hm. De kluisjes lijken op nummer te zijn gerangschikt,' zei Constance sarcastisch. 'Wat zou dat te betekenen hebben?'

Kat had het geld in haar emmertje gestopt. 'Je maakt dan wel een grapje,' zei ze, 'maar misschien heeft het inderdaad iets te betekenen.' Ze tikte op het cijfer op het deurtje. 'Misschien betekent 37 wel iets.'

'Het betekent waarschijnlijk dat de eerste zesendertig kluisjes bezet waren toen meneer Benedict er eentje wilde huren.'

'Ik vind het niet zo'n slecht idee,' zei Rens. 'Laten we er eens over nadenken.'

Maar hoe hard ze er allemaal ook over nadachten, ze konden geen betekenis ontdekken in het cijfer 37. Ondertussen was Constance door het gangetje gaan ijsberen. Omdat ijsberen niets voor Constance was (het was meer iets voor Rens) hield Rens haar nauwlettend in de gaten en probeerde zich voor te stellen hoe meneer Benedict had gedacht dat ze dit raadsel zouden oplossen. Het was niet waarschijnlijk dat Constance het in haar eentje zou moeten oplossen.

Constance was blijven staan en opeens besefte Rens dat ze hem strak aankeek.

'Wat is er?' vroeg hij.

'Jij komt met het antwoord,' zei Constance. 'Ik voel het.'

'Ik?' vroeg Rens. 'En jij voelt dat?'

Chip en Kat wisselden een blik uit. Het was duidelijk dat hier iets belangrijks gebeurde.

'Ik weet niet of het de blik in je ogen is,' vervolgde Constance, 'of de uitdrukking op je gezicht, of je manier van ademhalen, of... Dat kan ik niet zeggen. Maar ik weet gewoon dat je op het punt staat met de oplossing te komen.' Ze bleef Rens strak aankijken, haar ogen nu half hoopvol, half angstig.

Slechts met moeite wist Rens zijn zelfbeheersing te bewaren. Hij wist dat Constance het nodig had dat hij kalm bleef, maar in werkelijkheid ging zijn hart als een waanzinnige tekeer. Het was bizar dat iemand zijn gedachten kon lezen. Want hij hád inderdaad een kleine verschuiving gevoeld, of was het verbeelding geweest? Hij had zich afgevraagd of hij er niet op een andere manier naar kon kijken, vanuit een breder perspectief...

'Zie je wel!' riep Constance uit, precies op het moment dat Rens' ogen zich opensperden en hij zijn mond opendeed om iets te zegen. 'Daar is het antwoord!'

Rens' mond sloot zich abrupt. Hij haalde diep adem. 'Dit is nogal angstaanjagend, Constance.'

'Vertel mij wat,' zei Constance. 'Hoe denk je dat het voor mij is?'

Kat kon zich niet langer beheersen. 'Wat is het dan?' riep ze uit. 'Wat is het antwoord? Mijn hemel, vertel het dan!'

'Het is de hanger,' zei Rens en hij wees naar Constances nieuwe ketting. 'Meneer Benedict bedoelde "gave" niet als talent, maar als geschenk!'

Kat begon te lachen. 'Nee maar! Jouw geschenk was stiekem een aanwijzing! Kom op, Constance, laat zien!'

Constance deed de ketting af en liet de hanger door haar vingers glijden. Ze staarde er verdrietig naar en bewonderde weer de diepgroene en -blauwe kleur en het glinsterende kristalletje. 'De wereld ligt aan je voeten,' had meneer Benedict op haar verjaardagskaart geschreven, en nu begrepen ze dat hij daar meer mee had bedoeld dan ze hadden gedacht. Hij had deze opwindende reis om de wereld gepland, zich toen nog niet bewust van het gevaar waar hij in verzeild zou raken, en waar Constance en de anderen hem in zouden volgen.

Constance gooide de hanger naar Kat. 'Hier,' zei ze met verstikte stem. 'Kijk maar een eind weg.' Ze draaide zich om en liep zichtbaar ontdaan een eindje bij hen vandaan.

De anderen keken haar bezorgd na, maar ze konden weinig voor haar doen. Ze moesten zien uit te vinden wat hun volgende bestemming was en dat bleek niet zo makkelijk te zijn als ze hadden gehoopt. De continenten en oceanen waren duidelijk zichtbaar, maar nergens stond een merkteken. En het kristalletje bevond zich midden in de Stille Oceaan, wat ook weinig houvast bood.

'Iemand een idee?'

Rens krabde zich op het hoofd. 'Misschien zit er iets in. De vraag is alleen hoe we het eruit krijgen. Probeer eens op dat kristalletje te drukken.'

Kat gehoorzaamde. Er gebeurde niets. Ze probeerde het als een lichtknopje heen en weer te schuiven en vervolgens rond te draaien. Tevergeefs. Kat keek heimelijk naar Constance en fluisterde: 'Denk je dat we hem moeten openbreken?'

Chip trok een gezicht. 'Ik hoop van niet. Ze is zo al genoeg van slag.'

'Dat zou meneer Benedict Constance nooit aandoen,' zei Rens. 'Er moet een andere manier zijn.'

'Ik zou het kristal er met mijn mes af kunnen peuteren,' zei Kat. 'Misschien zit er iets onder. Later kunnen we hem er weer op lijmen.' Ze schokschouderde. 'Gesteld dat we het overleven.'

Chip sloeg zijn handen voor zijn gezicht. 'Zulke dingen moet je niet zeggen.'

'Lukt het je zonder de hanger te beschadigen?' vroeg Rens.

'Ik denk het wel,' zei Kat. Ze bestudeerde het kristal nauwkeurig om te zien hoe hij was vastgezet. 'Wacht eens even, het ziet eruit alsof...' Ze hield het kristal vlak voor haar ene oog en sloot het andere. 'Wow!'

Constance kwam haastig naar hen toe. 'Wat? Wat heb je ontdekt?'

Grinnikend overhandigde Kat haar de hanger. 'Dit kristal is niet helemaal wat het lijkt. Je moet er niet náár kijken. Je moet erdoorhéén kijken!'

Constance bedekte een oog en hield de hanger vlak voor haar andere oog. Er ging een schok door haar heen. 'Wow!' Met een ruk bewoog ze de hanger van zich af, bekeek hem alsof ze hem voor het eerst in haar leven zag, en bracht hem toen weer vlak bij haar gezicht.

Het kristal, zo ontdekten ook de jongens even later, was een vergrootglas. Als je erdoorheen keek, zag je een kaart van Nederland. De kaart was kleiner dan een postzegel, maar hij was met behulp van het kristal uitstekend te lezen. Er stond een helderrode X bij een stad die Naardrecht heette en onder aan de kaart stonden de naam van een hotel en een adres.

'Ik heb die stad zien staan in de dienstregeling!' riep Chip uit. 'Over tien minuten gaat er een trein!'

'Dan moeten we nú vertrekken,' zei Rens.

Terwijl de leden van het Geheime Benedict Genootschap zich haastten om hun trein te halen, liepen Jenne en Jutte – minder haastig maar minstens zo doelbewust – het station in. Met gefronste gezichten lieten ze hun blik over de menigte dwalen. Ze waren geen van beiden erg methodisch van aard en in eerste instantie verliep hun zoektocht nogal willekeurig. Na een paar minuten tevergeefs te hebben rondgekeken kreeg Jenne echter het lumineuze idee de platforms een voor een af te werken. Hij liet Jutte weten dat ze dat gingen doen.

'Ik hou er niet van als iemand me zegt wat ik moet doen,' zei Jutte.

'Dat kan wel zijn,' zei Jenne, 'maar je houdt er ook niet van om beslissingen te nemen.'

'Dat is waar,' zei Jutte. Ze ging achter Jenne aan naar de platforms, waarbij ze een jonge zakenman die een krant stond te lezen omverliep. 'Je vertelt me dus wel wat ik moet doen,' zei ze tegen Jenne, 'maar niet waarom. Voor de laatste keer: waarom zijn we op het station?'

Jenne negeerde haar. Ze waren bij het eerste platform aangekomen. 'Jij kijkt die kant uit, in de richting van de loketten,' zei hij vergenoegd omdat hij een systeem had bedacht. 'Dan kijk ik de andere kant uit, in de richting van de treinen.'

Jutte gehoorzaamde grommend, maar na twee platforms had ze nog geen glimp opgevangen van het meisje met de woeste haren en het metalen brilletje dat zich bij het kasteel zo vreemd had gedragen, en dat er zo bekend had uitgezien. Toen herinnerde Jutte zich dat ze nog steeds geen antwoord had gekregen. 'Hé,' zei ze, 'als je me nu niet vertelt waarom we hier zijn, krijg je een ram voor je kop.'

Deze keer verwaardigde Jenne zich een antwoord te geven. 'Omdat Benedict hier is geweest, Jutte. Weet je nog? Samen met dat nerveuze type, op de ochtend dat ze naar het kasteel gingen.'

'Natuurlijk weet ik dat nog. Nou en?'

'Ze zijn dus gekomen en weer weggegaan zonder een trein te nemen. Ze zijn met het vliegtuig vertrokken. Wat betekent dat ze hier iets hebben uitgespookt, Jutte, dat ze niet hierheen waren gekomen om de trein te nemen.'

Jutte keek hem uitdrukkingsloos aan. 'Dat is alles?'

'Ja, dat is alles,' zei Jenne geïrriteerd. 'Afgezien van het kasteel is dit de enige plek waarvan we weten dat Benedict er is geweest. Als we een verdacht iemand van de eerste plek zien weghollen, en we kunnen haar op straat niet meer terugvinden, komt het dan niet bij je op om een kijkje te –'

Terwijl Jenne aan het praten was, waren ze bij het volgende platform aangekomen, waar een trein op het punt stond te vertrekken. Het platform was verlaten. Iedereen was al ingestapt, op één meisje na dat net toen de trein in beweging kwam het voorste treinstel in sprong.

Een blond meisje met een rood emmertje.

Jenne bleef als aan de grond genageld staan. 'Ik zag Kat Weeral op die trein springen!'

'Ik ook,' zei Jutte, die was vergeten dat ze de andere kant uit moest kijken. En omdat ze dat was vergeten, merkte ze de zakenman niet op die uit de menigte opdoemde en achter haar en Jenne kwam staan.

Het was niet de jonge zakenman die Jutte even daarvoor omver had gelopen. Deze zakenman had een aktetas bij zich en hij droeg een duur maatpak en twee dure horloges – aan elke pols een – en hij rook naar dure aftershave. Als Jutte déze man eerder had gezien, dan zou ze hem nooit omver hebben gelopen.

'Wel, wel, wel,' zei Jutte. 'Kat Weeral. Ze leek er wel op. Maar weten we het wel zeker? Ik wil niet iets rapporteren als we er niet zeker van zijn. Hij houdt er niet van als we fouten maken, dat weet je.'

'Of we het wel zeker weten?' sneerde Jenne. 'Ken jij soms nog meer meisjes die altijd een emmertje bij zich hebben, Jutte? Dat was Kat Weeral, geen twijfel mogelijk. We gaan kijken waar die trein heen gaat en dan –'

Jenne stokte. Hij bleef verstijfd staan. Hij had de dure aftershave geroken. Jutte, die Jennes vreemde gedrag had opgemerkt, verstijfde ook. Ze draaiden zich tegelijkertijd om en zagen de zakenman achter hen staan. De man keek ernstig, maar in zijn ogen lag onmiskenbaar een tevreden uitdrukking te lezen, misschien zelfs een geamuseerde. Hij zette zijn aktetas neer, legde zijn ene hand op de schouder van Jenne en zijn andere op die van Jutte.

'Goed werk,' zei hij. 'Kom nu maar met mij mee.'

Plechtige beloften en kortstondige adempauzes

Aangezien de reis de hele nacht zou duren, hadden de kinderen een slaapcoupé genomen en het eerste wat Constance deed, was zichzelf op een van de onderste bedden installeren. Voor een driejarige was zelfs op iemands rug meerijden een uitputtende bezigheid, om nog maar te zwijgen over de voortdurende spanning en ongerustheid. Om eerlijk te zijn waren ze allemaal bekaf, zelfs Kat. Maar Kat was niet iemand die zich door vermoeidheid liet weerhouden. Zodra ze de coupédeur achter zich had gesloten, haalde ze Koerts portofoon uit haar emmertje.

'Hier is het een stuk rustiger,' zei ze. 'Met een beetje geluk hebben we voldoende bereik.'

Rens stond bij het raampje, met zijn handen in zijn zakken. De trein reed nog door de bebouwde kom en de ondergaande zon werd weerspiegeld in de ramen van de gebouwen waar ze langsreden. Het zou algauw donker zijn. Weldra zouden de kinderen de stad, de haven en het schip dat hen erheen had gebracht ver achter zich hebben gelaten. In zijn zak voelde hij het voorwerp dat kapitein Noland hem had gegeven. Rens had er nog steeds niet goed naar gekeken, maar de betekenis ervan werd hem met de minuut duidelijker.

'Mag ik die radio even zien, Kat?' vroeg hij.

Kat wierp hem een onderzoekende blik toe. Iets in Rens' stem had haar achterdocht gewekt. Op die toon had hij nog nooit tegen haar gesproken en ze had geen idee wat het te betekenen had. Ze gaf hem de portofoon. 'Wat is er? Je klinkt zo raar.'

Rens opende het raam en gooide de portofoon naar buiten.

'Hé!' riep Kat uit. 'Wat doe je nou?'

Constance kwam overeind en staarde Rens aan, en Chip liep snel naar het raam, alsof hij de portofoon nog terug kon halen. Vol ongeloof bleef hij hoofdschuddend bij het raam staan kijken.

'Ik wil niet dat hij weet waar we zijn,' zei Rens. 'De kapitein. Ik vertrouw hem niet.'

Chip staarde nog steeds ongelukkig uit het raam. De portofoon – hun enige verbinding met de volwassenen die hen zouden kunnen beschermen – had hem een gevoel van veiligheid gegeven. 'Je had even kunnen overleggen, Rens.'

'Sorry. Ik was bang dat jullie ertegen in zouden gaan.'

'Dát was het!' riep Kat uit. 'Je klonk berekenend! Geen wonder dat ik het niet snapte. Ik heb je wel tegen anderen zo horen praten, maar nog nooit tegen een van ons. Ik moet zeggen dat ik het niet erg leuk vind.'

'Sorry,' zei Rens opnieuw. Vermoeid ging hij op de rand van het bed tegenover Constance zitten. Zijn lichaam voelde loodzwaar aan, alsof hij kilo's was aangekomen.

'Rens,' zei Constance zacht.

Met grote tegenzin keek Rens op. 'Ja?'

Constances lichtblauwe ogen glinsterden van de tranen en Rens las er iets van paniek in. 'Zoals jij je nu over kapitein Noland voelt, hè? Zo wil ik me nooit over jou hoeven voelen.'

Er sprongen tranen in Rens' ogen. Hij keek de andere kant uit.

'Ik wil dat je dat nooit meer doet,' zei Constance. 'Beloof het me.'

Rens slikte moeizaam. Hij dwong zichzelf haar aan te kijken. Vervolgens keek hij Kat en Chip aan, die hem verwonderd en ook een beetje gekwetst aankeken. Ze zouden het afschuwelijk vinden als ze hem niet meer konden vertrouwen. Voor Constance zou het nog afschuwelijker zijn. Maar het ergst zou het voor hemzelf zijn.

'Ik beloof het,' zei Rens.

En naar Constances glimlach te oordelen wist zij dat hij het meende.

De volgende ochtend werd Rens met een knagend gevoel wakker. Hij had iets over het hoofd gezien, maar hij wist niet wat het was. Toen hij zijn ogen opendeed, zag hij dat Chip met gefronste wenkbrauwen bij het raam stond en naar de grijze hemel staarde.

'Onze laatste volle dag,' mompelde hij toen hij zag dat Rens wakker was. 'Morgen verloopt het ultimatum.'

Rens knikte somber. 'Waar zijn we?'

'In Nederland. Ik zag net een bord.'

Ze hadden het grootste deel van Portugal, en heel Spanje, Frankrijk en België geslapen. Dat verraste Rens niet in het minst, want ze waren de vorige avond volledig uitgeput als een blok in slaap gevallen. Ze waren alleen nog gestoord door de conducteur, die zich erover verbaasde dat de kinderen zonder begeleiding reisden. Toen hij na hun ter plekke verzonnen verklaring de coupé weer verliet, waren ze volledig uitgeteld. Ze hadden elkaar nog net mompelend welterusten kunnen wensen.

Door het geluid van de stemmen van de jongens werden ook de meisjes wakker. Constance keek hen met één oog chagrijnig aan, terwijl Kat zich energiek uitrekte en haar haar in een paardenstaart bond. Ze klommen uit bed en gingen naast Chip bij het raam staan om naar het vreemde, vlakke landschap te kijken. Geen van hen was ooit in Nederland geweest. Het klopte dat er in Nederland windmolens stonden en dat er een heleboel water was, en toen de trein een stad binnenreed, zagen ze prachtige oude gebouwen die zo smal waren dat het leek alsof ze vanaf de zijkanten waren samengeperst. Chip vertelde dat de meubels vaak niet over de smalle, gedraaide trappen omhooggedragen konden worden en aan touwen moesten worden opgehesen. Constance zei dat ze te veel honger had om zich over meubels te bekommeren – wat haar betreft werden ze door elven gedemonteerd en weer in elkaar gezet – en dat als Chip toevallig ook in was voor brúíkbare informatie, hij haar misschien kon vertellen waar de restauratiewagen was.

'Goedemorgen, Constance,' zei Rens.

Ze hadden allemaal honger en ze bestelden in de restauratiewagen zo veel te eten dat de ober zijn wenkbrauwen optrok en eerst wilde weten of ze genoeg geld bij zich hadden. Nadat ze zich hadden volgegeten, zei Chip dat hij iets moest doen en zich later weer bij hen zou voegen.

'Hij gaat op zoek naar iemand om zijn kennis te showen,' zei Constance, terwijl ze naar hun coupé terugliepen.

'Doe een beetje aardig tegen hem,' zei Kat. 'Hij kan het ook niet helpen. Als je zo veel weet als Chip, ontkom je er niet aan dat je af en toe iets laat doorschemeren. Denk je niet, Rens?'

Rens stond in gedachten verzonken bij het raam. 'Hm? O ja, waarschijnlijk wel.'

'Oké, wat is er?' wilde Constance weten. 'Je ziet er raar uit. Ik bedoel, raarder dan anders.'

'Er zat me iets dwars,' zei Rens, 'en ik ben er net achter wat het is. Als kapitein Noland je over de portofoon heeft verstaan – wat we niet met zekerheid kunnen zeggen – dan heeft hij zonder veel moeite kunnen achterhalen waarnaar we op weg zijn. Jij zei dat we op het station waren. Stel dat kapitein Noland ons aan de mensen achter de loketten heeft beschreven, dan hebben ze hem misschien wel verteld dat we kaartjes hebben gekocht naar Naardrecht.'

Kat haalde haar schouders op. 'Nou en? Ik weet dat je hem niet vertrouwt, Rens, en misschien is hij wel niet de meeste betrouwbare persoon die we kennen, maar hij is wel een vriend van meneer Benedict. Waarom zou hij ons willen dwarsbomen?'

'Ik weet het niet,' zei Rens. Hij bleef het nare gevoel hebben dat de kapitein zijn vriendschap met meneer Benedict zou kunnen verloochenen, voor de juiste prijs. 'Maar nog afgezien daarvan: hoe weten we dat hij de juiste beslissing neemt? Stel dat hij naar de politie gaat? Misschien vindt hij wel dat we beter beschermd moeten worden. Wie weet staat de politie ons op het station van Naardrecht op te wachten. Dan zullen we meneer Benedict en Nummer Twee nooit meer kunnen helpen.'

'Daar heb je gelijk in,' gaf Kat toe. 'Wat stel je voor?'

'We moeten eerder uitstappen,' zei Rens. 'Gewoon voor de zekerheid. We gaan er het op één na laatste station uit, vlak voor het eindpunt.'

Kat en Constance vonden het een verstandig plan. Het kon geen kwaad om voorzichtig te zijn. Maar ze wilden wel weten waarom Rens kapitein Noland niet vertrouwde.

'Dat maakt nu toch niet meer uit?' zei Rens, die zich verdrietig voelde, en meer dan een beetje schuldig, omdat hij zijn twijfels had over een vriend van meneer Benedict. Hij kon het niet helpen dat hij zich zo over de kapitein voelde, maar kwaadspreken was een ander verhaal.

'Nu je alle contact met hem hebt verbroken, maakt het niet meer uit, nee,' zei Kat op strenge, verwijtende toon.

Rens staarde naar de vloer. 'Het spijt me heel erg. Ik weet dat het onvergeeflijk was en –'

Kat hinnikte en gaf een klap tegen zijn arm. 'Mijn hemel, Rens, ik was je gewoon aan het plagen! Alsof iemand lang boos op jou kan blijven!'

'Ik wel,' zei Constance en ze keek hem dreigend aan. Toen gaf ze hem ook een klap, die blijkbaar ook grappig was bedoeld.

Rens ging als een haas op zoek naar een dienstregeling en met z'n drieën besloten ze uit te stappen in een plaats die Bakegem heette en die aan de rand van Naardrecht lag. Vanaf daar zouden ze een bus of een taxi naar het hotel nemen. Ze hadden nog genoeg geld, zei Rens, en net toen hij wilde voorstellen om een stadsplattegrond te kopen, kwam Chip met een kaart de coupé in.

Chip – zo bekende hij toen ze aandrongen – had het verzoek om een plattegrond in alle West-Europese talen op een papier geschreven en om de beurt aan de treinreizigers laten lezen. Uiteindelijk had hij beet gehad. 'Ik heb beloofd hem voor de volgende stop terug te brengen,' zei hij. 'Ik dacht dat we dan wel genoeg tijd hadden om hem te bestuderen.'

Het viel Rens op dat Chip niet zei dat hij de straten en de kruispunten makkelijk uit zijn hoofd kon leren. Dat was hij ongetwijfeld van plan – als hij het niet al gedaan had – maar hij deed erg zijn best om niet opschepperig over te komen.

'Ik ben nog iets anders te weten gekomen,' zei Chip. 'Er is een wetenschapsmuseum in Naardrecht. Ik kan jullie op de kaart laten zien waar het ligt.'

'Geweldig!' riep Rens uit en hij spreidde de kaart enthousiast op de grond uit. 'Jij hebt niet stilgezeten, hè?'

'Ik heb nogal wat mensen gesproken,' bekende Chip.

'Denk je dat het hetzelfde museum is als waar meneer Benedict is geweest?' vroeg Kat, terwijl ze over zijn schouder naar de kaart tuurde.

'Dat lijkt me heel aannemelijk,' zei Rens. 'Waarom zou hij ons anders speciaal naar deze stad laten gaan?'

Nadat Chip hun het museum op de kaart had aangewezen – het lag aan de rand van de stad – ging hij met zijn vinger over een grote verkeersader en tikte vervolgens op een kruispunt in het midden van de kaart. 'Ons hotel ligt hier. In het centrum.'

Rens knikte. 'We kunnen dus beter eerst naar het museum gaan.'

'Wat zitten jullie toch stom te praten over dat museum?' beet Constance hen toe. 'Kunnen jullie je niet beter druk maken over onze volgende aanwijzing?'

'Voor zover we weten,' antwoordde Rens, terwijl hij zijn uiterste best deed om rustig te blijven, 'heeft meneer Benedict niet de kans gehad om een volgende aanwijzing achter te laten. Misschien ligt er iets voor ons in het hotel, maar misschien ook niet. We weten niet wanneer en waar hij gevangen is genomen. Het museum is een aanknopingspunt, Constance. We moeten erheen, en omdat het dichterbij is dan het hotel, dacht ik dat we tijd konden besparen door eerst daarheen te gaan.'

Toen Rens' woorden tot Constance doordrongen, knipperde ze een paar keer met haar ogen. 'Ik snap het,' zei ze. 'Daar had ik nog niet bij stilgestaan.' En met trillende lip schuifelde ze naar haar bed en ging er met gesloten ogen op liggen. Haar vingertjes had ze om de hanger geklemd.

De anderen keken elkaar verward aan. Wat was er zo vreselijk aan het hebben van een aanknopingspunt? Wat dat niet juist goed nieuws?

'Constance, wat is er?' vroeg Kat. 'We zijn er zo, meisje.'

'Dat weet ik,' mompelde Constance.

'Wat is het probleem dan?'

'Het probleem is: stel dat er níét iets voor ons in het hotel ligt?' riep Constance uit. 'En stel dat we níét iets te weten komen in het museum? Dan is het allemaal voorbij! Dan is het einde verhaal zonder dat we ze hebben gered!'

Rens had zichzelf wel voor zijn hoofd kunnen slaan. Hij had zijn woorden zorgvuldiger moeten kiezen. Constance maakte zich toch al zo'n zorgen.

'Luister, Constance,' zei Kat op gebiedende toon. Constance viel stil en luisterde aandachtig, net als de twee jongens. Het was niets voor Kat om zo ernstig te doen.

'Kijk Rens aan,' zei Kat.

Constance keek naar Rens, die niet goed wist waarom er naar hem gekeken werd, maar zijn best deed om er vertrouwenwekkend en vastberaden uit te zien.

'Kijk Chip aan,' zei Kat.

Constance gehoorzaamde, en onder haar onderzoekende blik overviel Chip een onweerstaanbare drang om zijn brillenglazen te poetsen. Hij beheerste zich en gaf haar een kort knikje.

'En kijk nu mij aan,' zei Kat.

Toen Constance haar aankeek, werd ze bijna overrompeld door wat ze zag. Kat leek twee keer zo groot te zijn geworden. Haar brede schouders waren naar achteren getrokken, haar kaak stak krachtig naar voren en iets in haar houding deed denken aan een leeuwin. Het was echter de schittering in Kats helderblauwe ogen die het indrukwekkendst was. Het was een blik die je een gevoel van dankbaarheid gaf dat ze niet je vijand was.

'Niks einde verhaal,' zei Kat resoluut. 'Dat is het pas als wíj het zeggen.'

Toen de trein het station inreed, stond er een goedgeklede man met een aktetas in de schaduw te wachten. Hij keek toe hoe de reizigers uitstapten en zocht in de menigte naar een blond meisje met een rood emmertje. Er was nergens zo'n meisje te bekennen. Zijn gezicht betrok. Hij kwam uit de schaduw tevoorschijn en ging aan boord. Hij werkte de rijtuigen systematisch af, controleerde elke stoel en elke coupé. De trein was leeg. Hij draaide zich op de hakken van zijn glanzend gepoetste schoenen om en beende terug naar de kop van de trein, waar de conducteur en een van de kruiers elkaar moppen aan het vertellen waren. De conducteur zag de blik in de ogen van de man en de glimlach op zijn gezicht bevroor. Een minuut later verliet de man de trein met de benodigde informatie.

De kinderen waren in Bakegem uitgestapt.

Op dat moment peddelden de bewuste kinderen door de straten van Bakegem. Ze waren bij de uitgang van het station op zoek gegaan naar een bushalte, toen Chip een bord met FIETSENVERHUUR had gezien. Ze hadden geen moment geaarzeld. De zon scheen, ze hadden genoeg geld, en dus hadden ze fietsen gehuurd.

Constance zat in het metalen mandje voor op Chips fiets. Het mandje was nogal krap en het metaal sneed in haar benen die over de rand bungelden, maar ze klaagde niet. Ze had nog nooit op een fiets gezeten en ervoer voor het eerst dat zeldzame, wonderbaarlijke zwevende gevoel dat je tijdens het fietsen kan overvallen. Vooral op een frisse, zonnige dag, en vooral als je zelf niet hoefde te trappen. Voor Constance was het alsof ze moeiteloos een eindeloze heuvel afdaalde, met de wind die zachtjes aan haar oren kietelde. Ze had zelfs vrede gesloten met de helm, een knalrood koepeltje, waarmee ze eruitzag als een lolly.

Het was onmogelijk om niet te glimlachen.

Rens, Chip en Kat glimlachten ook. Ze konden er niets aan doen. Terwijl ze steeds meer vaart maakten, leken de zorg en de angst die hen dagenlang hadden bedrukt van hen af te glijden en in de blauwe hemel te verdampen. Hoe kort het ritje ook zou duren, het was een adempauze, een ontsnapping uit hun zorgelijke situatie, en ze genoten er met volle teugen van.

Er reden een heleboel fietsen in Bakegem, misschien nog wel meer dan auto's. Waar mogelijk sneden de kinderen de weg af en reden ze door parken, steegjes en zijweggetjes. Kat reed natuurlijk voorop. Van tijd tot tijd liet ze haar fiets met een luchtsprong honderdtachtig graden draaien, reed de anderen tegemoet en maakte nogmaals een sprong, waarna ze er weer vandoor stoof.

'Daarom rij ik met jou me,' zei Constance tegen Chip, die al zo'n vermoeden had gehad. Als hij Constance was geweest had hij ook niet met Kat willen meerijden. Maar het was Chip niet ontgaan dat Constance speciaal met hem had willen meerijden. Hij had het opgevat als een vriendschappelijk gebaar, een soort zoenoffer, en dus had hij er ondanks dat hij harder zou moeten trappen zonder morren mee ingestemd.

Rens, die achter hen reed, hoorde Chip en Constance met elkaar praten en dat deed hem goed. Het laatste wat ze konden gebruiken was onenigheid tussen die twee, meer onenigheid dan gewoonlijk. Zeker nu het moeilijkste deel van de reis nog moest komen. Rens had het donkerbruine vermoeden dat het heel zwaar ging worden, om nog maar te zwijgen van de mogelijke gevaren. Jenne en Jutte hadden zonder enige twijfel bij het kasteel op de uitkijk gestaan. De kans was groot dat er langs het spoor van aanwijzingen nog meer wachtposten stonden.

Rens fronste. De angst had hem nu al weer in zijn greep. Nog geen tien seconden geleden had hij van hun fietstocht genoten en was hij blij geweest dat Chip en Constance vrede gesloten leken te hebben. Nu dacht hij weer aan de Tienmannen. De adempauze was inderdaad van korte duur geweest.

'Links!' riep Chip.

Voor hen uit sloeg Kat linksaf. Ze hadden de geleende kaart gebruikt om hun route uit te stippelen en nu vertrouwden ze op Chips geheugen om de kortste weg te vinden. Het pad dat ze waren ingeslagen voerde hen Bakegem uit, een kanaal over en Naardrecht in, zonder dat er sprake was van een duidelijke grens tussen de twee. Maar toen de kinderen de volgende straat met hoge, smalle huizen inreden, merkten ze dat hun stemming wel was veranderd.

In Bakegem waren ze op wég geweest naar iets wat gevaarlijk zou kunnen zijn. In Naardrecht waren ze er aangekomen.

Het wetenschapsmuseum van Naardrecht was een smal, oud, sierlijk bakstenen gebouw van drie verdiepingen hoog en het lag een stukje van de weg af aan een betegeld pleintje. Op een van de bankjes zat een kale man met een pijp de krant te lezen. Hij had een wit verband rond zijn hoofd – het zag eruit alsof hij een poppenmuts droeg – en uit het naamplaatje op zijn revers viel op te maken dat hij bij het museum werkte. Toen de kinderen met hun fietsen het hek door kwamen, keek hij over zijn krant, trok zijn wenkbrauwen op – hij vroeg zich waarschijnlijk af waarom ze niet op school zaten – en las verder.

De kinderen gingen naar binnen en liepen langs een angstig kijkende beveiligingsman naar de informatiebalie. De vrouw achter de balie had een nog maar pas gehechte snijwond op haar wang en haar linkerarm zat in het gips. (Rens vroeg zich af of de vrouw en de man op het bankje samen een ongeluk hadden gehad.) De vrouw gaf de kinderen een prospectus en vroeg hun iets in het Nederlands. Chip was erop voorbereid: hij overhandigde de vrouw een briefje waarop stond dat ze Amerikaanse studenten waren die een uitwisselingsprogramma volgden en op excursie waren. De vrouw bromde en ruilde de prospectus om voor een Engelstalige. Het museum was gratis, stond erin. Op de parterre en de eerste twee verdiepingen bevond zich de tentoonstelling en op de derde verdieping was de bibliotheek. De kinderen volgden de bordjes naar de lift.

Rens' hart sprong op toen hij de bibliotheek inliep. Hij was er meteen weg van, zoals van alle bibliotheken, maar deze ruimte – met zijn donkere houten tafels en krakende planken – deed hem aan zijn oude openbare bibliotheek denken, waar mevrouw Perumal en hij vele uren tussen de kasten met boeken hadden doorgebracht. Tot nog toe had Rens hard zijn best gedaan niet aan haar te denken. Ze moest zich vreselijk zorgen om hem maken...

Rens voelde dat Constance hem een kneepje in zijn hand gaf, heel kort, maar het was een vriendelijk gebaar. Het herinnerde hem eraan dat Constance veel meer doorhad dan je zou denken. *Vooral bij mij*, dacht Rens. Hij moest niet vergeten op zijn woorden te passen, en zelfs op zijn gedachten. Constance vertrouwde op hem. Dat had hij nu wel gemerkt.

De collectie van de museumbibliotheek kon alleen ter plekke worden geraadpleegd. Op een paar woordenboeken en encyclopedieën na stonden alle boeken in een andere ruimte en konden ze alleen via de bibliotheekmedewerker worden opgevraagd. De kinderen liepen naar de balie en Chip overhandigde een briefje aan de bibliothecaresse, die nieuwsgierig naar hen had zitten kijken. Ze waren de enige bezoekers en er kwamen vast niet vaak kinderen in de bibliotheek, zeker niet op een schooldag en zonder begeleiding. De bibliothecaresse was een opgewekte, jonge vrouw met blond haar en bruine ogen. Ze las Chips briefje met groeiende verbazing.

'Heb jij dit geschreven?' vroeg ze Chip in het Engels. Ze leek buitengewoon onder de indruk. 'Je Nederlands is uitstekend. Maar je spreekt het niet zo goed? Je praat liever Engels?'

'Heel graag,' antwoordde Chip.

'Oké,' zei de vrouw vriendelijk glimlachend. 'De meeste Nederlanders spreken Engels.'

Chip haastte zich om haar te vertellen dat hij dat wel wist en dat hij het briefje meer uit voorzorg had geschreven, aangezien recent onderzoek had aangetoond dat ongeveer vijftien procent van de Nederlanders geen Engels sprak en...

Constance sloeg haar ogen ten hemel. 'Recent onderzoek heeft aangetoond,' mompelde ze, zo luid dat Chip het zou horen.

Chip hield abrupt zijn mond. Hij wierp Constance een kwaaie blik toe.

De bibliothecaresse keek hem weer glimlachend aan. 'Goeie genade, wat weet jij een hoop! Dat verklaart waarom jullie op zo'n zonnige dag in een bibliotheek zitten. Ik heet Sofia, jongens. Maar laat eens zien,' zei ze, terwijl ze haar aandacht weer op het briefje richtte. 'Jullie willen bepaalde documenten inzien, toch? Uit een speciale collectie?'

'Op de achterkant heb ik het een en ander toegelicht,' zei Chip.

Sofia draaide het papiertje om. Ze fronste haar voorhoofd. Ze keek naar de kinderen, toen naar de deur achter hen en richtte haar blik weer op het papiertje. Haar frons werd dieper. 'Ik vind dit hoogst verontrustend, kinderen. Ik zou graag willen weten wat er aan de hand is.'

Chip keek zenuwachtig naar Rens, die zei: 'Hoe bedoelt u? Wat zou u willen weten?'

Sofia keek hem met angstige ogen aan. 'Waarom is iedereen opeens in die documenten geïnteresseerd?'

'Iedereen?'

Sofia keek hem onderzoekend aan. 'Kan het toeval zijn?' Ze schudde haar hoofd. 'Jullie leken me zulke aardige kinderen.'

'We zíjn ook aardig,' zei Kat. 'We hebben geen idee waar u het over hebt. Wat is er aan de hand met die documenten?'

'Er zijn mensen gewond geraakt,' zei Sofia ernstig, 'vanwege die documenten die jullie willen zien.'

De schemerkruiddocumenten

Vaak is de beste manier om vragen te voorkomen er zelf een te stellen. En dus zei Rens snel: 'We hoopten dat u ons meer kon vertellen. Wat is er precies gebeurd?'

'Maar jullie zeiden dat je nergens van wist,' zei Sofia in verwarring gebracht.

'We hoorden dat er moeilijkheden waren geweest. We wilden weten wat voor soort moeilijkheden.'

'Ik weet niet of ik het er wel over wil hebben,' zei Sofia nu meer op haar hoede. 'Het is heel onaangenaam voor me.'

'Alstublieft,' zei Kat. 'Help ons alstublieft.'

Sofia bekeek haar onderzoekend. 'Jullie helpen? Ik zie niet in hoe...' Ze zuchtte en ging afwezig met haar hand door haar haar. 'Goed dan. Het staat toch allemaal al in de kranten. Afgelopen week waren er een heleboel mensen die ze wilden inzien. Sommigen... mannen in pakken, met aktetassen. Ze haalden iets met de beveiligingsman uit. Hij ligt nu in het ziekenhuis. Een paar museummedewerkers schoten hem te hulp. Zij liggen nu ook in het ziekenhuis. Iedereen ligt in het ziekenhuis behalve wij drieën. Wij waren er niet zo erg aan toe. Maar we zijn nu wel allemaal bang. Er is een nieuwe beveiligingsman, maar hij is ook bang.'

'Hebben die mannen de documenten meegenomen?' vroeg Rens, en hij vreesde het ergste.

'Nee, want het waren dwazen,' zei Sofia verbitterd. 'Ze wilden de documenten zien en toen ik niet snel genoeg reageerde – ze waren nogal angstaanjagend – maakten ze me bewusteloos. Toen ik weer bijkwam, waren ze er nog steeds naar op zoek. Ze snapten namelijk niet hoe de collectie is geordend. Ze waren kwaad en maakten er een rommeltje van. Maar toen klonken er sirenes in de straat. De politie kwam eraan en de mannen besloten ervandoor te gaan. Ik riep ze nog na dat het een openbare bibliotheek was en dat ze het alleen maar hadden hoeven vragen!'

Sofia huiverde. 'Die mannen, ze... ze hebben me een schok gegeven' – ze gebaarde met haar handen, alsof ze wilde laten zien hoe er iets uit hun polsen was geschoten – 'met kleine draadjes.' Haastig sloeg ze haar handen voor haar gezicht. Het was duidelijk dat ze haar best deed om niet in tranen uit te barsten.

Constance deed een stap naar de balie en zei zacht: 'Ik weet hoe dat voelt, Sofia.' De anderen keken haar verbaasd aan. Ze hadden afgesproken geen informatie over zichzelf prijs te geven. Vooral Rens had erop gehamerd om vooral niemand te vertrouwen. Nu had Constance onomwonden laten weten dat ze ooit een Tienman had ontmoet en dus op de een of andere manier bij deze onverkwikkelijke zaak betrokken was. Slechts een wonder kon voorkomen dat ze binnen het uur in een politiecel zaten.

Sofia had haar handen laten zakken en keek Constance verwonderd aan.

'De horloges en de draden, bedoel ik. Ik weet hoe het voelt. Ze hebben mij ook geschokt.'

Sofia staarde Constance sprakeloos aan. Toen strekte ze haar hand uit over de balie – ze moest hem heel ver uitstrekken – en legde hem zacht tegen de wang van het kleine meisje. Constance, bij wie de nekharen meestal al bij een klopje op haar hand overeind kwamen, vertrok geen spier en bleef rustig staan. Ze beantwoordde Sofia's medeleven met een uitdrukking van dankbaarheid en wederzijds begrip.

'Wat vreselijk voor je,' zei Sofia. 'Goed, ga maar aan een van de tafels zitten, jongens. Ook al ken ik de ware reden van jullie bezoek niet, ik zal de documenten halen.'

Ze kozen een tafel aan het andere eind van de ruimte, zo ver mogelijk weg van de balie, zodat ze zachtjes met elkaar konden praten zonder dat iemand hen kon verstaan. Sofia verscheen uit een van de archiefruimtes met een dagboek en een stapeltje papieren in een beschermhoes. Ze legde de krant op de tafel en haalde de papieren voorzichtig uit de hoes. Op de bovenste pagina stond een handgeschreven tekst, zoals te verwachten in het Nederlands.

'Als jullie willen, kunnen we elkaar straks nog even spreken,' zei Sofia. 'Wat deze betreft...' Ze legde een vinger op de documenten. 'Ik moet jullie vragen er voorzichtig mee te zijn en alles op tafel te laten liggen, zodat ik het vanaf de balie kan zien. Dat is het nieuwe beleid, ter bescherming van het materiaal. Ik hoop dat jullie het begrijpen. Het is niet dat ik jullie niet vertrouw.'

De kinderen verzekerden Sofia dat ze het begrepen. De vrouw liep terug naar de balie en de kinderen zagen dat ze een paar keer diep ademhaalde om zichzelf tot rust te brengen. Ze hield hen echter ondertussen plichtsgetrouw en waakzaam in het oog.

Het dagboek was een oud, kromgetrokken boekje en was zo versleten dat er niet veel meer over was van de goedkope linnen band. Ook de documenten zagen er niet best meer uit. Door de ouderdom waren ze geel geworden en sommige waren zo broos als uienschillen. Met enige schroom trok Chip het stapeltje naar zich toe. Gespannen volgden de anderen zijn bewegingen. Chip poetste zijn brillenglazen nog een keer op en sloeg toen – heel voorzichtig, angstvallig haast – het dagboek open.

Het was vreemd om Chip te zien lezen. Zijn ogen leken nauwelijks te bewegen. Hij staarde naar een bladzij, absorbeerde de tekst in zijn geheel en sloeg binnen een enkele ademhaling de bladzij alweer om. Staren, ademen, omslaan. Met deze snelheid zou hij het dagboek binnen een paar minuten uit hebben. Maar Chip sloeg de informatie in een veel hoger tempo op dan dat hij die begreep, en als hij de inhoud eenmaal begrepen had, duurde het nog even voordat hij er een samenvatting van kon geven. Hij zou tijd nodig hebben om zijn gedachten te ordenen.

Ze moesten geduld hebben, zei Rens tegen zichzelf, ondanks zijn gevoel dat er elk ogenblik een Tienman kon binnenstormen. Ze moesten niet te veel druk op Chip uitoefenen. Wanneer Chip zenuwachtig werd, kon hij heel gestrest en verward raken. Tegenwoordig gebeurde het niet meer zo vaak, maar de mogelijkheid bestond nog steeds. Chip had zich er altijd vreselijk voor geschaamd.

Terwijl Rens hierover nadacht, bespeurde hij een subtiele verandering in Chips houding. Eerst wist hij niet precies wat het was. Chip had zijn vinger bij een bepaalde passage in het dagboek laten rusten en richtte zijn aandacht nu op de andere documenten. 'Brieven,' zei hij, terwijl hij even opkeek. Aandachtig las hij de bovenste brief, schoof hem toen opzij en ging verder met het dagboek, na zijn bril met een terloops, geleerd, bijna afwezig gebaar hoger op zijn neus te hebben geduwd. Bijna afwezig, maar niet helemaal. Rens wist nu wat de verandering was: Chip was zich ervan bewust hoe belangrijk hij was.

Het was Rens niet ontgaan dat Chip vanaf het moment dat ze elkaar op Kats boerderij hadden ontmoet met zijn ego aan het worstelen was geweest. Rens was geneigd Chip zijn vlagen van verwaandheid te vergeven. De jongens hadden samen een heleboel meegemaakt en Rens had niemand zo goed leren kennen als Chip. Het was een bang en schichtig jongetje, maar uiteindelijk deed hij altijd het juiste, hoe angstaanjagend het ook was. Dat maakte Chip in Rens' ogen een van de dapperste en edelmoedigste mensen die hij kende. En dan was het niet zo erg dat hij af en toe als een pauw met zijn veren liep te pronken. Trouwens, Kat en Constance waren er meestal als de kippen bij om die veren weer uit te rukken.

Chip was klaar met lezen. Hij tuitte zijn lippen en nam in gedachten verzonken zijn bril van zijn neus. Hij staarde in het niets, poetste de glazen van zijn bril, zette hem weer op zijn neus, ademde bedachtzaam uit en begon met zijn wijsvinger over zijn kin te wrijven, precies zoals Rens vaak deed. Een plotselinge golf van irritatie maakte zich van Rens meester – en maakte een abrupt eind aan zijn vergevensgezindheid – maar hij hield zijn mond, want hij wilde niet dat Chip de draad kwijtraakte.

Constance klom echter uit haar stoel (haar armen waren te kort om er over tafel bij te kunnen), liep op Chip af en gaf een zo hard mogelijke klap tegen zijn hand. Zowel de klap als de verrassing deden Chips hand omhoogschieten, waardoor zijn bril van zijn neus vloog. Met haar ene hand griste Kat de bril bliksemsnel uit de lucht en met haar andere hand greep ze Constance beet, die al uithaalde voor de volgende klap.

'Kappen!' beet Constance hem toe, terwijl Chip haar gealarmeerd knipperend met wazige ogen aankeek. 'Hou op met die verwaande dromen en vertel wat je te weten bent gekomen!'

Chips uitdrukking werd nors. 'Ik was aan het denken hoe ik het in het Engels moest uitleggen,' zei hij, terwijl hij zijn bril van Kat aannam. 'Je kunt niet zomaar mensen gaan slaan als je niet tevreden bent, Constance.'

'Dan moet jij eens opletten!' snauwde ze, terwijl ze zich uit Kats greep probeerde los te rukken.

'Constance,' zei Rens scherp. Hij wierp een snelle blik op de balie, waar Sofia was opgestaan en bezorgd in hun richting keek. Hij wuifde naar Sofia. 'Het is oké. Sorry. Niets aan de hand.' En toen Sofia

184

aarzelend weer ging zitten, zei hij op gedempte toon: 'Jullie tweeën kunnen later zo veel ruzie maken als je maar wilt. Nu concentreren we ons hierop. Afgesproken?'

Chip en Constance keken elkaar dreigend aan, maar uiteindelijk knikten ze en klom Constance weer in haar stoel. Nadat Chip zich had hersteld (zonder terug te vallen in verwaandheid) vertelde hij hun wat hij te weten was gekomen: het dagboek was van de moeder van meneer Benedict geweest, Ankie Benedict, en de brieven waren afkomstig van haar zus in Amerika – de tante van meneer Benedict – en een collegawetenschapper, Hans de Reyseker, een goede vriend van meneer Benedicts ouders.

'Wat ik heb gelezen verklaart een hoop,' vervolgde Chip. 'Ankie heeft het een paar keer over "de baby" – één en geen twee – die op komst is en dat als het een jongen werd ze hem Nicolaas zouden noemen.' Chip wees de naam in het dagboek aan. 'Ogenschijnlijk verwachtten de Benedicts geen tweeling.'

'Ogenschijnlijk niet,' zei Constance op spottende toon.

Chip trok een lelijk gezicht, maar zei niets. 'Na de geboorte heeft ze er niet meer in geschreven,' zei hij, 'wat verklaart dat het museum niet op de hoogte was van de tweeling. Ze hebben alleen meneer Benedict geïnformeerd over de documenten, maar ogenschijnlijk is meneer Gordijn er ook achter gekomen.' (Chip kromp ineen, in afwachting van nog een spottende opmerking, maar deze keer hield Constance haar mond.) 'Ook al hebben die Tienmannen het dagboek niet in handen gekregen, meneer Gordijn weet wat meneer Benedict erin heeft ontdekt, en dat is dat hun ouders mogelijk een remedie hadden gevonden tegen narcolepsie –'

'Echt waar?' riep Kat uit.

'Het is mogelijk,' zei Chip, 'maar niet honderd procent zeker. Er is een zeldzame plant –'

'Een zeldzame plant!' riep Kat uit.

'Je bedoelt zoals de zeldzame plant waar meneer Benedict het in zijn brief over had?' vroeg Constance.

Chip perste zijn lippen op elkaar. Het viel niet mee om iets uit te leggen wanneer je voortdurend onderbroken werd, maar Chip was bang dat ze hem weer verwaand zouden vinden als hij dat zei.

Rens kwam hem te hulp. 'Sorry, we moeten je laten uitpraten. Ga verder, Chip.'

De meisjes volgden Rens' voorbeeld en trokken een aandachtig gezicht.

'Oké,' zei Chip. 'Daarvoor moet ik eerst een stukje terug. Blijkbaar hadden de ouders van meneer Benedict ook narcolepsie. Niet één van hen, maar allebei.'

Chip sloeg een bladzijde van het dagboek om. 'Ankie schrijft hier dat ze het altijd een vloek had gevonden, maar dat haar echtgenoot en zij zich nu gezegend voelden, aangezien ze dankzij die aandoening – en hun wetenschappelijke interesse erin – elkaar hadden ontmoet.

'Ze wijdt nogal uit over hoe goed het werkte om op elkaar te letten, aangezien ze zelden tegelijkertijd in slaap vielen. En ik moet zeggen dat het twee wonderbaarlijk briljante mensen waren. Er stonden verschillende indrukwekkende onderzoeksprojecten op stapel – het ontbrak hun alleen aan het benodigde geld – en ze hadden al een paar keer over narcolepsie gepubliceerd. Maar die publicaties hadden niets te maken met die zeldzame plant. Die verschijnt pas aan het eind van het dagboek op het toneel – aan het eind van hun leven, vermoed ik – toen ze deze brief ontvingen.'

Voorzichtig haalde Chip drie blaadjes uit het stapeltje (waarvan het laatste in het midden een rechthoekig gat had, merkte Rens op). 'Deze brief is afkomstig van die bevriende wetenschapper Hans de Reyseker. Hij schreef dat hij levende exemplaren had gevonden van *translucidus somniferum* – ook wel bekend als schemerkruid – waarvan men vermoedde dat het uitgestorven was.'

Chip aarzelde. 'Ik... ik zou jullie iets kunnen vertellen over die plant, als het jullie interesseert. Ik bedoel, ik heb er wel eens iets over gelezen.'

'Natuurlijk interesseert het ons, domkop!' zei Kat lachend. 'Maak je een geintje? Die plant is de sleutel tot dit hele gebeuren!'

'Nou ja, ik krijg soms de indruk...' Chip haalde zijn schouders op. 'Goed dan. Ahum. Schemerkruid wordt slechts in enkele gevallen in oude teksten vermeld. Het moet een uitermate krachtige werking hebben gehad – een minieme hoeveelheid kon iemand laten inslapen – en het schijnt een grote rol te hebben gespeeld in legenden. Er is een oude Noorse sage over Vikingen die op een mistige middag een dorp binnenvielen en tot de ontdekking kwamen dat alle inwoners lagen te slapen. Niet in hun bed, maar op de grond, tegen de muur, over hun werktafel, overal.

'De Vikingen schrokken zo dat ze niets durfden aan te raken. Ze liepen door het dorp en keken alleen maar naar de bewoners. Aan de andere kant van het dorp lag een jongen naast een smeulend kookvuur, met een klein stukje schemerkruid in zijn hand. Blijkbaar had hij de rest van het plantje in het vuur gegooid, waardoor het hele dorp in slaap was gevallen. Kun je je dat voorstellen? Het moet een heel klein rooksliertje zijn geweest.'

'Wat een krachtig plantje,' zei Kat.

'Krachtig maar kwetsbaar,' zei Chip. 'Schemerkruid groeit alleen onder speciale omstandigheden en als je het uit zijn natuurlijke omgeving weghaalt, vergaat het onmiddellijk. Dat heb ik uit het dagboek. De Benedicts hadden het jaar daarvoor een paar exemplaren gevonden – Ankie zegt niet waar – en er één voor onderzoek meegenomen. Maar algauw was het helemaal vergaan. Ze hadden nog net met enige zekerheid kunnen vaststellen dat het narcolepsie kon genezen, of in ieder geval de ergste symptomen kon wegnemen. Ze hoefden het kruid alleen maar met bepaalde chemicaliën te vermengen, gangbare stoffen waar elke wetenschapper aan kon komen.'

'En ze wisten waar het groeide,' zei Rens. 'Maar de remedie is er nooit gekomen. Wat ging er mis?'

'Er stond hun een enorme teleurstelling te wachten,' zei Chip. 'Ze gingen terug om een nieuw exemplaar te halen, maar deze tweede plant bleek helemaal geen schemerkruid te zijn. Het was slechts een knappe imitatie. Hij zag er precies hetzelfde uit en groeide onder dezelfde omstandigheden, maar de chemische samenstelling was op de belangrijkste punten heel anders. Met andere woorden: deze plant was waardeloos. Erger nog: hij was veel sterker en agressiever, wat verklaarde waarom schemerkruid zo zeldzaam was, als het niet al was uitgestorven, nu ze per ongeluk het laatst bekende exemplaar hadden vernietigd. Ze geloofden dat deze na-aper – Ankie noemt hem dwarskruid in haar dagboek – de habitat van het schemerkruid binnendrong en daarbij al het schemerkruid doodde. De Benedicts gingen terug naar de plek waar ze het schemerkruid hadden gevonden, maar tevergeefs. Niets dan dwarskruid.'

'Hoe wisten ze dan dat die vriend – die Hans dinges – het echte schemerkruid had gevonden?' vroeg Constance.

'De Benedicts hadden hem hun onderzoek laten zien,' antwoordde Chip. 'Hans wist dus waar hij op moest letten. Hij had een microscoop bij zich om de planten ter plekke te bestuderen. Hij had verwacht dat het allemaal dwarskruid zou zijn, en dat stond er ook, maar het meeste was schemerkruid. Stapels schemerkruid.'

Rens fronste zijn wenkbrauwen. Er had hem iets dwarsgezeten tijdens Chips verhaal, maar nu wist hij wat het was. Als de Benedicts werkelijk schemerkruid hadden ontdekt, zou dat dan niet de wetenschappelijke ontdekking van het jaar zijn geweest? Waarom hadden ze er dan niets over gepubliceerd? Waarom waren ze er zelfs niet mee naar de krant gegaan?

'Hoe ziet dat schemerkruid er eigenlijk uit?' wilde Kat weten.

'Dat weet ik niet,' zei Chip.

Constance liet een ongelovig lachje horen. 'Dat weet je niet? Ik dacht dat jij alles wist! Ik vind dat heel moeilijk te geloven, George Washington!'

'Het kan me niet schelen wat jij gelooft,' gromde Chip. 'Ik weet het gewoon niet.'

'Rustig, iedereen,' zei Rens, en hij wuifde weer gespannen in de richting van Sofia. 'Constance, Chip spreekt de waarheid. Ik weet dat je van slag bent, maar als je kalmeert en hem aankijkt, kun je het zien.'

(Constance zat Chip al aan te kijken, maar wel met een kwaaie blik, en met zo'n blik is het meestal onmogelijk om een laagje dieper te kijken. Ze deed haar best zich te ontspannen, en toen zag ze de waarheid achter de boze, opstandige uitdrukking op Chips gezicht. Hij wist het inderdaad niet.)

'Nu snap ik het,' zei Rens. 'Dat Ankie niet vertelt waar ze dat eerste exemplaar hebben gevonden. Dat de Benedicts hun vondst niet hebben bekendgemaakt, ook al was die verbazingwekkend. Dat deze documenten zijn verstopt. Het klopt allemaal. Ze wilden het geheimhouden.'

'Niet alleen de Benedicts,' zei Chip met een norse blik op Constance. 'Volgens historische botanici is schemerkruid altijd al een van de grootste mysteries geweest. Ook in de weinige oude teksten waarin er melding van wordt gemaakt heeft altijd wel iemand de beschrijving of de vindplaats verwijderd.'

'Net zoals de Benedicts in Hans' brief hebben gedaan,' zei Rens en hij wees naar de lege rechthoek op de laatste pagina. 'Ik neem aan dat het de beschrijving van schemerkruid is die ontbreekt?'

Chip knikte.

'Maar waarom wilden ze het geheimhouden?' vroeg Kat. 'Als het zo belangrijk is –'

'Denk eens goed na,' zei Rens ernstig. 'Met een klein beetje van dit kruid heeft iemand een heel dorp in slaap laten vallen. Wat denk je dat er zou kunnen gebeuren als het in de verkeerde handen viel? Zoals je zelf al zei, Kat, heeft dit plantje een zeer krachtige werking. Niemand wilde dat het in de verkeerde handen viel.'

'Maar de Benedicts waren wel achter het bestaan ervan gekomen,' zei Chip. 'En zij hebben het alleen doorverteld aan hun beste vriend. Hans heeft hun trouwens kaarten gestuurd, maar die zitten hier niet bij. Ik denk dat de Benedicts die ook hebben vernietigd.'

'Wat voor kaarten?' vroeg Kat.

'Van het eiland waar Hans het schemerkruid had gevonden. Hij stuurde ze een kaart waarop ze konden zien waar het eiland lag en een kaart van het eiland zelf, met de exacte locatie van het schemerkruid. Hij beschrijft het eiland een beetje in zijn brief, maar hij noemt geen naam en zegt niets waaruit de ligging valt af te leiden. Anders hadden de Benedicts het vast ook uit de brief verwijderd. Het eiland kan overal liggen.'

'En meneer Gordijn wil weten waar het ligt,' zei Constance. 'En hij denkt dat meneer Benedict het weet. Of in ieder geval iemand die meneer Benedict "uitzonderlijk na" staat. Stond dat niet in de brief?'

'Zo ongeveer,' beaamde Rens. 'En weet je wat? Meneer Benedict wist misschien ook echt waar dat eiland ligt. Zo ja, dan is het de vraag of hij het heeft kunnen bereiken of niet. We moeten kijken of –'

'Rens,' onderbrak Kat hem. 'Hoe heeft meneer Benedict in hemelsnaam kunnen weten waar dat eiland ligt? De kaarten zijn verdwenen!'

Rens wilde het net uitleggen, toen de deur van de bibliotheek openging en de kale, verbonden man die ze buiten op het bankje hadden zien zitten binnenkwam. De man wierp hun een ongeïnteresseerde blik toe en ging naar de balie, waar hij op gedempte toon met Sofia begon te praten. Plotseling draaide hij zich om en keek met uitpuilende ogen in hun richting. Haastig kwam hij naar hun tafel gelopen, met op zijn hielen een angstige Sofia.

'Ik ben meneer Schuyt,' zei de man in afgemeten Engels. 'En wie zijn jullie, als ik vragen mag?'

'Studenten,' antwoordde Sofia, die naast hem kwam staan. 'Ze volgen een uitwisselingsprogramma, meneer Schuyt.'

Meneer Schuyt gebaarde met zijn pijp naar het dagboek en de brieven die op tafel lagen. 'En waarom zijn jullie hierin geïnteresseerd?'

'Ze hadden van de moeilijkheden gehoord,' kwam Sofia weer tussenbeide. 'Ze waren gewoon nieuwsgierig. Het zijn kínderen, meneer Schuyt.'

Meneer Schuyt leek deze verklaring met enig wantrouwen te overwegen. Maar na een tijdje gromde hij, hij klemde de steel van zijn pijp tussen zijn tanden en zei: 'Dan denk ik dat ik jullie wel het een en ander kan vertellen. Het ís namelijk ook een interessante geschiedenis.' Hij trok een stoel naar achteren, waardoor Sofia opzij moest springen om hem niet tegen haar schenen aan te krijgen, en plofte zwaar op de stoel neer. 'Waar zal ik beginnen?'

'Wat dacht u van het begin?' opperde Rens.

'Ah. Het begin is hoogst verontrustend,' zei meneer Schuyt. 'Deze documenten behoren wettelijk aan ons museum toe, maar een Amerikaan – de zoon van de oorspronkelijke eigenaren van de documenten – beweert dat hij er recht op heeft. Ik heb hem gezegd dat hij natuurlijk altijd een rechtszaak kon beginnen, en als hij in het gelijk wordt gesteld, krijgt hij de documenten. Eigenlijk twijfel ik er geen moment aan dat hij in het gelijk wordt gesteld. Maar zolang die uitspraak er niet ligt, moeten de documenten in de bibliotheek blijven! Zo ligt dat gewoon.

'Maar op een ochtend komt deze man bij de balie en vraagt naar de documenten. Het is een openbare bibliotheek, dus hij mag ze vanzelfsprekend inzien. Naderhand vertelt hij me wie hij is en vraagt me of ik hem ooit eerder heb gezien. Ik zeg hem van niet, wat de waarheid is. Soms gebruikt hij een rolstoel, zegt-ie. En of niemand in de bibliotheek hem ooit heeft gezien. Ik verzeker hem van niet, en Sofia zegt ook dat ze hem nooit heeft gezien. Vertel ik het goed, Sofia?'

Sofia deed haar mond open om iets te zeggen.

Meneer Schuyt vervolgde: 'Toen we hem er eindelijk van hadden overtuigd dat hij niet zo beroemd was, gingen hij en zijn metgezellin – een of andere gelige dame met rood haar, die me aan een potlood deed denken – vind je dat geen uitstekende vergelijking, Sofia? Dat ze eruitzag als een potlood? Ik geloof dat ik het toen ook heb gezegd. Waar had ik het ook alweer over? O ja. Toen gingen hij en zijn metgezellin weer weg. Maar vijf minuten later krijg ik een telefoontje van hem en laat hij me weten dat hij alleen heeft meegenomen wat hem wettelijk gezien toekomt. Dat is het enige wat hij zegt. Daarna hangt hij op.

'Misschien begrijpen jullie niet wat hij bedoelde, kinderen, maar ik begreep het wel,' zei meneer Schuyt. 'Ik ben linea recta naar het dagboek en de documenten gegaan. Ik zag onmiddellijk dat hij twee documenten had meegenomen die tussen de brieven zaten, en dat hij een stuk uit een brief had geknipt! Hij heeft bibliotheekbezit ontvreemd en beschadigd!'

Rens liet de informatie goed tot zich doordringen, want meneer Schuyt had zojuist zijn vermoeden bevestigd: meneer Benedict had inderdaad geweten waar het eiland zich bevond. Niet zijn ouders, maar híj had de twee kaarten weggenomen. Híj had het stuk uit Hans' brief geknipt. Meneer Benedicts ouders hadden deze documenten tenslotte op een geheime plek opgeborgen. Ze hadden het waarschijnlijk niet nodig gevonden de gevoelige informatie die ze bevatten te vernietigen.

'De man heeft strafbare handelingen gepleegd,' zei meneer Schuyt, 'en ik kan het bewijzen. Hij was niet zo slim als hij dacht!' Hij wees naar een beveiligingscamera die hoog op de muur achter de balie hing. 'Zien jullie dat? Ik heb bewijsmateriaal. En geloof het of niet, kinderen, hij kwam dezelfde dag nog terug naar de bibliotheek! Nou vraag ik je! Wat denken jullie dat er gebeurde?'

'U belde de politie,' zei Rens, die in stilte meneer Benedicts vindingrijkheid bewonderde. Eerst was meneer Benedict nagegaan of meneer Gordijn de documenten ooit had gezien (daarom had hij gevraagd of de bibliotheekmedewerkers hem herkenden). Vervolgens had hij ervoor gezorgd dat áls zijn tweelingbroer ooit naar de bibliotheek zou komen, hij gearresteerd zou worden.

'Inderdaad,' vervolgde meneer Schuyt. 'Ik belde de politie. Dat was ook niet de eerste keer die dag, want eerder waren de mannen met de aktetassen al geweest. Hadden jullie al over die mannen gehoord?'

'De Tienmannen?' vroeg Constance. De andere kinderen probeerden hun geschokte reactie te verbergen en Constance besefte onmiddellijk dat ze haar mond voorbij had gepraat, maar het was te laat.

Gelukkig was meneer Schuyt zo geïnteresseerd in zijn eigen verhaal dat hij weinig aandacht schonk aan de woorden van een klein meisje. 'Tien mannen?' herhaalde hij afwezig. 'Nee, dat heb je verkeerd verstaan. Er waren er maar twee. Maar die waren misschien wel gevaarlijk voor tien, zo niet meer. Ze arriveerden vlak nadat de Amerikaan en de potlooddame waren vertrokken. Ik bevond me op de binnenplaats, want mijn positie brengt met zich mee dat ik me vaak buiten het pand moet begeven –' (de kinderen begrepen dat dat betekende dat meneer Schuyt vaak naar de binnenplaats ging om zijn pijp te roken en de krant te lezen) '– en ik zag ze de poort door komen, maar pas toen ik het geschreeuw hoorde, wist ik dat het foute boel was.'

Meneer Schuyt draaide zich naar Sofia om haar een geruststellend klopje op haar hand te geven, maar Sofia trok haar hand snel weg, zodat meneer Schuyt de stoelleuning een klopje gaf, alsof het de normaalste zaak van de wereld was en hij niets anders van plan was geweest.

'De mannen wilden alles zien wat met de naam "Benedict" te maken had,' merkte Sofia op, 'én alles wat die dag door andere bezoekers was aangevraagd. Ik dacht te weten waarnaar ze op zoek waren, maar zoals ik jullie al vertelde, was ik eerst zo bang dat ik geen woord kon uitbrengen. En toen –'

'Ja, dat geschreeuw was verschrikkelijk,' vervolgde meneer Schuyt, alsof Sofia niet bestond, 'maar het maakte me wel attent op het gevaar, en toen de mannen weer naar buiten kwamen, wilde ik hen vanachter de bank overrompelen –' (de kinderen maakten uit zijn woorden op dat meneer Schuyt in doodsangst achter de bank was gekropen en over het randje had gegluurd) '– maar een van hen richtte zijn dodelijke wapen op me. Mijn reflexen zijn uitstekend, en ik dook omlaag, maar net niet snel genoeg.' Behoedzaam betastte hij het witte verband op zijn schedel. 'Ik heb een aanzienlijke hoeveelheid bloed verloren, en natuurlijk al mijn haar.'

De kinderen trokken hun wenkbrauwen op en Kat onderdrukte een grinniklachje. Te oordelen naar de omvang van het verband en waar het zat, hadden er niet meer dan een handjevol haren op meneer Schuyts schedel gezeten. Maar hij leek wel een lelijke wond te hebben opgelopen.

'Ze zeiden dat ik blij mocht zijn dat ik niet groter was,' mijmerde meneer Schuyt hardop. 'Toen lachten ze en liepen weg, en heb ik de politie gebeld.'

'Om eerlijk te zijn heeft Edda de politie gebeld, meneer Schuyt,' zei Sofia bedeesd. 'U hebt de ambulance gebeld. Vanwege uw verwondingen.'

Meneer Schuyt gebaarde geïrriteerd met zijn pijp. 'Dat zijn details. En het was hoe dan ook ik die de politie de tweede keer heeft gebeld, jongelui, toen die Amerikaan terugkwam. Die tweede keer zat hij wel in een rolstoel, zoals hij al eerder had aangegeven, en hij werd vergezeld door een onhandige jongeman met grote voeten en een ongemanierde meid met lang, glanzend zwart haar en een ruwe manier van doen. Zeer ongemanierd! Ik zal niet herhalen hoe ze me bij het weggaan noemde.'

Rens en de anderen wisselden steelse blikken uit. Ze twijfelden er geen moment aan dat meneer Schuyt het over V.S. Pedalius en Martina Krauw had: de andere stafleden die met meneer Gordijn het Instituut waren ontvlucht. En de man in de rolstoel was natuurlijk meneer Gordijn zelf geweest.

'Die Amerikaan,' vervolgde meneer Schuyt, 'wilde al het materiaal zien dat hij die ochtend had bestudeerd. Hij zei dat hij had begrepen dat zich een ongelukkig incident had voorgedaan in de bibliotheek en dat hij zich ervan wilde vergewissen dat alles er nog was. Alsof hij het niet zelf had meegepikt! Alsof hij me nooit had opgebeld om het te bekennen! Die man had wel lef!'

Het ontbrak meneer Gordijn inderdaad niet aan lef, dacht Rens, maar wat meneer Schuyt vertelde was eerder een vertoon van sluwheid dan van moed. Blijkbaar had hij willen weten wat meneer Benedict in de museumbibliotheek had gedaan, en toen zijn Tienmannen onverrichter zake terugkeerden, had hij listig gebruikgemaakt van hun identieke uiterlijk.

'Maar zoals jullie al verwachtten was ik niet op mijn achterhoofd gevallen,' zei meneer Schuyt. 'Ik speelde het spel mee, om hem in de val te laten lopen. Deze keer leek hij haast te hebben: hij wilde alles kopiëren en meenemen, het hele dagboek en alle brieven. Ik zei dat we bij zulk kwetsbaar materiaal een speciaal kopieerapparaat gebruikten en dat de bibliothecaresse de kopieën zou maken. Dat is ook echt zo, maar dat maakt mijn plan niet minder knap bedacht. Niet als je bedenkt dat terwijl Sofia aan het kopiëren was, ik stiekem de politie belde en zei dat ze meteen moesten komen, maar zonder sirenes. Snappen jullie waar ik op uit was? Op die manier zou de man niet gewaarschuwd worden! Toen de man en zijn compagnons met de kopieën beneden uit de lift stapten, werden ze opgewacht door de politie. Het was een heel ingenieus plan, dat verzeker ik je.'

'Wat ging er mis?' vroeg Rens, want ze beseften allemaal heel goed dat meneer Gordijn was ontsnapt.

'Ondanks al mijn inspanningen,' sputterde meneer Schuyt vol weerzin, 'liet de politie hem ontsnappen. Hij sprong uit zijn rolstoel – waarmee hij hen verraste – en deed iets... iets waarvan niemand precies weet wat het was. Hij leek de politieagenten gewoon aan te raken en toen vielen ze op de grond, en bleven er minutenlang hulpeloos liggen. De schurk ging er met zijn handlangers vandoor en is nooit meer gesignaleerd.'

Hij schudde zijn hoofd en keek de kinderen over zijn pijp heen aan.

'Wat een opmerkelijk verhaal, meneer Schuyt,' zei Rens, toen het duidelijk werd dat meneer Schuyt een dergelijk commentaar verwachtte. 'Wat een vreemde en beangstigende toestand. Mag ik er nog één vraag over stellen?'

Meneer Schuyt keek gewichtig op zijn horloge en zuchtte toen toegeeflijk, alsof hij eigenlijk niet zo lang met de kinderen wilde blijven praten en het alleen voor hen deed. 'Goed dan, jongeman. Wat wil je weten?'

'De papieren die zijn gestolen. Wat waren dat voor papieren?'

'Wat dat was? Oh, dat waren wat kaarten.'

'Kaarten?' herhaalde Rens, hoewel hij dat natuurlijk al had geweten. Hij hoopte dat meneer Schuyt hun een aanwijzing kon geven over waar het eiland zich bevond. 'Weet u ook waarvan?'

Menner Schuyt leek deze vraag niet te waarderen.

Hij fronste en tikte ongeduldig met zijn pijp op het tafelblad. 'Dat weten we niet. Het materiaal is meer dan een jaar geleden ingeschreven en gearchiveerd en sindsdien heeft niemand ernaar omgekeken.'

'Wie heeft ze ingeschreven en gearchiveerd?' drong Rens aan, terwijl hij om beurten naar meneer Schuyt en Sofia keek. 'Kunnen we die persoon spreken?'

Sofia keek naar meneer Schuyt, en Rens begreep het. Blijkbaar was die persoon meneer Schuyt zelf geweest. En blijkbaar had hij de kaarten niet bestudeerd.

'Je kunt niet van me verwachten dat ik alles onthoud wat er door mijn handen gaat!' zei meneer Schuyt geïrriteerd. 'Ik ben een drukbezet man met vele verplichtingen, jongelui.' Hij stond abrupt op. 'En om eerlijk te zijn roept de plicht ook nu. Gegroet, allemaal. Ik vertrouw erop dat jullie je medewerking zullen verlenen aan de politie. Toon een beetje ontzag, alsjeblieft.'

'De politie?' riepen ze tegelijkertijd uit.

Meneer Schuyt glimlachte. 'Jazeker. Jullie blijven netjes hier even wachten. De politie wil iedereen ondervragen die iets met de aanval heeft te maken. Jullie wilden de documenten inzien, en dus worden jullie ondervraagd. Sofia, je hébt de politie toch gebeld?'

Sofia schrok op. 'Nog niet,' zei ze met een verontschuldigende blik op de kinderen.

'Nog niet?' riep meneer Schuyt verontwaardigd uit. 'Als het jou te veel gevraagd is om te bellen –'

'Ik doe het meteen,' zei Sofia en ze haastte zich naar de balie.

Rens sprong overeind. 'Alstublieft, meneer Schuyt. Wilt u niet nog –'

Maar meneer Schuyt liet hem zijn zin niet afmaken. 'Nee,' zei hij gedecideerd. 'Dat wil ik niet.' Hij draaide zich om, beende langs de balie en verdween in een van de kamers erachter.

Sofia keek hem na met de telefoon in haar hand. Ze luisterde een moment en wendde zich toen tot de kinderen. 'Er is iets mis met de telefoon,' zei ze op gedempte toon. 'Hij doet het niet. Ik zal het over een minuut of twee nog eens proberen. Moeten jullie niet even naar het toilet? Dat is beneden.'

'Het toilet?' vroeg Chip.

Kat greep hem bij zijn arm en fluisterde: 'Ze laat ons gaan, Chip. Wegwezen.'

Ze liepen snel naar de deur en bleven daar even staan, net lang genoeg om de jonge bibliothecaresse een dankbare blik toe te werpen.

'Bedankt, Sofia,' fluisterde Rens.

'Succes, jongens,' fluisterde ze terug. Ze keek hen bezorgd na, zich ongetwijfeld afvragend of ze juist had gehandeld. Het waren tenslotte nog maar kinderen. Wat zouden ze gaan doen, waar zouden ze heen gaan, zouden ze veilig zijn?

Het was een vraag die de kinderen zichzelf ook stelden.

En het antwoord was: nee.

Het telefoontje, het geld en de noodlottige envelop

Rens wist nu zeker dat meneer Benedict en Nummer Twee naar het eiland waren gegaan, waar dat zich ook mocht bevinden, en dat meneer Gordijn hen achterna was gegaan. Of de kinderen hen ook achterna konden gaan, stond nog te bezien, maar één ding stond als een paal boven water: als alles mislukte, kwam dat niet door een gebrek aan haast.

'Sorry, maar ik moet even bijkomen!' hijgde Rens, terwijl hij zijn fiets de berm inreed. Trillerig stapte hij af en ging op zijn rug in het gras liggen. Zijn beenspieren brandden, zijn borstkas zwoegde op en neer en het zweet prikte in zijn ogen, zodat hij bijna niets meer zag. Vanaf het moment dat ze het museum hadden verlaten, hadden ze als gekken gefietst. Achter hem klonk een vreemd raspend geluid. Toen Rens het zweet uit zijn ogen had geveegd, zag hij Chip een paar meter verderop in het gras liggen, met één been onder zijn fiets, als een cavalerist wiens paard in de strijd was gesneuveld.

Kat, bij wie Constance nu in het mandje aan het stuur zat, kwam teruggefietst om te kijken wat er aan de hand was. De meisjes keken teleurgesteld.

'We hebben wel haast, hoor,' zei Constance, die anders nooit met Kat zou zijn meegereden.

'Ik kan... niet meer...,' hijgde Rens. 'Gaan jullie... maar... zonder mij.'

'Maak je een grapje?' vroeg Kat verbijsterd.

Rens knikte en krabbelde overeind. Toen hij merkte dat hij in deze houding minder goed kon ademhalen, liet hij zich weer achterover in het gras vallen. Constance fronste afkeurend. Ondertussen was er een oude vrouw met een poedeltje bij Chip blijven staan om het hondje aan hem te laten ruiken. Chip kon alleen maar met zijn ogen knipperen en het beestje sprakeloos aanstaren. De vrouw klakte misprijzend met haar tong, zei iets in het Nederlands en liep verder.

De kortste weg van het museum naar het hotel liep langs een lange, rechte verkeersader, maar om geen aandacht te trekken (de politie was misschien naar hen op zoek) hadden de kinderen achterafstraten genomen. Ze waren nu in een rustige buurt. Het stukje gras waar de jongens op waren neergestort was eigenlijk een klein parkje: jammer genoeg een nogal treurig parkje, nauwelijks groter dan een parkeerplaats, met een enkele vermolmde bank en een zieke iep.

'Ik heb zitten denken,' zei Kat, terwijl de jongens op adem kwamen. 'Stel dat het meneer Benedicts bedoeling was dat Naardrecht onze laatste stop was? Stel dat hij en Nummer Twee een kort tripje naar het eiland hadden gepland met het idee weer terug te zijn wanneer wij in het hotel aankwamen? Hij hoorde tenslotte hier pas over dat eiland. Het was dus geen onderdeel van zijn oorspronkelijke plan.'

Rens had hier ook over zitten denken, maar hij had Constance niet willen ontmoedigen. En inderdaad, nu Kat erover was begonnen, werd Constances toch al bezorgde uitdrukking nog somberder.

'Het is heel goed mogelijk dat hij het eiland alsnog aan onze reis heeft vastgeplakt,' zei Rens snel. 'En in dat geval heeft hij vast een aanwijzing achtergelaten in het hotel. En als daar niks ligt, kunnen

we misschien Hans de Reyseker opsporen, die vriend van de Benedicts. Hij zal nu wel heel oud zijn, maar –'

'O,' zei Chip en hij keek Rens ongemakkelijk aan. 'Eh, sorry.
Hans was al heel oud. Hij is jaren geleden overleden. Dat stond in de
brief van meneer Benedicts tante.'

'O ja?' zei Constance. 'En waarom heb je dat niet meteen gezegd?'

Chip klemde zijn kaken op elkaar. 'Omdat meneer Schuyt binnenkwam voordat ik daar de kans toe kreeg, Constance.'

'Weet je nog wat ze schreef?' vroeg Rens.

'Het was in het Engels,' zei Chip. 'Zal ik het letterlijk citeren? Of
hebben jullie liever dat ik –'

'Kom maar op,' zei Kat. 'Citeer maar een eind weg.'

En dus herhaalde Chip wat er in de brief had gestaan:

Lieve Ankie,

*Ik schrijf je deze keer in het Engels, niet alleen om te laten zien
hoe goed ik het al beheers — ik ben al een echte Amerikaanse
— maar ook om jou en doctor Benedict aan te sporen jullie
Engels te oefenen. Ik heb het namelijk altijd raar gevonden
dat jullie tien talen spreken, maar het Engels nauwelijks beheersen.*

*Maar vergeef me. Allereerst wil ik jullie condoleren met het
verlies van jullie vriend Hans de Reyseker. Het moet een
troost zijn dat hij al zo oud was. En heeft hij geen rijk en
avontuurlijk leven gehad? En is hij niet gestorven zoals hij
het zelf had gewild, tijdens een van zijn wereldreizen? Was
iedereen maar zo fortuinlijk!*

*Het spijt me in je laatste brief over je financiële moeilijk-
heden te lezen, Ankie, maar ik kan je niet helpen. Ik besef dat
je me niet openlijk om hulp vraagt, maar ik meen het verzoek
tussen de regels door te lezen en helaas moet ik weigeren.
Zoals je zou kunnen weten laat mijn eigen hachelijke situatie*

het niet toe. Sinds het overlijden van Theodric, alweer vele jaren geleden, heb ik nauwelijks genoeg geld om de huur te betalen. Wat is dat trouwens voor een reis die je wilt maken? Als het zo dringend is, moet je het dan wel geheimhouden voor je eigen zuster? Het lijkt me niet meer dan gepast dat een verzoek om financiële ondersteuning gepaard gaat met een verklaring.

Hoe dan ook, ik wil je met klem afraden het genoemde experiment uit te voeren. Het is waar dat de overheid jullie rijkelijk beloont mochten jullie slagen, maar zijn jullie niet bang dat er iets fout gaat? Is dat niet de reden dat anderen hebben geweigerd? Je kunt wel zeggen dat niemand zo ervaren is als jullie, maar er zijn in Nederland vast wel andere wetenschappers te vinden die een poging willen wagen.

Persoonlijk ben ik van mening dat het in de aard van explosieven ligt om te exploderen en ik zie niet in hoe je dat zou kunnen veranderen. Hoezeer het ook 'voor de goede zaak' is, zoals je in je brief schrijft, hoeveel mensenlevens er ook mee worden gered, ik verzeker je dat ik me nooit tot zoiets zou laten verleiden! Dat verklaart waarschijnlijk ook waarom ik geen wetenschapper ben geworden. (Dat en het feit dat wetenschap maar een saaie bedoening is — al dat Latijn en al die symbolen...)

Ik ben in ieder geval blij dat je wacht totdat de baby er is. Maar vanwaar die haast? De baby, het experiment, die mysterieuze reis — je schrijft het alsof het allemaal snel snel moet! Neem de tijd, Ankie! Ik moet bekennen dat het me altijd al geïrriteerd heeft dat je schrijft alsof je ondertussen iets anders aan het doen bent. Alsof er geen tijd te verliezen is. Een dergelijke haast is niet echt gepast voor een vrouw, hoe wetenschappelijk ze ook denkt te zijn.

De kinderen waren verbijsterd. Het was een zeer onaangename brief en toen Chip zweeg – de rest van de brief was gewijd aan hoe schandalig hoog de prijzen en hoe luidruchtig de buren waren – vroeg Rens zich af hoe meneer Benedict had gereageerd. Hem kennende zou hij de hooghartige toon van zijn tante waarschijnlijk vermakelijk hebben gevonden; meneer Benedict moest altijd grinniken als mensen zo verbolgen deden. Maar hij was ook vast teleurgesteld dat hij opnieuw werd geconfronteerd met een onaangenaam trekje in zijn familie, dacht Rens.

'Ik denk,' zei Kat, 'dat ze de brief hebben verborgen omdat er iets in stond over Hans en de geheime reis die ze wilden maken. Ze waren ontzettend voorzichtig.'

'Waarom hebben ze hem niet vernietigd?' vroeg Constance. 'Zo'n nare brief. Waarom heeft Ankie hem bewaard?'

Kat proestte het uit. De weinige brieven die Constance haar ooit had gestuurd konden ook niet echt leuk worden genoemd. 'Waarschijnlijk om dezelfde reden dat ik de jouwe bewaar, Connie.'

Constance keek Kat uitdrukkingsloos aan, onzeker of haar opmerking een belediging was geweest of een uiting van genegenheid. Ten slotte besloot ze dat het beide was.

Strikt genomen lag Naardrecht niet aan de kust, maar er net achter. Zoals zoveel steden in Nederland lag de stad in een gebied dat de knappe Hollanders op de zee hadden veroverd. Door een smalle landstrook van de Noordzee gescheiden en doorkruist door talloze grachten en kanalen, leek de stad meer water dan land. Een groot deel van de bedrijvigheid ontleende daar haar bestaan aan. De visserij, de scheepsbouw en de scheepvaart hadden Naardrecht niet echt tot een grote, maar wel een welvarende stad gemaakt, en Hotel Royal bevond zich in het hart van het drukke centrum.

Rens, Chip en Constance konden het uithangbord van het hotel vanaf de drukke straathoek al zien hangen, maar hun aandacht ging niet uit naar het bord. Terwijl ze wachtten totdat Kat was teruggekeerd van een verkenningstocht, stonden ze watertandend te kijken naar een snackcar een stukje verderop. Vooral de geur van patat maakte Rens bijna duizelig van verlangen. Maar hun laatste geld hadden ze uitgegeven aan de fietsen.

Een van die fietsen kwam nu in volle vaart aanzetten, met daarop een bebrild meisje met wild uitstaande haren, dat de hoek om scheurde en de snackcar op een haar na miste. De eigenaar van de kar sprong opzij en riep haar in afgebeten Nederlands iets afkeurends achterna.

'Dat zei die oude vrouw met dat poedeltje ook al,' mompelde Constance voor zich uit. Rens, die haar hoorde, besefte dat ze gelijk had.

'Ik heb een heleboel goedgeklede mannen met aktetassen gezien,' vertelde Kat, terwijl ze Chip zijn bril overhandigde en haar emmertje aannam, 'maar geen Martina of V.S. Ik denk dat we het er maar op moeten wagen. Wat vinden jullie?'

'Ik denk dat we geen keus hebben,' zei Rens. Hij liep naar de eigenaar van de snackcar en vroeg of hij even op hun fietsen wilde letten.

Toen de man Rens Engels hoorde spreken, verdween de afkeurende uitdrukking van zijn gezicht, alsof hij om de een of andere reden niet van Nederlandse kinderen hield, maar Amerikaanse wel kon hebben. Knorrig antwoordde hij dat ze dan wel een beetje moesten opschieten, want hij had niet de hele middag de tijd om op kinderfietsen te passen. Rens bedankte hem en met een kort knikje overhandigde de man hem een zak friet met een klodder mayonaise. 'Ik zag jullie staan kijken,' zei hij. 'En nu ervandoor en snel weer terug.'

De kinderen liepen langzaam naar het hotel, terwijl ze uitgehongerd de friet opaten en de voorbijgangers nauwlettend in de gaten hielden. Op de stoep wemelde het van de keurig uitgedoste mensen en elke keer dat een zakenman in pak de kinderen aankeek, sloeg hun hart over. Over straat lopen was nog nooit zo zenuwslopend geweest. Ze waren opgelucht toen ze bij het hotel aankwamen.

Hotel Royal had betere tijden gekend. Het meubilair in de lobby was gammel, de vloerbedekking was versleten en in de gangen hing een muffe lucht. Maar ondanks dat het door de modernere hotels in de verdrukking was geraakt, deed het zijn best de glorie van weleer hoog te houden. Het gammele meubilair was glanzend gepoetst, de versleten vloerbedekking brandschoon en het personeel achter de receptie zag er keurig en professioneel uit. Een van hen, een oudere man met achterovergekamd grijs haar, zei iets in het Nederlands toen de kinderen binnenkwamen. Zijn collega, een tengere, bleke vrouw met een ernstig gezicht en donkere kringen onder haar ogen knikte instemmend.

'Daar had je het weer,' zei Constance fronsend.

Deze keer had Rens het ook gehoord: hetzelfde zinnetje dat eerst de vrouw met het poedeltje en toen de man van de snackcar had gezegd. Dit was geen toeval meer. Rens stapte op de receptie af en vroeg de man en de vrouw of ze Engels spraken. Onmiddellijk verscheen er een begrijpende blik op hun gezichten.

'Natuurlijk spreken we Engels,' zei de man met het grijze haar niet onvriendelijk. Hij had rode wangen en het sikje op zijn kin was zo klein dat het een duimafdruk leek. 'Wat kunnen we voor jullie doen, kinderen?'

'Mag ik u vragen wat u zojuist over ons zei?' vroeg Rens. 'We hebben het anderen ook horen zeggen en we zijn gewoon nieuwsgierig.'

'Jullie zijn wel oplettende kinderen!' zei de man en hij klonk zowel geamuseerd als onder de indruk. 'Ik zei dat jullie op school hoorden te zitten! Die andere mensen dachten vast net als ik dat jullie Nederlandse kinderen waren en dat jullie spijbelden. Maar jullie zijn Amerikanen, hè? Zijn jullie op schoolreis of zo?'

'Zoiets,' zei Kat.

Rens voelde zich nogal dom en ongemakkelijk. Met z'n vieren door de stad fietsen had vast veel meer argwaan gewekt dan ze hadden gedacht. Daar konden ze nu niets meer aan veranderen, maar ze hadden des te meer reden zo snel mogelijk de volgende aanwijzing te vinden en er dan als een haas vandoor te gaan. 'Is er een bericht voor ons?' vroeg hij. 'Een bericht van een zekere Nicolaas Benedict?'

Er verscheen een brede glimlach op het gezicht van de man. 'Benedict, zei je? Daar zijn jullie eindelijk! Had jij dat al gehoord, Dora, van die geheimzinnige afspraak?' vroeg hij aan zijn collega, die de andere kant uit keek, alsof ze met rust gelaten wilde worden. 'Ik geloof van niet,' zei de man en hij richtte zijn aandacht weer op de kinderen. Hij straalde onverminderd van enthousiasme, niet in het minst door de opluchting die van de gezichten van de kinderen viel af te lezen. 'Ik heet Huib, en ik vind het heel leuk om jullie te ontmoeten! En ik heb inderdaad iets voor jullie van meneer Benedict. Jazeker!'

De kinderen keken hem verwachtingsvol aan, maar Huib bleef alleen maar bemoedigend glimlachend terugkijken. Ook hij leek ergens op te wachten.

'Mogen we het, eh, zien?' vroeg Kat. 'Alstublieft?'

Huib keek naar links, en naar rechts, en boog zich toen quasi-samenzweerderig naar voren. 'Eerst moeten jullie me...' fluisterde hij, 'het voorwerp laten zien!' Hij liet zijn wenkbrauwen theatraal op en neer gaan.

'Het voorwerp?' vroeg Chip.

'Inderdaad! Jullie meneer Benedict heeft hier een kamer gehuurd en die moet ik geven aan de persoon die zijn naam noemt, én een bepaald voorwerp kan laten zien. Hebben jullie het bij je? Zonder dat voorwerp waren jullie hier niet gekomen. Meer kan ik niet zeggen.'

'Niet weer een raadsel,' zei Chip vermoeid.

Rens krabde op zijn hoofd. 'Oké. Waarvan wist meneer Benedict dat we het zouden meenemen?'

'Mijn emmertje?' vroeg Kat. 'Dat heb ik altijd bij me.'

Huib glimlachte en schudde zijn hoofd. Hij wierp een blik op Constance alsof hij verwachtte dat zij een gooi zou doen. Maar Constance had kauwgum onder de rand van de balie ontdekt en maakte kokhalzende geluiden, zodat Huib beleefd de andere kant uit keek.

'Als meneer Benedict er zeker van is dat we het bij ons hebben,' zei Rens, 'dan is het waarschijnlijk iets dat we bij ons moesten hebben om hier te komen.'

'Onze kleren?' opperde Chip.

De anderen staarden hem aan.

'Ja hoor, Chip, het zijn vast onze kleren,' zei Constance, terwijl Kat een lachbui onderdrukte. 'Laat hem je kleren maar zien en dan brengt hij ons vast naar de kamer.'

'Zo'n dom idee is het niet,' zei Chip verdedigend. 'Zonder kleren waren we allang gearresteerd. En dan hadden we hier niet gestaan, toch?' Maar Huib schudde zijn hoofd.

Boos dat Constance hem voor schut had gezet gaf Chip haar een por in haar zij. Constance schreeuwde het uit en reageerde met een trap tegen Chips schenen; en tevreden met het resultaat (Chips gezicht vertrok van pijn en hij sprong op één been op en neer) haalde ze snel uit voor een tweede trap.

'Een dienstregeling?' opperde Kat, die het geruzie negeerde. 'Een treinkaartje?'

Huib schudde zijn hoofd. Weer wierp hij een blik op Constance, alsof hij verwachtte dat zij het antwoord had. En deze keer begreep Rens waarom. Ze had het antwoord, en Huib had het gezien.

'Jouw geschenk!' riep Rens uit en hij wees naar de hanger om Constances nek. (Constance staakte haar poging in Chips hand te bijten en keek verrast omlaag.) 'Zonder jouw hanger hadden we hier niet kunnen komen!'

Huib klapte in zijn handen. 'Dat is het! Een klein wereldje, net zoals jullie meneer Benedict had gezegd! Heel goed, jongens. Ik geef jullie de sleutel.' Hij reikte onder de balie. 'Is dit een of andere speurtocht? Wat leuk! Ik vroeg me al af wanneer er weer iemand zou komen.'

Rens nam de sleutel van Huib aan. 'Als u zegt: "weer iemand", bedoelt u dan dat er al iemand is geweest?'

'Jazeker! Het is een wedstrijd, nietwaar? Volwassenen tegen de kinderen soms? Wees maar niet bang, jullie zijn de eersten die de sleutel krijgen. Er is nog niemand in de kamer geweest, zelfs niet het hotelpersoneel. Dat waren meneer Benedicts instructies.'

'Wie is er vóór ons geweest?' vroeg Chip.

'Twee heel aardige mannen. Dat was dezelfde dag dat jullie vriend meneer Benedict de kamer huurde. Ze vroegen of hij hier verbleef. Ik zei van niet: hij en zijn jonge metgezel hadden de kamer alleen maar geïnspecteerd en waren weer vertrokken na de sleutel aan mij te hebben gegeven. Toen de mannen zijn naam noemden, hield ik me aan meneer Benedicts instructies en bood hun een kamer aan, met de complimenten van meneer Benedict, mits ze een bepaald voorwerp konden laten zien. Ik dacht dat het misschien in een van hun koffertjes zat. Ze hadden het echter niet bij zich, dus bedankten ze me en gingen weer weg. Beleefde mannen, keurig gekleed, het soort mensen dat hier vroeger, in de betere dagen van het hotel, vaak te gast was. Ik vroeg me af wie er nog meer zouden komen. En toen de tijd verstreek vroeg ik me af of er überhaupt nog iemand zou komen! Dacht jij dat ook?' vroeg hij zijn collega, de vrouw die hij Dora had genoemd en die nu meer aandacht voor hen leek te hebben.

'Ik weet er allemaal niets van, Huib,' zei Dora.

Rens had de indruk dat ze van slag was. Ze keek hen strak aan, niet echt kwaadaardig, maar vriendelijk was het ook niet. Voelde ze zich buitengesloten? Huib had meneer Benedicts plannetje blijkbaar erg leuk gevonden en er met plezier aan meegewerkt. Maar Dora's strakke blik was niet op Huib gericht. Misschien hield ze niet van kinderen.

Rens had het graag willen geloven, maar het lukte hem niet. Hij wist vrijwel zeker dat meneer Benedict geld voor hen had achtergelaten in de kamer – in ieder geval genoeg voor een paar maaltijden – en hij had het donkerbruine vermoeden dat Dora het had gestolen. Ze had het makkelijk kunnen doen, want ze wist dat er toch niemand was. Misschien had ze de arme Huib of een ander personeelslid willen beschuldigen. Dát was de uitdrukking op haar gezicht, besefte Rens. Ze keek schuldbewust. Hij voelde zich hoogst ongemakkelijk.

Je loopt wel erg hard van stapel, dacht hij. *Zet het uit je gedachten. Je komt er snel genoeg achter.*

Maar toen zag hij Constance.

Ze keek Dora gespannen en met een priemende blik aan. Hoe langer Constance haar aankeek, hoe donkerder de uitdrukking op haar gezicht werd, totdat ze Dora uiteindelijk met vlammende ogen aanstaarde. Dora had het gemerkt; ze schoof onrustig op haar stoel heen en weer en vermeed het het meisje aan te kijken. Ondertussen vertelde Huib de kinderen hoe ze bij de kamer konden komen. Toen Kat en Chip hem hadden bedankt en naar de lift liepen, moest Rens Constance bij haar arm pakken en bij de balie vandaan trekken.

'Wat is er?' vroeg hij op gedempte toon. 'Wat heeft ze gedaan?'

'Ik weet het niet,' gromde Constance, terwijl ze een blik over haar schouder wierp. 'Maar het is niet best.'

'Niet best? Is dat alles?'

'Daarmee bedoel ik heel erg verkeerd,' zei Constance.

'Daar was ik al bang voor.'

'Waar hebben het jullie over?' wilde Chip weten.

'Dat vertel ik je wanneer we alleen zijn,' zei Rens. 'Maar hou je ogen open. Er is iets niet in de haak.'

'O, zeg dat nou niet,' zei Chip en hij nam zijn bril van zijn neus.

Kat tuurde naar de deur van de lift. Hij gleed open en er stond niemand in. 'Je kunt het ons in de lift vertellen,' mompelde ze. Ze liepen naar binnen en gingen dicht tegen elkaar aan staan, dichter dan gezien de ruimte noodzakelijk was. Kat deed het deksel van haar emmertje open, klaar om er zo nodig snel iets uit te kunnen halen. De liftdeur gleed weer dicht.

Vanaf de andere kant van de lobby keek Dora de kinderen na. Ze zag nogal bleek, zo bleek dat Huib vroeg of ze zich wel goed voelde.

'Om eerlijk te zijn, heb ik vreselijke hoofdpijn,' zei ze. 'Heb jij iets bij je?'

'Nee, maar er ligt wel iets in de voorraadkast. Ik haal wel iets.' Huib keek om zich heen waar de sleutel was gebleven. 'De sleutel ligt zeker op het kantoor,' zei hij onzeker. 'Maak je maar geen zorgen, ik vind hem wel.'

Toen hij weg was, haalde Dora de sleutel van de voorraadkast uit haar zak en liet hem op de grond vallen, alsof hij daar per ongeluk terecht was gekomen. Ze vouwde een stukje papier open en toetste met trillende vingers het telefoonnummer dat erop stond in. 'Hallo? Ja, dit is Dora, van het hotel... Ja. Er is eindelijk iemand gekomen. Nu net. Het is maar een groepje kinderen. U kunt het afgesproken bedrag naar mijn adres sturen. Ik... wat? Nee, ik kan u niet vertellen welke kamer het is. Hebt u gehoord dat ik zei dat het nog maar kinderen zijn? Nee, daar ben ik nooit mee akkoord gegaan. Dat is tegen de reglementen en trouwens... Nee, absoluut niet! Ik ben bang dat ik... ik ben bang...'

Met angstige ogen keek Dora over haar schouder. Ze was nog alleen. 'Maar zover zult u toch niet gaan?' fluisterde ze in de hoorn. 'U zult toch niet... toch niet... ik snap het.' Ze slikte moeizaam. 'Maar ik sta erop... u moet me beloven dat u ze niets doet...'

Er volgde een lange stilte, waarin ze doodsbenauwd op haar onderlip kauwde. Toen haalde ze diep adem, blafte het kamernummer in de hoorn, gooide de hoorn op de haak en deinsde achteruit, alsof de telefoon plotseling onder stroom stond en ze een uitermate pijnlijke schok had gekregen.

'Ik ga wel eerst naar binnen,' zei Kat, ondanks dat ze heel zenuw-achtig was. (En Kat werd pas zenuwachtig wanneer de meeste kinderen het in hun broek zouden doen van angst.) Samen met de jongens kroop ze over de vloerbedekking naar de hotelkamer. Constance was bij de lift gebleven om de deur open te houden. Ze waren op de vierde verdieping. Als er zich een onaangenaam personage in de hotelkamer bevond, moesten ze er snel vandoor kunnen.

Kat luisterde aan de deur, duwde hem open en gluurde de ka-mer in. Ze wierp de jongens een ongemakkelijke blik toe en glip-te naar binnen. Rens en Chip bleven gespannen wachten. Dank-zij Kats zelfvertrouwen hadden ze hun eigen angsten altijd kunnen bedwingen en ze vonden het maar niets dat zij zich niet op haar gemak leek te voelen. Toen Kat na een eindeloze minuut liet weten dat de kust veilig was, keken de jongens elkaar opge-lucht aan. Haar stem had weer even luchtig geklonken als altijd. De jongens gebaarden naar Constance dat ze kon komen en lie-pen de kamer in.

De deur ging maar half open, vanwege een onhandig geplaatst ta-feltje in het toch al krappe halletje. Op het tafeltje, dat bij de jongens tot aan hun middel kwam, stonden een vaas met zijden bloemen, een schaaltje met snoep en een kaartje met 'Welkom!' in de onmis-kenbare hanenpoten van Nummer Twee. Rens kreeg kramp in zijn maag bij de gedachte aan wat Nummer Twee op dit moment moest doormaken.

Achter het tafeltje bevond zich een deur naar de kamer, waar een paar stoelen stonden, een bed, een slaapbank en twee stretchers te-gen de muur. (Genoeg plek voor hen vieren, bedacht Rens, plus Mo-lenweer en Ronda, die eigenlijk zouden zijn meegekomen.) Kat was luid smakkend achter de gordijnen op zoek naar een aanwijzing of een teken. Rens was met stomheid geslagen: Kat was in haar eentje een lege kamer ingeslopen – een kamer waar zich onbekende gevaren konden bevinden – en was blijven staan om een toffee in haar mond te stoppen.

'Ik fie nikf ongewoonf,' zei Kat. 'In de badkamer if ook allef in orde.'

'Misschien is dit het dan,' zei Chip, terwijl hij angstig om zich heen keek. 'Misschien heeft hij deze kamer voor ons gehuurd en was hij van plan hier terug te komen. Misschien zijn er niet meer aanwijzingen.'

'Laten we het nog niet opgeven,' zei Rens, terwijl hij hoopte dat Constance Chip niet had gehoord. Hij knielde neer om vier afdrukken in de vloerbedekking bij de muur te bekijken.

Kat had haar Zwitserse mes gepakt en peuterde er een stukje toffee mee los. 'Die zag ik ook. Er heeft daar een stoel gestaan of zo.'

Rens stond snel op. 'Het tafeltje bij de deur! Dat is met een bepaalde reden verplaatst. Ik durf te wedden dat we erop moeten klimmen of –'

Constance kwam de kamer ingelopen, met in haar ene hand een voorraad toffees en in haar andere een envelop. Haar lichtblauwe ogen schitterden opgewonden. 'Hebben jullie deze niet gezien? Hij hing onder die tafel.'

'Wij niet,' zei Rens. 'Maar meneer Benedict wist dat jij hem onmiddellijk zou zien. Andere mensen zijn allemaal te groot. Waarschijnlijk wilde hij dat jij hem vond.'

Constance glimlachte. Ze vond het een prettige gedachte dat meneer Benedict het zo had gepland. Maar haar glimlach vervaagde snel toen ze aan de inhoud van de envelop dacht. Stel dat erin stond dat ze hier moesten blijven wachten. Stel dat dit het eind van hun reis was? Ze duwde Rens de envelop in zijn handen. 'Lees jij hem maar. Ik kan het niet aan.'

Rens maakte de brief open en las de inhoud hardop voor.

Lieve vrienden,
Ik wilde dat jullie goed konden uitrusten alvo-
rens aan de volgende etappe van jullie reis te
beginnen, die jullie zal voeren naar... Nu ja, ik
laat het aan jullie over om achter de bestemming
te komen, maar er is geen haast bij. Als jullie
niet weten waar je het antwoord moet zoeken,
kun je er een nachtje op slapen.
Met vriendelijke groet,
Meneer Benedict

'Het bed!' riepen ze tegelijkertijd uit, waarop ze in lachen uitbarst-
ten. Het kwam niet vaak voor dat ze het zo snel eens waren. Ze renden op het bed af en in een wolk van dekens, lakens en kussens hadden ze het matras binnen de kortste keren gestript. Geen envelop. Ze
schoven de matras van de lattenbodem. Niets.

'Laten we de bedbank proberen,' zei Rens, die langzaam maar zeker ongerust werd.

Ze haalden de kussens van de bank en Kat trok aan het handvat waardoor de matras tevoorschijn kwam. En op de matras lag een
grote bruine envelop, waar meneer Benedict op had geschreven:

In geval van honger, nieuwsgierigheid of beide.

Met haar mes sneed Kat de envelop open en ze keerde hem boven de
matras om. 'Lunchgeld,' zei ze met voldoening. Ze legde het bundel-
tje bankbiljetten aan de kant en pakte een blaadje papier op. 'En een
adres! "Risker Watertransport." Dat is hier in Naardrecht!'

Chip las het adres. 'Dat is de straat die langs de kade loopt. Ik heb
hem op de plattegrond zien staan. Het is niet ver weg. We hoeven alleen maar –'

'Wat is er, Rens?' vroeg Constance.

Rens staarde naar het geld. 'De envelop was verzegeld. En het geld is er nog. Wat heeft ze dan gedaan?'

'Wat heeft wie gedaan?' vroeg Kat.

'Dora, die vrouw achter de balie. Ik dacht dat ze misschien het geld had gestolen dat meneer Benedict voor ons had achtergelaten.' Rens begon te ijsberen, maar de matrassen, de kussens en het beddengoed dat ze op de grond hadden gegooid versperden hem de weg. 'Maar ze heeft niets gestolen. En nu ik erover nadenk, de Tienmannen die bij de balie kwamen hebben Huib alleen maar bedankt en zijn weer weggegaan. Ze hebben hem niet gedwongen hun de kamer te laten zien. Vinden jullie dat niet vreemd?'

'Waarschijnlijk beseften ze niet dat er iets verstopt was,' opperde Kat. 'Ze dachten dat meneer Benedict alleen maar een kamer had gehuurd voor iemand die er zijn intrek zou nemen. En die iemand was er nog niet.'

'Ja, maar dan hadden ze willen weten wie die iemand was,' zei Rens. 'En de beste manier om dat te weten te komen is door –' Zijn ogen sperden zich open. 'We moeten hier onmiddellijk weg.'

'Denk je dat Dora het hun verteld heeft?' vroeg Chip ongelovig. 'Denk jij dat ze de Tienmannen heeft gebeld om te zeggen dat we er zijn?'

'Onmiddellijk, Chip!' zei Kat en ze greep zijn arm beet om hem achter zich aan te slepen.

Maar Constance stond in de weg en ze verroerde zich niet. Ze staarde naar de muur, alsof ze er recht doorheen de gang in kon kijken.

'We zijn te laat,' fluisterde ze. 'Ze komen er al aan.'

Toch nog ingehaald

De kinderen hoorden de deur tegen het tafeltje in de hal bonken en plotseling vulde de kamer zich met de geur van aftershave. Er kraakte een plank. En toen verscheen er in de deuropening een grote man met een aktetas. De Tienman droeg een exclusief donkerblauw pak, hij had een heel bleke huid, inktzwart haar en dunne, vrijwel kleurloze lippen, die de indruk wekten dat hij of heel veel bloed had verloren, of net was ontdooid. Zijn donkere, glinsterende ogen dwaalden door de kamer en registreerden de matrassen, de kussens en het beddengoed op de grond. Hij lachte naar de kinderen, zodat ze zijn volmaakt witte tanden zagen. 'Lieverds, wat hebben jullie er een zootje van gemaakt. Zochten jullie soms iets?'

De kinderen staarden hem aan en durfden zich niet te verroeren of iets te zeggen.

'Het heeft geen zin om te doen alsof jullie me niet begrijpen,' zei de Tienman met een knipoog. 'Ik heb me over jullie laten informeren. Vooruit, Constance, wees lief en geef me het papiertje dat je in je hand hebt. Ik wil het zien. En jij Kat, breng mij eens wat je achter je rug verbergt.' Hij stak zijn vrije hand uit, de hand zonder aktetas. Zijn arm leek tot halverwege de kamer te reiken, zo lang was hij, en zijn lange bleke vingers, die gebiedend op en neer bewogen, deden denken aan een stervende spin.

Constance maakte een jammerend geluidje. Ze had in de ogen van de Tienman gekeken en was zich wild geschrokken van wat ze daar had gezien. Ze klemde de brief van meneer Benedict zo stevig vast dat haar hand trilde. Naast haar stond Kat half ineengedoken klaar om te reageren op elke onverwachte beweging.

Maar de Tienman maakte geen onverwachte bewegingen. Integendeel, zijn bewegingen waren ontspannen, loom zelfs. Met een afkeurend klakje van zijn tong trok hij zijn hand terug en zette de aktetas op de grond, waarvoor hij met zijn lange armen alleen maar een klein stukje vanuit zijn middel hoefde te buigen. 'Kijk eens aan. Ik zie aan jullie ogen dat jullie geen katjes zijn om zonder handschoenen aan te pakken. Jullie hebben je spuitje toch wel gehad?'

'Kom maar op,' zei Kat tussen haar opeengeklemde tanden door.

'Dat meent ze niet,' zei Chip haastig.

De Tienman grinnikte. 'O jawel. Je reputatie is je vooruitgesneld, lieve schat. Wat denk je, als ik jou tot voorbeeld maak, zullen de andere kinderen zich dan gedragen?' Hij schudde met zijn armen, waardoor er twee grote zilveren horloges zichtbaar werden. De kamer vulde zich met een elektrisch gejank.

'Dat is niet nodig,' riep Rens uit. 'Doe haar geen pijn! We zullen je de papieren geven!'

'Lieve deugd, natúúrlijk zullen jullie me de papieren geven,' zei de Tienman met gespeeld medeleven. Hij stak zijn beide spinnenhanden uit naar Kat. 'Maar als ik eenmaal ergens aan ben begonnen, dan maak ik het –'

Kat sprong.

Een directe aanval had de Tienman niet verwacht. Verrast deinsde hij terug toen Kat naar voren schoot, over de berg beddengoed heen sprong en ondertussen een kussen meegraaide. Een fractie van een seconde later klonken er twee gedempte klappen toen de twee draden het kussen raakten dat Kat, net op tijd, als buffer voor zich hield.

Rens zag de staaldraden als slangentongen flitsen terwijl ze zich in de horloges van de Tienman terugtrokken. Tegelijkertijd zag hij Kats andere hand, die ze achter haar rug had gehouden, naar voren schieten in de richting van het gezicht van de man. Rens dacht dat ze het adres achter haar rug had gehouden. Nu zag hij dat het een klein flesje was, waarvan ze de inhoud in de ogen van de Tienman spoot.

'Ik hoop dat je van citroensap houdt!' riep Kat, terwijl de man brullend van de pijn zijn ogen bedekte. Kat liet het flesje vallen, griste de aktetas beet en wierp hem door de kamer naar Rens, die hem gealarmeerd op zich af zag komen. Rens was niet wat je noemt sportief, en hij prees zichzelf gelukkig toen hij erin slaagde de aktetas te vangen zonder zijn tanden uit zijn mond te laten slaan. De tas was loodzwaar en Kat had hem met een enorme zwaai op hem af gegooid.

'Rens!' riep Kat. 'Gooi hem uit het ra– AH!'

De Tienman, die tijdelijk verblind was, was op het geluid van Kats stem afgegaan en had haar bij haar paardenstaart gegrepen en naar zich toe getrokken. Hij bedacht zich toen ze tegen zijn schenen begon te schoppen en na een korte schermutseling gooide hij haar hoog door de lucht van zich af. Kat draaide zich als een kat om haar as, maar kwam toch hard op haar emmertje neer. Als een van de matrassen haar val niet had gebroken, zou het haar vast een rib hebben gekost. Ineenkrimpend van de pijn keek ze naar Rens, die zich van het raam afkeerde, nog steeds met de aktetas in zijn handen. 'Rens! Waarom –'

'Er lopen te veel mensen op straat,' zei Rens. 'Als ik hem naar buiten gooi, zou ik iemand kunnen doden.' Hij klonk deels verontschuldigend en deels doodsbenauwd. Hij had niets liever gewild dan zich ontdoen van die doos met gruwelen, maar nu stond hij ermee tegen zijn borst geklemd. Er klonk een zoemend geluid vanuit de aktetas, als een nest nijdige horzels.

Kat trok een lelijk gezicht. Natuurlijk kon Rens het risico niet nemen; dat had ze zich moeten realiseren. Ze had gehoopt dat de aktetas zo waardevol was dat de Tienman erachter aan zou zijn gegaan, zodat zij hadden kunnen ontsnappen. Ze zag nu in dat ze er zelf mee vandoor had moeten gaan. Dan was de Tienman achter haar aangekomen en hadden de anderen kunnen ontsnappen. Nu zaten ze in de val, en Kat was door haar listen heen.

De Tienman had zich hersteld van de citroensapaanval en keek hen vanaf de andere kant van de kamer aan. Zijn ogen waren rood en opgezwollen en zijn glimlach was verdwenen. 'Ik had gelijk, schatje, je bent een wilde kat. Maar niet lang meer.' Zijn vingers gingen als een bleke, onbehaarde vogelspin naar zijn das. Met een enkele geoefende beweging maakte hij hem los, waardoor er aan het eind een zweep van dunne, metalen draden zichtbaar werd.

'Ik heb al gezegd dat we de papieren zullen geven,' bracht Rens er met moeite uit. Zijn mond was kurkdroog. 'En de aktetas geven we ook terug. Laat ons alsjeblieft gaan.'

'Tut tut,' zei de Tienman. 'Was jij niet de slimmerd van het stel? En jij denkt dat ik jullie laat gaan? Na zo'n ruwe behandeling? Nee, nee, Reinard. Stoute kinderen verdienen straf.' Hij bewoog zijn das heen en weer, en met een afschuwelijk knallend geluid schoot de zweep door de kamer en sloeg vlak boven Chips hoofd een stuk muur weg. De kinderen krompen ineen, vooral Chip, die bijna flauwviel. Met een hatelijke grijns rond zijn lippen keek de man hen aan. 'Dat was nog maar een voorproefje.'

Rens' hersenen werkten op volle toeren. De Tienman stond tussen hen en de deur in. En zelfs als ze langs hem heen konden komen – wat heel onwaarschijnlijk was – zou het niets uithalen, want Rens zag een tweede man in pak in het halletje staan. De Tienman had een partner. De ontdekking maakte zijn angst niet groter (banger kon hij niet worden), maar deed hem wel beseffen dat er geen uitweg was en dat hij zich schrap moest zetten voor wat hun te wachten stond.

Kat, die overeind was gekrabbeld, realiseerde het zich ook. 'Fijn,' zei ze bijtend. 'Leef je maar uit. Maar reken maar dat jullie er weer van langs gaan krijgen. Allebei. Dat beloof ik je.'

'Allebei?' zei de Tienman met gefronst voorhoofd. Hij tuurde naar de deuropening. 'Waarom sta jij niet bij de lift op wa...' Zijn ogen sperden zich open. 'Jij bent Mortis niet!'

'Ik mag het hopen,' zei de andere man.

'Wat heb je met Mortis gedaan?' beet de Tienman hem toe, terwijl hij zich pijlsnel omdraaide naar de deur en zijn daszweep hief.

'Dat zal ik je laten zien,' zei de andere man, en op hetzelfde moment klonk er een vreemd fluitend geluid – *woesj!* – en stak er een pluimpje uit de schouder van de Tienman.

Woedend greep de Tienman naar zijn schouder. Maar voordat hij het pijltje er goed en wel uit had getrokken, zakte hij op de grond in elkaar.

De andere man kwam de kamer in, stapte over het lichaam van de bewusteloze Tienman heen en knielde met open armen neer. Kat wierp zich in zijn armen.

'O, Molenweer!' riep ze uit. 'O, Molenweer, jij bent het!'

Het was inderdaad Molenweer, ook al was hij nauwelijks te zien onder de berg jubelende kinderen die zich op hem had gestort. En zelfs toen hij zich na een heleboel omhelzingen en hoofdklopjes en handen en glimlachen had bevrijd, leek Molenweer niet erg op zichzelf. Zijn doorgaans blonde haar was zwart, zijn blauwe ogen waren bruin en vreemd genoeg leken zijn oren te zijn gekrompen. Hij had nog dezelfde blozende wangen en was nog even slungelig, maar zelfs voor degenen die hem kenden was hij op het eerste gezicht vrijwel onherkenbaar.

'Ik dacht dat je ook een Tienman was!' zei Kat. 'Ongelooflijk dat ik je niet herkende!'

'Je concentreerde je op een meer directe dreiging,' zei Molenweer. Zijn ogen fonkelden. 'Je klonk trouwens ontzaglijk gevaarlijk. Maar luister allemaal, de politie komt er zo aan en we hebben geen tijd om met ze te praten. We moeten ervandoor. Snel!' Hij nam de aktetas van de Tienman van Rens over, die hem opgelucht uit handen gaf.

'Komt de politie eraan?' vroeg Chip.

'Snel!' herhaalde Molenweer, terwijl hij over het lichaam van de Tienman heen stapte.

'Laat je hem hier zomaar liggen?' vroeg Constance. 'Bind je hem niet vast of zo?'

Molenweer draaide zich om naar Constance, die naar de bewusteloze Tienman staarde en zelfs zo niet langs hem heen durfde. 'Het spijt me,' zei hij, terwijl hij terugliep om Constance op te tillen. 'Snel, allemaal. En laat me het alsjeblieft niet nog een keer moeten zeggen.' Hij droeg Constance de kamer uit.

Bij het eind van de gang aangekomen, zagen de kinderen een voet uit de lift steken. De deur van de lift gleed steeds dicht, kwam tegen de voet aan en gleed dan weer met een *ping* open. De voet met de dure zwarte schoen behoorde waarschijnlijk toe aan de partner van de verdoofde Tienman.

'Had je zijn voet niet opzij kunnen schuiven,' vroeg Constance. 'Dit is irritant!'

'Klopt. Maar zo moet de politie de trap gebruiken,' zei Molenweer, terwijl hij de kinderen de andere kant uit leidde. Ze liepen snel een gang door naar een open raam, waarachter zich een brandtrap bevond die beneden in een steegje uitkwam. Chip wierp een blik uit het raam en ging met zijn hand naar zijn bril. Molenweer legde een hand op zijn schouder. 'Niet omlaagkijken. Alleen maar op je voeten letten en in beweging blijven. Het lukt je best. Kat, jij gaat eerst. Wij komen achter je aan.'

Op dat moment hoorden ze een deur met een luide knal open-
gaan, gevolgd door het geluid van agenten die (zwaar hijgend vanwege de trappen die ze hadden moeten beklimmen) de andere gang
inholden. Kat dook over de vensterbank en ging hen voor langs de
brandtrap, treetje voor treetje, trap voor trap, totdat ze uiteindelijk
het laatste stukje omlaagsprong en naast een geparkeerde auto op de
grond landde. Toen pas drong het tot haar door dat het een politieauto was.

'De auto in, Kat,' riep Molenweer haar vanboven toe. 'Dat is onze
auto.'

'Een politieauto?'

'Ik heb hem geleend,' zei Molenweer. 'Vooruit jongens.'

Rens en Chip klauterden de laatste treden af en doken naast Kat
op de achterbank. Molenweer zette Constance naast zich voor-
in. 'Duiken,' zei hij, terwijl hij achteruit de steeg uitreed. Toen ze
langs het hotel reden mompelde hij: 'Drie politieauto's. Mooi. En die
vrouw achter de receptie is waarschijnlijk degene die heeft gebeld. Ze
ziet er nogal overstuur uit. Er is daar een klein wondertje gebeurd.'

'Welke vrouw?' vroeg Chip, terwijl hij gehoorzaam zijn hoofd
omlaaghield.

'Een van de receptionisten. Ze belde de politie om te zeggen dat
iemand haar had omgekocht en bedreigd en dat er slechte mannen
op weg waren naar het hotel. Ze was bang dat ze een groepje kinderen iets zouden aandoen.'

'Hoe weet je dat allemaal?' wilde Constance weten.

Molenweer keek haar zijdelings aan. Ze zat rechtop op de stoel
– in tegenstelling tot de anderen had zij niet hoeven wegduiken – en
Molenweer fronste. 'Jij zou in een kinderzitje moeten zitten. Dit is
gevaarlijk.'

Constance keek hem ongelovig aan. 'Maak je een grapje?'

'Een beetje. Maar laten we toch onze riemen maar vastmaken.
Om op je vraag terug te komen: ik heb naar de politieradio geluis-

terd. Mijn Nederlands is niet vlekkeloos, maar het voldoet. De politie had het vandaag al eerder over jullie gehad. Ze zeiden dat jullie net weg waren bij het wetenschapsmuseum en voor ondervraging naar het bureau moesten. Jullie hebben niet stilgezeten.'

'Ik ben blij dat je ons hebt gevonden,' zei Rens. 'Het zag er niet best voor ons uit.'

'Ik vind het vreselijk dat ik er niet eerder was,' zei Molenweer en de spijt was van zijn gezicht af te lezen. 'Vijf minuten eerder en ik had jullie die ontmoeting bespaard, en mezelf de zorgen. Ik zat vast, jammer genoeg, want anders had ik jullie in de haven van Lissabon opgewacht. Het maakte het er ook niet makkelijker op dat jullie zo afschuwelijk slim zijn. Jullie weten niet half hoe ongerust ik was toen jullie in Naardrecht niet uit de trein stapten.'

De kinderen waren allemaal weer overeind gaan zitten. Ze reden door een groezelige buurt vol pakhuizen, vlak bij de haven. In de verte konden ze de Noordzee zien glinsteren.

'Hoe wist je dat we op die trein zaten?' vroeg Rens. 'Hoe wist je überhaupt dat we in Lissabon zaten?'

'Het is mijn werk om alles te weten,' zei Molenweer geheimzinnig. Toen haalde hij zijn schouders op. 'En jullie hebben het dagboek dat meneer Benedict je had gegeven laten liggen.'

'O!' zei Kat. 'Dan is het dus een geluk dat we het zijn vergeten. Ik zei toch dat het goed was, Constance!'

'Dat was het inderdaad,' zei Molenweer. 'Toen ik in het huis van meneer Benedict aankwam, had Ronda jullie briefje al ontdekt en niet lang daarna vonden we het dagboek. Het duurde wel even voordat we de aanwijzingen begrepen en toen we zover waren, was *De Doorsteek* al vertrokken. Ik wist gelukkig dat jullie in goede handen waren bij kapitein Noland en met het vliegtuig was ik eerder in Lissabon dan jullie. Ik maakte me dus pas zorgen toen Joe Shooter – ik bedoel Knoert – me vertelde dat jullie helemaal alleen op het kasteel waren. Ik stond op het punt erheen te racen, toen jij radiocontact maakte, Kat. Ik kon geen wijs worden uit wat je zei, maar te oordelen naar de geluiden op de achtergrond, waren jullie op het station.'

Molenweer schudde zijn hoofd. 'Ik liep jullie net mis. Ik zag jullie trein zelfs vertrekken. Maar op dat moment moest ik met Jenne en Jutte afrekenen. Ja, ze zijn opgepakt,' zei hij, toen de kinderen door elkaar heen begonnen te roepen. 'En we hebben even gebabbeld. Ze zijn vasthoudend, die twee, maar gelukkig ook dom. Ze vertelden me meer dan ze doorhadden, en algauw wist ik dat jullie op die trein niets te vrezen hadden. Dus ook nu weer maakte ik me geen zorgen en nam ik het vliegtuig – de baliemedewerker vertelde me dat jullie naar Naardrecht waren – en kwam ik vóór jullie aan. Ik hield echter geen rekening met jullie eigen behoedzaamheid. Ik had kunnen weten dat jullie op een ander station zouden uitstappen... Ah, dit is prima.'

Molenweer reed de politieauto een pakhuis binnen, dat ondanks de wijd openstaande deuren vrijwel leeg bleek te zijn. Hij zette de motor af en keek de kinderen om beurten aan: eerst Kat, toen de anderen, en toen weer Kat. 'Het is heel dapper wat jullie hebben gedaan,' zei hij langzaam. 'En ik weet dat jullie het vanuit liefde voor onze vrienden hebben gedaan. Maar als jullie het in je hoofd halen zoiets ooit nog eens te doen, dan beloof ik dat jullie wel iets anders aan je hoofd zult hebben dan Tienmannen en stafleden, begrepen?' De uitdrukking op zijn gezicht was onverbiddelijk en in zijn afgemeten woorden klonk ingehouden woede door.

Kat barstte in lachen uit. Molenweers wenkbrauwen schoten omhoog en toen Kat dat zag, moest ze nog harder lachen. 'Molenweer,' zei ze, 'boeven kun je vast de doodsschrik op het lijf jagen, maar als strenge vader ben je niet erg overtuigend.'

'Ze heeft gelijk,' zei Constance. 'Ik zie zo dat je niet echt boos bent.'

Molenweer fronste en keek Rens aan, maar die ontweek zijn blik om hem niet te hoeven teleurstellen, want ook Rens was niet onder de indruk geweest van Molenweers vermanende woorden. Alleen Chip, die driftig op de achterbank zijn bril zat te poetsen, vertoonde de reactie waar Molenweer op had gehoopt. Maar Chip was snel van zijn stuk gebracht en kon niet echt als maatstaf dienen.

'Oké,' zei Molenweer, terwijl zijn gezicht zich weer ontspande. 'Ik heb het in ieder geval geprobeerd.' Hij liet de kinderen uitstappen, liep toen naar de achterkant van de auto, legde de aktetas van de Tienman in de kofferbak en haalde er een grote plunjezak uit. De kinderen, die hem achterna waren gegaan, zagen dat er nog drie aktetassen achterin lagen. Molenweer sloeg de kofferbak dicht.

'Als dit pakhuis verlaten is, waarom staan de deuren dan open?' vroeg Chip.

'Het mechaniek is stuk,' antwoordde Molenweer, terwijl hij iets uit zijn binnenzak haalde. Het leek op een klein legermes en binnen enkele seconden had hij iets met de lier gedaan waardoor de metalen deuren ratelend omlaagkwamen.

Het was nu schemerig in het pakhuis. Alleen door de vuile ramen en het kapotte dakraam viel nog een beetje licht naar binnen. En hoewel het buiten warm was geweest, was het hierbinnen koud, en Constance begon te rillen. Molenweer trok zijn jasje uit en hing het over haar schouders. Het jasje reikte als een mantel tot aan haar voeten.

'Tijd voor een snelle metamorfose,' zei Molenweer en hij pakte zijn plunjezak. 'Een momentje.'

Kat liep hem achterna naar wat eens het kantoortje was geweest. Ze was zo blij om Molenweer weer te zien dat ze hem geen moment uit het oog wilde verliezen. In de auto had ze hem de hele tijd willen omhelzen. Nu zag ze haar kans schoon: ze sloeg haar armen om hem heen en trok hem uit alle macht tegen zich aan. Molenweers gezicht vertrok, maar dat gebeurde bij iedereen die Kat omhelsde, dus besteedde ze er geen aandacht aan. Totdat Molenweer even later een ander hemd aantrok en ze zag dat zijn bovenlichaam vol blauwe plekken en snijwonden zat.

'Wat is er met jou gebeurd?' riep ze geschrokken uit.

'Hm?' Molenweer keek omlaag. 'O, dat. Ik zei toch dat ik was opgepakt, Kattekit? Daarom liep ik jullie in Lissabon mis.'

Kat was ontzet. 'Ik dacht dat je in het verkeer vastzat! Of dat je een top secret bijeenkomst had, of zo!'

'Het was een soort bijeenkomst,' zei Molenweer, terwijl hij zijn hemd over zijn hoofd trok. 'Ik heb de afgelopen tijd massa's bijeenkomsten gehad. Ze verlopen niet allemaal zo soepeltjes als die in het hotel.'

Opeens was Kat bezorgd over Molenweer, iets wat ze zelden was geweest en het was dan ook een heel naar gevoel. Ze voelde zich ook schuldig, want als zij al zo bezorgd was over Molenweer, moest Molenweer minstens zo bezorgd zijn geweest over haar. En waarschijnlijk nog veel bezorgder. Ze was tenslotte zijn dochter.

'Molenweer,' zei Kat, 'het spijt me heel erg dat je je zo veel zorgen om mij hebt moeten maken.'

'Blij te horen dat het niet je bedoeling was,' zei Molenweer met een knipoog. 'Maar toch bedankt voor de verontschuldiging. Ik weet natuurlijk dat je niet voor één gat te vangen bent, Kat, maar vanaf het moment dat ik hoorde dat jullie ervandoor waren heb ik geloof ik nog geen twee uur geslapen. Ik geef toe dat het zijn tol heeft geëist. Ik ben tenslotte Nummer Twee niet.'

Bij die woorden gleed er een schaduw over hun gezichten en Molenweer legde een hand op Kats schouder. 'We halen ze heus wel terug. Maak je geen zorgen.'

Haar vaders woorden waren een onverwachte troost voor Kat, die zich niet had gerealiseerd dat ze wel wat troost kon gebruiken, en het effect was dat ze tranen in haar ogen kreeg. Kat had altijd gedacht dat huilen in orde was als anderen het deden, maar zelf had ze liever niet dat anderen het haar zagen doen, en dus stak ze haar hoofd om de deur van het kantoortje en deed alsof ze wilde weten wat haar vrienden aan het doen waren. (De jongens hadden de kofferbak geopend en onderwierpen de aktetassen aan een snelle inspectie, terwijl Constance op en neer sprong om warm te blijven.) Tegen de tijd dat Kat de tranen uit haar ogen had geknipperd en zich weer naar Molenweer omdraaide, had zijn transformatie zich bijna voltrokken.

Met zijn versleten schoenen, jasje en hoed leek Molenweer in de verste verte niet meer op een geheim agent, maar sprekend op iemand die een slechte slag had geslagen in een winkel met tweedehandskleding. Kat was er steeds weer van onder de indruk hoe hij zijn gereedschap en verdovingspistool onder zijn kleren wist te verbergen. Hij had er eigenlijk bobbeliger uit moeten zien.

Molenweer zette zijn hoed recht. 'Hoe zie ik eruit? Meer als mezelf?'

'Behalve je zwarte haar en bruine ogen,' zei Kat, die hem schattend opnam. 'En je oren zien er kleiner uit. Ze lijken... ik weet niet precies, platter of zo.'

'Ah.' Molenweer trok aan weerszijden van zijn gezicht een strook doorzichtige tape los. Zijn oren veerden terug in hun natuurlijke stand. Toen deed hij de gekleurde contactlenzen uit en stopte ze in een klein kokertje. Met zijn diepblauwe ogen – dezelfde kleur als die van Kat – keek hij zijn dochter aan. 'Beter? Met dat zwarte haar zitten we nog even opgescheept, ben ik bang.'

Kat grinnikte, deels omdat hij er nu meer als haar vader uitzag, en deels omdat ze grote bewondering had voor zijn vermommingen. 'Wilde je op een bepaald iemand lijken?'

'Als ik maar niet op mezelf leek,' antwoordde Molenweer. 'In sommige kringen heb ik een niet zo beste reputatie opgebouwd. Ik heb de impopulaire gewoonte aktetassen te verzamelen die niet van mij zijn. Nu we het er toch over hebben, de jongens zaten hopelijk niet echt met hun vingers aan de aktetassen in de kofferbak?'

Verwonderd dat Molenweer het in de gaten had gehad, stak Kat haar hoofd om de deur en wierp Rens en Chip een waarschuwende blik toe. Ze knikten en probeerden de kofferbak zo geluidloos mogelijk dicht te doen. 'Nu in ieder geval niet.'

'Mooi,' zei Molenweer, terwijl hij de plunjezak oppakte. 'Ik zou niet graag weer een hartig woordje met ze moeten spreken. Ik vind het heel gênant om zo weinig effect te hebben.'

'Jullie verhaal klopt met wat ik van Jenne en Jutte heb gehoord,' zei Molenweer, toen de kinderen alles wat ze hadden ontdekt hadden verteld. 'Mijn indruk is dat Gordijn langs de hele route van meneer Benedict stafleden en Tienmannen heeft neergezet. Ze hebben geen idee waar ze naar moeten uitkijken, want ze weten niet wat meneer Benedict van plan was. Ze letten op alles wat er verdacht uitziet.'

'Meneer Gordijn loste dus gewoon schoten in het donker,' zei Chip. 'In de hoop dat hij iets bruikbaars raakte.'

'En dat deed hij,' zei Molenweer. 'Hij had geluk met deze schemerkruidaffaire. Ik hoef jullie niet te vertellen hoe ernstig dit is. Nu al maken ordehandhavers over de hele wereld zich zenuwachtig over Gordijn, nog los van het schemerkruid. Als hij dat in handen krijgt, als hij hele steden in slaap kan laten vallen –'

'Dat zou een zwarte dag zijn,' zei Rens grimmig.

'Een zwarte nacht, bedoel je,' zei Kat.

Chip deed zijn mond open om te zeggen dat het een totale zonsverduistering zou zijn in combinatie met een abnormaal zwaarbewolkte lucht, maar Constance was hem voor.

'Hou maar op,' zei ze humeurig. 'Hoe zit het met meneer Benedict en Nummer Twee? We hebben alleen morgen nog om ze te vinden!'

'Je hoeft je geen zorgen te maken,' zei Molenweer. 'Ik ben van plan Gordijn te stoppen voordat hij ze iets kan aandoen, én voordat hij erachter is waar die plant groeit. We hebben tijd genoeg, Constance. Ik beloof het je.'

'Hoe weet je dat zo zeker?' wilde Constance weten.

'Op het vliegveld heb ik kunnen bevestigen dat meneer Benedict en Nummer Twee vanuit Lissabon hierheen zijn gevlogen. Er is nergens te vinden dat ze per vliegtuig zijn vertrokken, dus zijn ze waarschijnlijk per boot naar het eiland gegaan. Het feit dat hij jullie het adres van dat watertransportbedrijf heeft gegeven maakt het des te aannemelijker. Het eiland kan niet ver weg zijn. Het moet ergens in de Noordzee liggen.'

'Maar al die zeeën staan in verbinding met elkaar!' riep Constance uit (die na de ontelbare keren dat ze naar haar hanger had zitten staren tot deze conclusie was gekomen). 'Ze kunnen overal heen zijn gevaren! Wie weet zitten ze aan de andere kant van de wereld!' Haar gezicht was vuurrood geworden en ze was volkomen van streek. Molenweer had volgens haar een cruciaal gegeven over het hoofd gezien en als hij het bij het verkeerde eind bleek te hebben, als ze níét genoeg tijd hadden om het eiland te bereiken...

'Daarvoor zijn ze nog niet lang genoeg weg, Constance,' zei Rens vriendelijk. 'Niet elke boot is zo snel als *De Doorsteek*.'

Constance keek hem een ogenblik aan en draaide zich toen naar Chip, die waarschijnlijk alles wist wat er te weten viel over afstanden en schepen en snelheden en wat al niet meer.

'Het is zo,' zei Chip. 'Het eiland kan niet ver weg zijn.'

'Waarom heeft niemand dat dan gezegd?' gromde Constance tegen niemand in het bijzonder, maar ze zag er heel wat opgeluchter uit.

Kat klapte in haar handen. 'Waar wachten we nog op? Op naar de kade.'

'We zijn er bijna,' zei Molenweer. 'Maar ik wil eerst poolshoogte nemen. Ik zal een kijkje nemen vanaf het dak.' Hij liep naar de achterkant van het pakhuis, waar een steile, gammel uitziende trap naar een deur leidde.

'Ik ga mee!' zei Kat en ze haastte zich achter hem aan.

'We gaan allemaal mee,' zei Rens.

Molenweer draaide zich abrupt om en hief waarschuwend een hand. 'Niets daarvan. Die trap kan gevaarlijk zijn. Jullie blijven hier en ik ben binnen een minuut terug. Ik meen het. Hier blijven.' Hij keek hen ernstig aan om te laten zien dat het menens was. Toen ging hij de trap op en verdween door de deur boven in de wand.

De kinderen wachtten totdat de deur weer dicht was en Molenweer zich buiten gehoorsafstand bevond. Toen gingen ze hem achterna.

De gevangene van het boothuis

De deur boven aan de trap kwam uit in een werkruimte. Daarvandaan leidden een ladder en een tweede deur naar een groot plat dak. De kinderen zagen Molenweer aan de rand van het dak door een telescoop kijken, die hij op de rand van het lage muurtje liet rusten.

'Ik geloof dat jullie me niet goed hebben begrepen,' zei hij vlak, zonder hen aan te kijken.

'De trap hield jou, dus we dachten dat hij wel stevig genoeg was,' zei Rens.

Molenweer gromde. 'Onthoud voor de volgende keer maar dat ik licht loop. Neem mij nooit als voorbeeld.'

Rens wist niet zeker of Molenweer hem plaagde of niet. Het zou hem zelfs niet echt verbazen als Molenweer over water bleek te kunnen lopen. 'Nog iets speciaals gezien?'

'Wat ik verwachtte. Wat steigers en boothuizen, een stel zeemeeuwen en een goedgeklede man met een aktetas.'

Kat haalde haar eigen telescoop uit haar emmertje en liet haar blik over de kade dwalen. Boven een van de steigers hing een bord met de tekst: RISKER WATERTRANSPORTEN – ZEETRIPS EN BOTENVERHUUR. Onder het bord stond een Tienman. Hij had zijn aktetas op de grond gezet en hij hield de kade nauwlettend in de gaten. Af en toe draaide hij zich om en wierp een blik op het uiteinde van de steiger, waar een morsig oud jacht naast een boothuis lag afgemeerd.

'Ik vraag me af waarom hij steeds achteromkijkt,' zei Rens, toen Kat hem haar telescoop had gegeven en had laten zien waar hij moest kijken. 'Als hij alleen maar staat te wachten of er iemand komt opdagen, dan hoeft hij het boothuis toch niet in de gaten te houden? Trouwens, het is ook raar dat hij daar open en bloot staat, tenzij –'

'Tenzij hij de uitgang bewaakt,' zei Molenweer. 'Precies. Hij houdt die man gevangen in het boothuis.'

'Welke man?' vroeg Rens. Het boothuis had een raam, maar vanaf deze kant kon hij er niet doorheen kijken.

'Hij kwam een minuut geleden naar buiten – vlak voordat jullie allemaal zo schandelijk ongehoorzaam waren – en pakte een doos die daar was neergezet. Hij keek naar de Tienman alsof hij hem wel kon wurgen. Maar toen de Tienman omkeek, dook hij als een angstige muis het boothuis weer in.'

'Dus wat doen we?' vroeg Chip.

'Ik weet het,' zei Kat. Ze stootte Molenweer aan en wees op een ander pakhuis, dat dichter bij de steiger stond. 'Daarvandaan kun je de Tienman met je verdovingspistool uitschakelen. Voordat hij er erg in heeft is-ie onder zeil.'

Molenweer schudde zijn hoofd. 'Zo simpel zal het niet gaan. Zie je hoe dicht hij bij de rand staat? Ik kan het risico niet nemen dat hij in het water valt en verdrinkt.'

Kat keek Molenweer verbijsterd aan. 'Weet je wel wat je zegt? Die mannen zijn monsters! Het zou zijn verdiende loon zijn als hij in het water viel!'

'Dat denk je nu misschien,' zei Molenweer. 'Maar je zou je heel anders voelen als het echt gebeurde en jij er verantwoordelijk voor was. Wij zijn niet zoals zij, Kat. Dat is precies waarom we ze proberen tegen te houden.'

'Ik weet ook wel dat wij niet zo zijn,' zei Kat geïrriteerd. Ze wilde ertegen ingaan, maar ze wist dat het verspilde moeite was.

Constance gaf zich echter niet zo snel gewonnen. Met haar schrilste stemmetje zei ze: 'Dus je laat ze gewoon lopen? Net als die kerels in het hotel?'

Molenweer wreef over zijn slapen en legde zo geduldig mogelijk uit dat hij de autoriteiten al op de hoogte had gebracht van de aanwezigheid van de Tienmannen in Naardrecht. 'Ik verzeker je dat de agenten bij het hotel hun ogen open zullen houden. Ik laat ze niet "gewoon lopen". Maar ik wil ook niet riskeren dat ik iemand dood – ook al is het een Tienman – als er nog een andere optie is.'

'Wat is die andere optie dan?' wilde Kat weten.

'Daarover ben ik nog aan het nadenken,' bekende Molenweer. 'Ik zou hem kunnen weglokken, het liefst naar een plek waar ik in het voordeel ben, maar dan zou de gevangene van de gelegenheid gebruik kunnen maken om te ontsnappen. En dat kan ik niet laten gebeuren. Hij zou wel eens cruciale informatie kunnen hebben.'

'Dat is makkelijk opgelost,' zei Rens. 'Jij lokt de Tienman weg en wij gaan naar beneden om met de gevangene te praten.'

'Uitgesloten,' zei Molenweer. 'Ik betrek jullie niet bij deze operatie. Einde discussie.'

Dit was echter het begin van de discussie, want de kinderen begonnen Molenweer onmiddellijk met argumenten te bestoken. Ze achtervolgden hem over het dak, dromden om hem heen en zeurden aan zijn hoofd als honingbijen om een beer. Als de Tienman eenmaal weg was, zei Rens, was het gevaar geweken. De tijd tikte door en elke minuut telde, zei Kat. Als hij het hen niet liet doen, zouden ze ter plekke dood neervallen en dat zou Molenweers schuld zijn, zei Constance (die niets beters wist te verzinnen). Ze zouden iemand op de uitkijk zetten, zei Chip, en als er iets fout ging, zouden ze er meteen vandoor gaan. En ze zeiden nog veel meer, meestal tegelijkertijd en met stemverheffing om boven de anderen uit te komen.

'Genoeg!' riep Molenweer uiteindelijk en hij pakte zijn hoofd beet alsof het met een knuppel was bewerkt. 'We zullen een compromis sluiten. Jullie mogen je beneden verschuilen en het boothuis in de gaten houden. Maar jullie komen onder geen beding uit je schuilplaats, tenzij de gevangene tevoorschijn komt en ervandoor lijkt te willen gaan. Dan, en uitsluitend dan, mogen jullie uit je schuilplaats komen en met hem praten. Begrepen?'

De kinderen zwoeren dat ze het begrepen hadden. En dat was ook zo. Ze begrepen dat als er iets verkeerd zou gaan met Molenweers plan – als de Tienman ontsnapte of om versterking vroeg – ze misschien nooit meer de kans zouden krijgen om met de man in het boothuis te praten. En dat zou noodlottige gevolgen kunnen hebben voor meneer Benedict en Nummer Twee. Dus, hoewel ze begrepen dat het Molenweers plicht was om hun veiligheid te garanderen, begrepen ze ook dat hun eigen plicht vereiste dat ze hem niet gehoorzaamden.

Ondertussen was het gaan regenen, met dikke druppels die zo verspreid vielen dat je ze bijna kon tellen. Het was nog maar halverwege de middag, maar de lucht was zo zwart geworden dat alle wandelaars langs de haven zich uit de voeten hadden gemaakt voor de stortbui, die volgens Constance niet zou losbreken. De kinderen stonden op een kluitje onder de luifel van een opgeheven souvenirwinkel. Molenweer bevond zich aan de achterkant, waar hij het slot probeerde te openen. Een eindje verderop stond nog steeds de Tienman, ongevoelig voor de regen.

Rens keek naar het grauwe, door de regendruppels onrustig rimpelende wateroppervlak, dat een volmaakte weerspiegeling was van zijn stemming. Wachten is nooit makkelijk en helemaal niet vlak voor een gevaarlijke opdracht. Voordat je het weet ga je zitten piekeren, en Rens had heel wat om over te piekeren. Het was al een hele worsteling om zijn hoofd helder te houden en de moed niet te verliezen, maar toen hij zag hoe blij Kat was dat Molenweer er weer was, werd hij ook nog eens overvallen door een pijnlijke aanval van heimwee. Rens miste mevrouw Perumals ironische glimlachje, haar plagerijtjes, de omhelzingen van haar en Pati. En hij miste het gevoel veilig thuis te zijn, een gevoel waar hij zich de meeste dagen niet van bewust was, dat hij vanzelfsprekend was gaan vinden. Hij hoopte dat hij het heel snel weer wel vanzelfsprekend zou vinden!

Chip staarde toevallig ook over het water en net als Rens was hij, om ongeveer dezelfde redenen, zowel weemoedig als zenuwachtig. Het was een van die zeldzame momenten dat twee mensen precies hetzelfde voelden, en op de een of andere manier waren de jongens zich hiervan bewust. Toen ze zich bij het horen van de voordeur die openging omdraaiden en hun blikken elkaar kruisten, glimlachten ze (hoe mistroostig ook) en knikten kort als teken van wederzijds begrip en waardering. Als ze dan angst en heimwee moesten voelen, dan voelden ze het in ieder geval samen.

Molenweer deed een stap opzij om hen binnen te laten. Kat stoof meteen de winkel in, maar de anderen moesten zich eerst herstellen van de verrassing, want ze herkenden Molenweer nauwelijks. Hij leek veel kleiner, zijn gezicht zag er onder de verfomfaaide visserspet vreemd opgeblazen uit en toen hij grijnsde glinsterden hun twee gouden tanden tegemoet. Onder minder nijpende omstandigheden zou hij zijn bedolven onder de vragen over zijn nieuwe vermomming, maar nu schuifelden de kinderen stilletjes de lege winkel in. Kat stond al bij het raam en opende de stoffige zonwering een paar centimeter om er met haar telescoop doorheen te kunnen kijken.

'Dit lukt zo wel,' zei ze. 'Van hieruit kan ik de hele steiger overzien.'

'Mooi. Luister,' zei Molenweer, 'zelfs als de gevangene ervandoor probeert te gaan, mogen jullie dit pand niet verlaten als de Tienman en ik nog in het zicht zijn, want in dat geval handel ik het zelf af. Ik doe het liever niet, maar zolang ik me geen zorgen over jullie hoef te maken kan ik de situatie wel aan.'

'We snappen het, Molenweer,' zei Kat, die maar al te goed wist hoe naar het was om je zorgen te maken over iemand van wie je hield. Ze begon zich zelf ook zorgen te maken over haar vader die een gevaarlijke confrontatie tegemoet ging.

'Goed, ik ga,' zei Molenweer. Rens, Chip en Constance wensten hem succes en Kat omhelsde hem (minder stevig dan de vorige keer – ze hield rekening met zijn verwondingen – maar niet minder hartstochtelijk) totdat Molenweer zich uiteindelijk uit haar armen bevrijdde. Hij kneep in haar kin en liep naar buiten.

Met de anderen op haar hielen, rende Kat naar het raam en stak haar telescoop door de zonwering. Molenweer liep langzaam over de kade. De Tienman had hem al opgemerkt en pakte met zijn ene hand zijn aktetas op en liet zijn andere hand in zijn jaszak glijden. Kat kon niet zien of Molenweer iets tegen hem zei of hem een geheim signaal gaf, maar terwijl hij langsliep, keek de Tienman hem onderzoekend aan, en hij bleef Molenweer met zijn ogen volgen toen hij voorbij was.

Molenweer liep door. De Tienman keek fronsend naar het boothuis. Hij wierp een blik op zijn ene horloge... en op zijn andere horloge... en haalde toen, met een razendsnelle beweging die Kat bijna was ontgaan, iets uit zijn aktetas en liet het in zijn jaszak glijden.

'Wat was dat?' riep Chip verschrikt uit. Hij had zich naast Kat voor het raam gewurmd en volgde het tafereel zonder telescoop.

'Ik kon het niet zien,' zei Kat. Haar hart bonkte in haar oren.

Na een laatste blik op het boothuis te hebben geworpen, liep de Tienman de kade op. Molenweer, die ondertussen aan het eind van de kade was gekomen, zette koers naar een paar bijgebouwtjes. De stappen van de Tienman waren echter twee keer zo groot en tegen de tijd dat Molenweer achter de bijgebouwtjes verdween, was de Tienman hem tot op een meter of twintig genaderd. De Tienman bleef abrupt staan en tuurde naar de gebouwtjes waarachter Molenweer was verdwenen. Toen draaide hij zich spoorslags om en nam een andere route, zodat hij de gebouwtjes vanaf de andere kant kon benaderen.

Kat liet bijna haar telescoop vallen. 'Hij gaat Molenweer besluipen! Hij gaat de andere kant uit! Ik moet hem waarschuwen!' Ze wilde al naar buiten rennen, maar Rens stond pal achter haar, anders had hij haar nooit kunnen tegenhouden. Hij sloeg zijn armen om haar heen en hield haar zo stevig mogelijk vast.

'Stop, Kat, je weet niet wat Molenweer van plan is! Misschien verwachtte hij wel dat die vent zo zou reageren! Zo meteen gooi je zijn plannen in de war! Je –'

Kat had zich al uit zijn greep bevrijd (Rens had geen idee hoe het kwam, maar opeens lag hij met lege armen op de grond) en was al bijna bij de deur, toen zijn woorden tot haar doordrongen en ze bleef staan. Hij had natuurlijk gelijk. Ze had geen idee hoe Molenweer te werk ging. In haar poging hem te helpen, zou ze hem in gevaar kunnen brengen. Hoe moeilijk het ook was, ze zou er simpelweg op moeten vertrouwen dat Molenweer voor zichzelf kon zorgen.

'Je hebt gelijk,' zei Kat en ze zuchtte berustend. Ze liep snel naar Rens en hielp hem overeind, maar toen ze zijn kleren wilde afstoffen, protesteerde hij. 'Echt niet? Alles in orde? Oké, dan gaan we.'

Kat nam Constance op haar rug en ging de jongens over de kade en de lange steiger voor naar het boothuis. Molenweer en de Tienman waren nergens meer te bekennen. Kat stormde door de deur naar binnen en bleef toen abrupt staan. Ze stak een arm uit om te voorkomen dat de jongens (die minder goed waren in abrupt blijven staan) in de rechthoek met water vielen die het grootste deel van het boothuis besloeg. De kinderen keken snel om zich heen. Ze zagen geen boten in het boothuis, alleen maar groezelig water en aan drie zijden een vlonder. Aan een tafel tegen de dichtstbijzijnde muur zat een verbijsterd opkijkende man die een piramide van blikjes zat te bouwen.

'Wat moet dat verdomme hier?' riep hij uit, terwijl hij overeindsprong en zijn piramide omvergooide. De gevangene van het boothuis was een man met afhangende schouders en een kogelrond gezicht, dat bedekt was met donkere stoppels. Zijn zwarte haar met strepen grijs erin hing in vettige pieken voor zijn ogen. Hij droeg smerige visserskleren. Hij had zich duidelijk al een aantal dagen niet gewassen.

'We zijn vrienden,' zei Rens, terwijl Chip de deur sloot en Kat zich met haar telescoop bij het raam installeerde.

'Vrienden? Laat me niet lachen! Als die gluipkop jullie heeft binnengelaten, weet ik zeker dat jullie mijn vrienden niet zijn.'

'Dat heeft hij niet,' zei Rens. 'We zijn stiekem binnengeslopen.'

De rooddoorlopen ogen van de man sperden zich open. Hij schoof Rens opzij – en duwde hem bijna het water in – en liep naar het raam waar hij over Kats schouder naar buiten keek. 'Dus hij is weg?'

'Onze vriend heeft hem weggelokt, zodat wij met u konden praten,' legde Rens uit. 'Maakt u zich maar geen zorgen, die man zal u niet meer lastigvallen. Daar zorgt onze vriend wel voor.'

De man keek achterom en nam Rens van top tot teen op. Hij snoof verachtelijk en keek weer uit het raam. 'Jullie vriend, hè? Jammer dan voor jullie vriend, wie hij ook mag zijn. Die gaat nog raar opkijken.'

Hoofdschuddend en in zichzelf mompelend begon de man te ijsberen. 'Maar als het klopt wat die jongen zegt, dan is nu misschien het moment... maar het kan nooit lang duren, dat kun je op je vingers natellen, en als hij je snapt terwijl je...' Hij ging met zijn vingers door zijn vettige haar en vloekte gefrustreerd. 'Nee Risker, ouwe jongen, je kunt maar beter op safe spelen. Geef het een paar minuutjes. Ja, drie minuutjes, misschien vier...' Hij keek weer over Kats schouder naar buiten.

'Meneer Risker,' zei Rens, 'wilt u alstublieft even luisteren? U zult snel genoeg merken dat alles in orde is. We zijn vrienden van Nico –'

'Benedict,' zei Risker en hij wuifde ongeduldig met zijn hand. 'Ik weet heus wel wie jullie zijn. Het duurde gewoon even voordat het muntje viel. Ik verwachtte geen stel kinderen, dat is alles. Plus dat jullie maar met z'n vieren zijn, terwijl er voor een overtocht van zes personen is betaald.'

'Heeft meneer Benedict onze overtocht betaald?' vroeg Constance. 'Waarheen?'

'Naar dat verdomde eiland van hem! Dezelfde plek als waar ik hem en die vrouw naartoe heb gebracht!' Risker draaide zich van het raam af en keek Constance kwaad aan. Hij leek het prettig te vinden om iemand kwaad aan te kunnen kijken. 'Een en al bevelen, die gestoorde vent. "Breng ze hierheen. Zeg ze dit, zeg ze dat. Aan niemand vertellen. Je zult er geen spijt van hebben." Blablabla.'

'Wat heb jij?' wilde Constance weten.

'Wat ik héb?' snauwde Risker haar toe. 'Sinds ik terug ben heb ik niets dan ellende! Ik wou dat ik die Benedict nooit had ontmoet, dat kan ik je wel zeggen. En als jullie met díé daar kennis hebben gemaakt' – hij gebaarde met zijn duim in de richting van de plek waar de Tienman op wacht had gestaan – 'dan zul je snel genoeg hetzelfde wensen.'

Rens begon heel kwaad te worden. 'Heeft meneer Benedict beloofd u nog meer geld te geven als we eenmaal veilig waren aangekomen?'

'Niet genoeg voor dit!' sneerde Risker. Hij wees naar de lege rechthoek tussen de vlonders. 'Al mijn huurboten zijn gezonken in zes meter diep water! De motor van mijn jacht is onklaar gemaakt! En hier zit ik dan, zonder werk, gevangen in mijn eigen boothuis met niets dan soep en bonen te eten!' In een vlaag van razernij veegde Risker de blikken van tafel. Ze rolden met veel kabaal over de planken en plonsden het water in.

Rens probeerde zijn woede de baas te blijven. Deze man was er duidelijk niet best aan toe en het zou de situatie alleen maar verergeren als hij kwaad op hem werd. 'Het spijt ons heel erg van uw moeilijkheden,' zei Rens zo kalm mogelijk. 'Maar het zal nu beter gaan en we hebben echt uw hulp nodig. Onze vrienden zijn in gevaar en –'

'Dan zijn ze niet de enigen,' zei Risker schamper. Hij tuurde uit het raam en keek reikhalzend eerst de ene en toen de andere kant uit. 'Nog twee minuten en dan ga ik ervandoor.'

'Maar we willen alleen maar informatie!' zei Rens. 'Vertel ons gewoon waar het eiland ligt en wat meneer Benedict u heeft verteld. Dan laten we u met rust. Is dat zo ingewikkeld?'

'Ga jij me nou niet staan afsnauwen! Heb je enig idee wat ik allemaal heb doorgemaakt? De laatste keer dat ik iemand die informatie gaf, werd ik geëlektrocuteerd en bedrogen op de koop toe! "Een grote beloning", zeiden ze, maar heb ik er ooit iets van gezien? Dít is mijn beloning, knul!' Risker zwaaide met zijn armen om zich heen naar het boothuis dat zijn gevangenis was geworden. Terwijl hij zo stond te zwaaien, leek de woede te verdampen. Zijn gezicht werd weer bedrukt, zijn schouders zakten omlaag en hij ging weer mompelend uit het raam staan staren. 'Heb nog een hele tijd standgehouden. Zelfs met die schokkers. Ik heb standgehouden.'

Rens moest zich op zijn lippen bijten. Het was duidelijk dat Risker zich schaamde, maar hij was een van die mensen bij wie schaamte omsloeg in woede en verbittering. Eén verkeerd woord en hij zou nog harder in de verdediging schieten. Rens probeerde de juiste woorden te vinden...

'Dus je hebt ze verraden,' zei Kat, terwijl ze de groezelige man over haar schouder aankeek. 'Waarom maak je het nu niet goed door ons te vertellen wat we willen weten? Dan hoef je je niet meer zo slecht te voelen omdat je een verrader bent.'

Risker staarde haar trillend van woede met uitpuilende ogen aan. 'Ik vertel jullie niets!' schreeuwde hij. Deze keer werd hij zo razend dat hij zijn tafel omvergooide, die ondersteboven in het water terechtkwam en naar de andere kant dreef. Risker keek de kinderen om beurten aan en zijn borstkas ging zwaar op en neer. Hij schudde zijn hoofd en liep naar de deur. 'Nee... nee, ik ga me niet druk maken om jullie. Dit is mijn kans en ik grijp hem. Jullie en je vriend kunnen wachten. Ik ga ervandoor en een knappe jongen die –'

'Laten we het eens zo proberen,' zei Rens en hij haalde iets uit zijn broekzak tevoorschijn. 'Risker, wil je dit hebben of niet?'

Risker bleef als aan de grond genageld staan en staarde sprakeloos naar Rens' uitgestrekte hand, waarin een grote glinsterende diamant lag. Zelfs in het sombere boothuis schitterde de diamant als een ster.

Chip hapte naar adem en sloeg ongelovig zijn handen tegen zijn hoofd. 'Waar heb je die vandaan, Rens?'

'Van kapitein Noland gekregen,' zei Constance met een blik van verstandhouding.

Kats mond ging open en dicht van geschokte verontwaardiging. 'Rens!' zei ze uiteindelijk streng. 'Die kun je niet weggeven! Hij is niet van jou!'

'Misschien geef ik hem weg en misschien ook niet,' zei Rens, terwijl hij Riskers gezicht in de gaten hield. De reacties van de kinderen waren de man niet ontgaan en met glinsterende ogen keek hij gretig naar de fonkelende steen. Hij deed een stap naar voren, maar Rens deed een stap terug, en met zijn ogen strak op die van Risker gericht hield hij de diamant boven het water.

'Vertel ons wat je weet,' zei hij resoluut, 'en hij is van jou. Aarzel vijf seconden en ik laat hem in het water vallen. De keus is aan jou.'

Risker was van zijn stuk gebracht. 'Nee! Je gaat toch niet... Is hij echt?'

'Natuurlijk is hij echt,' zei Rens en zijn stem liet geen ruimte voor twijfel. 'Ik begin nu te tellen. Eén...'

'Wacht!' riep Risker. 'Niet zo haastig, knul! Ik zie dat het je menens is. Hij is echt en ik krijg hem als ik jullie alles vertel, ja toch? Hebben we een deal?'

Rens knikte.

'Goed dan! Mij best. Er valt trouwens toch niet veel te vertellen. Waarom doe je niet eerst een stapje bij het water vandaan? Een ongeluk zit in een klein hoekje, nietwaar? Je wilt toch niet dat-ie toevallig –'

'Drie...' zei Rens. 'Vier...'

'Ik moest jullie naar het eiland brengen en een boodschap doorgeven!' zei Risker snel. 'Ik kan jullie er nu natuurlijk niet heen brengen, maar ik kan wel zeggen waar het ligt. Ik kan jullie precies vertellen waar je moet aanleggen – waar ik jullie vrienden heb afgezet – en de boodschap is als volgt: "Volg de wind." Dat is alles, ik zweer het. "Volg de wind." Voor de rest zijn het maar bijkomstigheden.'

'Ik ben toevallig dol op bijkomstigheden,' zei Rens. 'Teken nu maar een plattegrond.'

'Ik heb niets om mee te tekenen.'

Kat haalde potlood en papier uit haar emmertje, en haastte zich toen weer terug naar het raam. Naar haar bezorgde gezicht te oordelen vond ze dat het al veel te lang had geduurd.

Risker maakte een ruwe schets. 'Ik zet er de lengte- en breedtegraad bij en ik kan het oostelijke deel van het eiland uittekenen zoals ik het heb gezien, maar ik ben nooit aan land gegaan. Ik heb ze geholpen met uitladen – ze hadden genoeg bij zich voor jullie allemaal – en ben toen vertrokken. Ik weet er verder niets van.'

'Dat is een goed begin,' zei Rens. 'En nu graag de bijkomstigheden, en snel. Over niet te lange tijd komt er iemand hierheen, de man in het pak of onze vriend. Wie het ook wordt, ik zou maar een beetje doorpraten.'

En dat deed Risker. Hun vrienden, zei hij, waren een paar dagen eerder langsgekomen. Na een lang gesprek (waarin Risker de indruk kreeg dat hij werd getaxeerd) had meneer Benedict hem gevraagd hen naar het eiland te brengen en hadden ze zaken gedaan. Risker zou meneer Benedict en Nummer Twee erheen brengen, dan teruggaan en op meneer Benedicts vrienden wachten. Hij zou zijn jacht voor hen reserveren en het met niemand over de overtocht of het eiland hebben. Als alles naar wens verliep, zou meneer Benedict hem later nog een bedrag geven. Risker dacht dat het een fluitje van een cent was. Wat hij niet kon weten was dat de mannen met de aktetassen zouden aankloppen.

Ze hadden een jonge vrouw bij zich, zei Risker (uit zijn beschrijving begrepen de kinderen dat het Martina Krauw was) en hun vragen over meneer Benedict waren zo vriendelijk en beleefd dat hij het eiland al had genoemd voordat hij in de gaten kreeg dat ze meneer Benedicts vrienden helemaal niet waren. Maar toen was het te laat. Ze wisten dat hij wist wat zij wilden weten.

'Ze moeten een eigen boot hebben gehad,' zei Risker. 'Ze hadden mijn jacht kunnen nemen. Maar dat hebben ze gesaboteerd en laten liggen, om geen wantrouwen te wekken bij de havenmeester. En als er iemand bij de steiger komt, poeiert die gluipkop ze af. Hij vertelt ze dat ik ziek ben, en dat is zo langzamerhand niet ver meer van de waarheid, dat kan ik je wel vertellen.'

Het werd Rens duidelijk hoe de vork in de steel zat. Meneer Benedict had besloten dat Risker te vertrouwen was, maar hij wist niet dat hij en Nummer Twee werden gevolgd. Hij had dus niet geweten dat de man in zo'n vreselijke situatie terecht zou komen.

'Maar ik heb ze niet alles verteld,' vervolgde Risker. 'Over die boodschap over de wind heb ik niets gezegd. Ze hebben er niet naar gevraagd, dus dat heb ik in ieder geval voor ze verborgen gehouden,' zei hij, waarna hij de Tienman hartgrondig vervloekte.

'Nog een laatste ding,' zei Rens, die net als Kat heel zenuwachtig werd omdat Molenweer zo lang wegbleef. 'Waarom kwam meneer Benedict hierheen? De kade ligt vol met boten die je kunt huren. Waarom koos hij speciaal jou uit? Gaf hij een reden?'

Riskers ogen vernauwden zich. 'Ben jij er soms eentje van Benedict? Je lijkt namelijk nogal op 'm.' Hij tikte met een vinger op zijn voorhoofd. 'Hiero, bedoel ik.' Toen Rens niet antwoordde (het leek hem beter om maar zo ondoorgrondelijk mogelijk te blijven), haalde Risker zijn schouders op en zei: 'Hij koos mij omdat we iets gemeenschappelijk hadden, zei hij. Eerst dacht ik dat hij bedoelde dat we alle twee hier geboren waren, maar ergens anders waren opgegroeid.'

'Maar dat bedoelde hij niet,' reageerde Rens onmiddellijk.

'Nee, hij zei dat zijn ouders bevriend waren met mijn grootvader, Hans de Reyseker. Dat was mijn familienaam – De Reyseker. Ik heb jaren geleden mijn naam veranderd in Risker. Die Benedict van jou had het gevoel dat hij mijn grootvader iets verschuldigd was, zei hij, en hij wilde mij bij wijze van compensatie aan wat werk helpen. Meer wilde hij niet zeggen, maar dat maakte me niet uit. Ik was blij met de opdracht. En dat is het.'

Chip en Constance keken heen en weer van Rens naar Risker, die steeds gespannener naar Rens' hand boven het water keek. Rens knikte tevreden en na een laatste afkerige blik op de diamant te hebben geworpen, gooide hij hem naar Risker.

Risker was van zijn stuk gebracht, hij had niet verwacht dat Rens met zoiets waardevols zou gooien. Zijn ogen puilden uit en met een onhandige beweging graaide hij naar de diamant die door de lucht vloog. Die glipte tussen zijn vingers door en stuiterde over de planken in de richting van het water. 'Nee!' riep hij uit en hij dook de diamant achterna. Een tel later was hij in het water gevallen. En nog een tel later was hij onder water verdwenen.

Wild met zijn armen en benen spartelend kwam hij boven water. 'Help!' riep Risker naar adem snakkend. 'Ik kan niet zwemmen!'

In één snelle, soepele beweging haalde Kat het touw uit haar emmertje en gooide het uiteinde naar Risker. 'Pak beet, Risker! Pak het touw!' Met een verwilderde blik in zijn ogen graaide Risker naar het touw en klampte zich er wanhopig aan vast. Kat trok hem naar de kant en met veel moeite hees hij zichzelf hijgend en vloekend op het droge.

'Ik vroeg me al af waarom je niet gewoon was weggezwommen,' zei Kat, terwijl ze haar touw oprolde. 'Maar nu snap ik het.'

Risker kwam druipend overeind. Zijn borst ging zwaar op en neer, zijn benen trilden en hij zag er volslagen verward uit. Hij wilde Rens ervanlangs geven omdat hij zo roekeloos met de diamant was omgesprongen, maar nu Kat zijn leven had gered kon hij moeilijk haar compagnon afranselen. Nog narillend keek hij naar het water dat hem bijna verzwolgen had. Hij fronste, veegde het water uit zijn gezicht, knipperde een paar keer met zijn ogen, en keek weer.

Daar dreef de glinsterende steen, dobberend op het water als een miniatuurijsschots.

'Maar dat is helemaal geen diamant!' riep Risker uit. 'Een diamant drijft niet!'

'Nee maar!' zei Rens, die zijn mening over kapitein Noland zojuist iets had bijgesteld. 'Hij is nep!'

'Maar je zei dat hij echt was!' gromde Risker.

'Echt ja, maar ik heb nooit gezegd dat het een echte diamánt was. Ik had geen idee of het een echte diamant was of niet.'

Riskers mond viel open. Chip en Kat staarden Rens verbijsterd aan.

Maar Constance sloeg haar ogen ten hemel. 'Ik weet niet wat het belachelijkst is,' zei ze. 'Dat je niet wist of hij echt was, of dat je hem zonder het te weten ging weggeven.'

'Het is toch niet belachelijk om meneer Benedict en Nummer Twee te willen redden?' vroeg Rens. Met een zenuwachtige blik op Risker zei hij gehaast: 'Laten we gaan. We zijn hier al veel te lang. Ik weet niet waar Molenweer blijft, maar –'

Bij die woorden betrok Kats gezicht en ze sprintte weer naar het raam. Rens wilde naar de anderen toe lopen, die al bij de deur stonden. Hij had al een groot risico genomen met Risker (die hem nog steeds met stomheid geslagen aanstaarde) en hij wilde zo snel mogelijk het boothuis uit, voordat de man hem kon –

Te laat. Risker schoot naar voren en greep Rens bij zijn arm. 'Ik hou er niet van om in de maling genomen te worden, jongeman!' snauwde hij hem toe met een van razernij vertrokken gezicht. 'Misschien wil je zelf voelen hoe het is om daar rond te spartelen terwijl iedereen toekijkt. Misschien vind je jezelf dan niet meer zo slim!'

'Voordat je overhaaste beslissingen neemt, moet je misschien even naar buiten kijken,' zei Kat met een grijns op haar gezicht. Ze had zojuist gezien dat Molenweer met grote stappen op het boothuis af kwam lopen, met een aktetas in zijn hand. Toen Risker uit het raam tuurde, voegde ze eraan toe: 'Hij is een van ons. We hebben toch gezegd dat hij met die Tienman zou afrekenen.'

Riskers woede en verontwaardiging leken als sneeuw voor de zon te verdwijnen. 'Da's geen slechte ruil,' zei hij binnensmonds. Hij liet Rens' arm los, draaide zich om en leunde uitgeput tegen de muur. 'Jullie hebben mij van die gluipkop bevrijd.'

'Plus dat Kat je van de verdrinkingsdood heeft gered,' liet Constance hem weten.

'Dat is zo,' zei Risker, en na een poosje te hebben nagedacht, voegde hij eraan toe: 'Maar dan nog staan we quitte.'

Volg de wind

Vergeleken bij de hoofdpijn die de kinderen Molenweer eerder hadden bezorgd, was wat hij nu ervoer zoiets als een griep in combinatie met kiespijn, en voor de goede orde ook nog kaakkramp en de bof. Met ander woorden: Molenweer leed. Niet alleen waren de kinderen ongehoorzaam geweest, ze draaiden er ook nog eens hun hand niet voor om dat net zo vaak te doen als zij nodig vonden.

Molenweer was ten einde raad. Hij had maar weinig ervaring als vader, nog minder als oppasser van kinderen die niet van hem waren, en hij was zich er terdege van bewust dat hij tekortschoot. Om eerlijk te zijn zouden niet veel ouders weten wat ze moesten doen. Niet in deze situatie. Niet met deze kinderen.

Nadat ze hem hadden verteld wat ze van Risker te weten waren gekomen (die halsoverkop naar huis was gegaan voor een warme maaltijd en droge kleren), zei Molenweer dat hij ervoor zou zorgen dat ze veilig naar Steenstad konden terugkeren. Hij zou alleen naar het eiland gaan, zei hij. Maar de kinderen hadden geprotesteerd. En nog meer geprotesteerd. En waren niet opgehouden met protesteren.

Het probleem was dat hij het deels met hen eens was. Als team hadden ze waarschijnlijk betere kansen dan Molenweer in zijn eentje om de raadsels en aanwijzingen te ontcijferen die meneer Benedict achtergelaten kon hebben – en wie wist hoeveel het er nog zouden zijn – vooral omdat meneer Benedict ze met de kinderen in gedachten had verzonnen.

'Als je ons niet meeneemt,' zei Kat, 'vinden we wel een andere manier om er te komen. En vanuit vaderlijk gezichtspunt beschouwd kun je ons het best dicht bij je houden, zodat je ons kunt beschermen.'

Molenweer sloot zijn ogen en begon met zijn hoofd tegen de wand van het boothuis te bonken.

'Niet dat we graag nog een Tienman zouden ontmoeten,' haastte Rens zich eraan toe te voegen. 'En meneer Gordijn nog minder. Ik zou die man graag nooit meer zien. We willen gewoon zorgen dat jij meneer Benedict en Nummer Twee kunt redden voordat het te laat is.'

'En dat is morgen,' zei Chip. 'Morgen is het te laat.'

'Alsjeblieft, Molenweer,' zei Constance, die zo zelden 'alsjeblieft' zei, dat Molenweer helemaal van slag raakte toen hij het uit haar mond hoorde komen. 'Alsjeblieft, je móét ons meenemen. Met ons erbij maken meneer Benedict en Nummer Twee de meeste kans!'

'Maar hoe kan ik jullie nog vertrouwen?' riep Molenweer getergd uit. 'Hoe weet ik dat jullie doen wat ik zeg? Dat is de enige manier om te zorgen dat jullie veilig zijn. En dat is mijn eerste prioriteit: zorgen dat jullie veilig zijn. Niet alleen Kat, maar jullie allemaal.'

'We zullen het plechtig beloven,' zei Rens. 'Als we mee mogen, beloven we dat we zullen gehoorzamen.' Hij keek de anderen aan. 'Ja toch? We beloven het echt.'

'Als jij belooft dat je ons niet buitensluit,' zei Kat tegen Molenweer. 'Als er geen direct gevaar is en we kunnen je helpen, moet je ons de kans geven. Als jij dat belooft, beloof ik je te gehoorzamen.'

'Wat ik ook wil dat jullie doen?' vroeg Molenweer ongelovig.

'Wat je ook wilt,' zeiden de kinderen in koor.

Molenweer bestudeerde hun gezichten. 'En als ik jullie beveel om overal mee te stoppen, je op de grond te laten vallen en te doen alsof je een varken bent?'

'Dan zullen we wroetend op zoek gaan naar wortels,' zei Rens.

'We zullen knorren en stinken,' zei Constance.

'Bedoel je een wild of een gedomesticeerd varken?' vroeg Chip. 'Want hun gedragspatroon verschilt namelijk aanmerkelijk...' Zijn stem stierf weg. Molenweer keek hem strak aan. Chip schraapte zijn keel. 'Niet dat ik het op dat moment zou vragen. Dan zou ik het te druk hebben met scharrelen en knorren.'

Molenweer bleef hen strak aankijken, en niet alleen Chip. Hij ging de hele rij langs en keek hen een voor een diep in hun ogen, totdat hij ervan overtuigd was dat ze echt van plan waren te gehoorzamen. 'Beloof het.'

'We beloven het,' zeiden de kinderen in koor.

Molenweer zette zijn hoed af en wreef over zijn hoofd. Op de een of andere manier voelde het verkeerd om ermee akkoord te gaan, maar hij vermoedde dat het precies zo zou voelen als hij er niet mee akkoord ging. En zoals Kat al had gezegd, zou hij in ieder geval een oogje op hen kunnen houden.

'Oké, ik beloof het ook,' zei Molenweer en hij zette zijn hoed weer op. 'Laten we geen tijd meer verspillen. Ik moet een paar telefoontjes plegen om vervoer te regelen. Jullie blijven hier rustig zitten; ik ben zo terug met de brik.'

'De brik' bleek een zilverkleurig watervliegtuigje te zijn. De kinderen hadden een boot verwacht en stonden met open monden voor het boothuis terwijl het toestel over het water kwam aanpruttelen met Molenweer achter de stuurknuppel. De zon schitterde op de vleugels, zodat ze hun ogen moesten afschermen. (Constance had gelijk gehad: het was niet gaan stortregenen en de dreigende wolken waren overgewaaid.) Molenweer liet het vliegtuigje op het laatste moment een cirkel beschrijven, zodat de neus naar het open water was gericht. Toen de linkerdrijver zachtjes tegen de steiger aan kwam, gooide Molenweer de deur open en riep dat ze moesten instappen.

'Een vliegtuig?' zei Kat met glinsterende ogen, terwijl ze naar binnen klauterde. 'Heb je een vliegtuig voor ons geregeld?'

'Wat had je dan verwacht. Paard en wagen?' zei Molenweer. 'Het is een eiland, hoor.'

Ook de anderen klommen aan boord. Molenweer inspecteerde het controlepaneel, keek of de riemen van de kinderen stevig vastzaten en dirigeerde toen het watervliegtuig de haven uit. Een groepje vissers zwaaide vanaf hun boot toen het toestel bulderend overkwam. Rens zag hen door het raampje, maar kon niet terugzwaaien. Zijn handen zaten om de armleuningen geklemd en hij kon ze met geen mogelijkheid loskrijgen. Hij had nog nooit gevlogen. Hetzelfde gold voor Chip, die met zweterige vingers zijn brillenglazen aan het poetsen was, en voor Constance, die haar ogen stijf had dichtgeknepen. Alleen Kat zwaaide terug naar de vissers (met twee handen, als compensatie voor haar vrienden). Het vliegtuig ging steeds sneller, totdat het uiteindelijk met een misselijkmakende slingerbeweging van het water loskwam en opsteeg.

Constances ogen bleven gesloten, want ze waren nog maar net opgestegen, of het gebrom van het toestel had haar in slaap doen sukkelen. Maar de anderen waren klaarwakker en bestookten Molenweer met vragen: Waar had hij in hemelsnaam zo snel een vliegtuig vandaan gehaald? Wie had hij gebeld? Ronda? Wie nog meer? En waarom was hij trouwens weggegaan om te bellen? Moest hij de kinderen niet meer vertellen? En zou het niet...?

Molenweer besloot op de meeste vragen geen antwoord te geven (en beantwoordde daarmee hun vraag of hij hun niet meer moest vertellen), maar hij vertelde wel dat hij Ronda had gebeld en had gezegd dat ze moest doorgeven dat met de kinderen alles in orde was.

En ja, Molenweer kon bevestigen dat de Washingtons en mevrouw Perumal en haar moeder sinds de kinderen 'm gesmeerd waren nog net niet in een toestand van algehele paniek hadden verkeerd. En ja, er zwaaide wat wanneer ze weer thuiskwamen – heel wat, om precies te zijn – maar aangezien dat een lachertje was vergeleken met de gevaren die hun mogelijk op het eiland te wachten stonden, raadde hij hun aan zich te concentreren op het overleven van de komende vierentwintig uur.

'Wat me eraan doet denken,' voegde Molenweer eraan toe, terwijl hij op zijn horloge keek, 'dat we er binnen drie uur zouden moeten zijn.'

Rens wist iets van geografie en had de plattegrond gezien die Risker had getekend. Hij wist dus dat hun bestemming ergens in de Noordzee lag, voor de kust van Schotland. Chip, die heel wat meer wist, vertelde dat het eiland, als het al op een kaart stond, geen naam had en nooit de inzet was geweest van territoriale geschillen. Voor de rest van de wereld was het eiland blijkbaar van geen belang, maar voor Molenweer en de kinderen was het nu de belangrijkste plek op aarde.

Ze vlogen zwijgend door, iedereen verzonken in zijn eigen gedachten. Er was in zo'n korte tijd zo veel gebeurd dat ze niet de gelegenheid hadden gehad erover na te denken. Rens liep de gebeurtenissen van die dag chronologisch door, om te kijken of hij iets over het hoofd had gezien. Uiteindelijk, na meer dan een uur, ontdekte hij iets: een voor de hand liggende vraag die hij was vergeten te stellen.

'Molenweer,' zei Rens, 'heb jij enig idee wie die persoon is over wie meneer Benedict het had, ik bedoel degene die meer over het schemerkruid zou moeten weten? Ik kan niemand bedenken die dichter bij meneer Benedict staat dan Ronda en Nummer Twee, maar zij weten van niets, en jij zei dat je er ook niets van afwist. Wie zou het dan wel kunnen zijn? Denk je dat het een afleidingsmanoeuvre is?'

'Ik heb geen idee wie het zou kunnen zijn,' antwoordde Molenweer, 'maar ik geloof wel dat die persoon bestaat. Meneer Gordijn schreef in zijn brief dat hij ervan overtuigd was dat meneer Benedict de waarheid sprak. Toevallig weet ik waar hij op doelt. Onlangs heeft een groepje Tienmannen in een laboratorium ingebroken en een zeldzaam chemisch bestanddeel gestolen, een nieuw soort waarheidsserum. Het was net genoeg voor een paar doses, maar ik weet zeker dat meneer Gordijn er minstens één heeft gebruikt bij meneer Benedict.'

'Als dat zo is, waarom heeft meneer Benedict dan niet in één keer alles verteld,' vroeg Chip. 'Vanwaar dat geheimzinnige gedoe over iemand die hem "uitzonderlijk na" staat?'

'Dat serum is link spul. Een enkele druppel laat je naar waarheid antwoorden op vragen, maar het werkt niet langer dan een minuut. Iemand die slim genoeg is – en we weten dat er maar weinig mensen slimmer zijn dan meneer Benedict – weet van tevoren welke vragen er gesteld gaan worden en bedenkt alvast antwoorden die wel waar zijn, maar te vaag om bruikbaar te zijn. Dat is, denk ik, de reden dat meneer Gordijn meneer Benedict en Nummer Twee vasthoudt. Hij is bijna door zijn serum heen en probeert dus een andere tactiek.'

'Maar stel dat –' begon Kat.

Molenweer onderbrak haar. 'Nu even luisteren allemaal. Ik kan even geen vragen meer beantwoorden. Als jullie willen praten, moet je dat met elkaar doen. Er is blijkbaar een kleine technische complicatie. Niks ernstigs, maar ik moet me wel even concentreren.'

'Lieve hemel,' zei Kat en ze zuchtte. Ze wendde zich tot de jongens. 'Oké, ik denk dat we – hé, wat is er met jullie aan de hand?'

'Een... complicatie,' mompelde Chip nauwelijks hoorbaar. 'Hij zei... dat er... een complicatie...'

Kat sloeg haar ogen ten hemel. 'Kom op, zeg. Hij wil waarschijnlijk gewoon dat we onze mond houden. Er is iets wat we blijkbaar niet mogen weten. Jammer dan. Laten we het maar over de aanwijzingen van meneer Benedict hebben. Wat denken jullie dat "volg de wind" betekent?'

'Een technische complicatie,' zei Rens, terwijl hij zijn hoofd in zijn handen verborg.

'Iets mis met het vliegtuig...' zei Chip.

'Ik wil dat jullie onmiddellijk daarmee ophouden!' zei Kat en ze hield net zolang aan totdat ze gehoorzaamden, in ieder geval genoeg om een gesprek te kunnen voeren, ook al hielden ze heimelijk in de gaten of Molenweer tekenen van paniek vertoonde. (Wat hij niet deed, maar in crisissituaties werd Molenweer altijd een soort sfinx. Zelfs als de vleugels eraf waren gevallen zou je aan hem niets merken.)

'Volg de wind,' herhaalde Kat, toen ze hun aandacht had. 'Wat betekent dat volgens jullie? Welke wind had hij in gedachten? En waarheen moeten we die wind volgen?'

'Het hoeft geen echte wind te zijn,' zei Rens. 'Het zou ook een symbool kunnen zijn.'

'We weten in ieder geval dat we naar het oosten moeten,' zei Chip.

Kat en Rens keken hem verrast aan. (Molenweer spitste zijn oren achter de stuurknuppel.)

'Heb ik jullie dat niet verteld?' vroeg Chip, toen hij de uitdrukking op hun gezichten zag. 'Nee, ik geloof van niet. Sorry, we hadden het ook zo druk.'

'Ons wat verteld?' vroeg Kat.

'In de brief van Hans de Reyseker stond dat er op het eiland elke dag van zonsopgang tot zonsondergang een harde westenwind staat. De dorpelingen hadden hem verteld dat dat altijd al zo was geweest. Het is een vreemd verschijnsel. Hij dacht dat het een combinatie was van getijdenbewegingen en de thermische activiteit onder het eiland, maar persoonlijk vermoed ik –'

'Had je het over dorpelingen?' onderbrak Rens hem, die zich herinnerde dat je Chip vaak beter kon laten citeren dan samenvatten. Met zo'n berg informatie om uit te kiezen, zag Chip soms de belangrijkste details over het hoofd.

Deze keer had Chip niet veel vergeten te vertellen. Inderdaad, er had zich ooit een dorp op het eiland bevonden, zei hij, maar in de tijd dat Hans de Reyseker zijn brief schreef, trokken de dorpelingen in ijltempo weg. Ze ruilden die geïsoleerde en door de wind geteisterde plek in voor de gemakken van het vasteland (zoals gas, water en licht). Hans had voorspeld dat het eiland binnen enkele jaren alleen nog maar onderdak zou bieden aan verwilderde geiten en zwaluwen.

Twee uur later zagen ze het eiland liggen: een groot, langwerpig stuk land midden in een uitgestrekte watermassa. Vanaf deze afstand had het twee zeer verschillende gezichten: de westkant baadde in het goudgele licht van de avondzon, terwijl een kleine bergketen, die het eiland van noord naar zuid in tweeën deelde, lange schaduwen wierp op de oostzijde. Op de lage bergen – het waren er drie – groeide een handjevol bomen. Van bovenaf gezien leek het eiland op een geheimzinnig monster, waarvan de kop en de staart zich onder water bevonden en de stekelige ruggengraat bedekt was met mos.

Om te voorkomen dat ze werden opgemerkt, was Molenweer het eiland op grote hoogte genaderd, en terwijl ze eroverheen vlogen, inspecteerde Kat het terrein met haar telescoop en tuurden de jongens reikhalzend omlaag. Het eiland was misschien een paar kilometer breed en ruim twee keer zo lang, en het landschap was zo gevarieerd dat het een uitstekend voorbeeld zou zijn geweest voor een aardrijkskundeles. In het zuidwesten glooiden grazige hellingen, het noordwesten stond vol met ondoordringbaar struikgewas, en ertussenin bevonden zich bossen die bijna tot aan de kust reikten. Op het kleine stukje bos langs de grote zuidelijke baai na, bestond de oostkant van het eiland uit kale, zwarte rotsen.

Jammer genoeg konden Kat en Molenweer, zelfs met hun telescopen, niets anders ontdekken dan deze geografische wetenswaardigheden. Geen teken van enige activiteit, geen boten in de baai, nergens restanten van een bivak (ze zochten tevergeefs naar rooksliertjes van een kampvuur). En hoewel het verlaten dorp duidelijk zichtbaar was – het lag ten westen van de bergketen aan de rand van het bos – duidde niets erop dat er onlangs mensen waren geweest. Toch kon niemand in het vliegtuig zich onttrekken aan het overweldigende besef dat er íéts op het eiland was: dat dit de plek was waar hun avontuur, goed of slecht, zou eindigen.

'Risker heeft ze vast in die baai in het zuidoosten afgezet,' zei Kat. 'Hij lijkt op de baai die hij op de kaart heeft getekend.'

'Dat is precies waar we heen gaan,' zei Molenweer, die het vliegtuig al een bocht liet beschrijven. 'Het is in ieder geval de enige goede plek om te landen. Hou je vast, allemaal. Ik maak een snelle landing, zodat we minder kans hebben om te worden opgemerkt.'

'Als je het over een "snelle landing" hebt,' zei Rens, 'wat bedoel –'

Plotseling dook het vliegtuig zo snel zo steil omlaag dat de kinderen het gevoel hadden dat ze van een waterval omlaagstortten. Rens was ervan overtuigd dat Molenweer de controle over het toestel had verloren. Zijn hart bonkte in zijn keel, terwijl hij zich afvroeg of het vliegtuig op het water te pletter zou vallen of zich regelrecht in de bodem van de baai zou boren. Chip, die zich hetzelfde afvroeg, probeerde wanhopig flauw te vallen van doodsangst. Maar aangezien het in de aard van een snelle landing ligt om snel voorbij te zijn – ongeacht de afloop – scheerden enkele tellen later de drijvers over het water van de baai.

Molenweer had het vliegtuig aan de monding van de baai laten neerkomen en ze dobberden nu tussen de lage rotsachtige heuvels de baai in. Het bos reikte hier tot aan de kust en terwijl ze dichterbij kwamen, inspecteerde Molenweer de bomen door de telescoop. Het duurde even voordat ze er waren, want ze moesten de wind en een

felle golfslag trotseren, en tegen de tijd dat het vliegtuig de schaduwen van de rotsen had bereikt, was Molenweer ervan overtuigd dat
ze niet in een hinderlaag werden gelokt. Op een paar vogels, kevers
en knaagdieren na, was het bos leeg.

'Iedereen uitstappen,' beval hij. 'Tempo.'

Kat wekte Constance, die slaperig en verbijsterd naar de rotsachtige kust en de bomen staarde (voor haar was het alsof de haven
van Naardrecht op magische wijze was getransformeerd). De kinderen klauterden uit het toestel de kille bries in. Molenweer stond
al buiten en bevestigde met snelle, zelfverzekerde bewegingen een
touw aan een van de stijlen van de vleugel. Toen liep hij naar een
boom en trok met behulp van katrollen en een windas het vliegtuig het land op. Binnen de kortste keren lag het in de schaduw
van de bomen.

Er was geen gebrek aan schaduw. Nu de zon achter de bergen was
verdwenen, lag dit deel van het eiland in een soort schemerduister,
en het werd met de minuut donkerder. In het bos zag het er nog somberder en spookachtiger uit.

'Ruik ik benzine?' vroeg Kat met opengesperde neusvleugels. Nu
Kat het zei, roken de andere kinderen het ook. Toen Molenweer niet
antwoordde, keken ze elkaar bezorgd aan.

'Je bedoelt dat er echt iets aan de hand was met het vliegtuig?' zei
Chip, die had gehoopt dat Kat gelijk had gehad toen ze zei dat Molenweer hen gewoon de mond had willen snoeren.

'Doet er niet toe,' bracht Molenweer er hijgend uit. Hij veegde het
zweet uit zijn ogen en trok weer hard aan de lier. 'We vertrekken niet
met het vliegtuig. Maar nu moeten we eerst zorgen dat we niet gezien worden.' Hij ging het vliegtuig weer in en kwam met een groot
dekzeil in camouflagekleuren weer tevoorschijn.

'Zei je net dat we niet per vliegtuig vertrekken?' vroeg Rens.

'Jullie moeten nu ophouden met vragen stellen,' zei Molenweer,
terwijl hij het dekzeil uitvouwde.

'Maar hoe komen we dan van het eiland af?' vroeg Constance.

Molenweer fronste. 'Ik zei dat jullie moesten ophouden met vragen stellen. Weet je nog wat jullie beloofd hebben?'

'Strikt genomen heb je ons niet bevolen op te houden,' zei Rens, en hij voegde er snel aan toe: 'En voordat je dat doet, moet je wel beseffen hoe bang je ons hebt gemaakt met wat je net zei. Het zal moeilijk voor ons zijn om nog ergens anders aan te denken, snap je?'

Molenweer reageerde niet meteen. Hij klom op het vliegtuig, trok het dekzeil eroverheen en maakte het aan alle kanten stevig vast, zodat de felle windstoten er geen vat op konden krijgen. Van een afstandje ging het volledig op in de bomen en de rotsen. Molenweer ging voor de kinderen staan. 'Luister. Jullie moeten je geen zorgen maken over hoe we van dit eiland af komen. Ik heb al de nodige maatregelen getroffen. Zodra we weten waar Gordijn onze vrienden vasthoudt, stuur ik jullie weg. En nu alsjeblieft geen vragen meer. Dit is een bevel.'

'Mogen we vragen waarom we geen vragen meer mogen stellen?' vroeg Constance. 'Dat onderdeel is me namelijk niet helemaal duidelijk.'

Molenweer trok een gepijnigd gezicht, zette zijn hoed af en wreef over zijn hoofd. Het was duidelijk dat hij er vreselijk tegenop zag om te antwoorden en het liever had vermeden. 'Omdat, Constance, het in het slechtste geval – en dan bedoel ik als jullie gevangengenomen zouden worden – beter is dat jullie zo min mogelijk weten. Gordijn zal jullie alles weten te ontfutselen wat jullie geheim proberen te houden. Daarom probeer ik jullie geheimen tot het minimum te beperken.'

'O,' zei Constance met opengesperde ogen.

'Ik ben niet van plan dat te laten gebeuren,' voegde Molenweer er snel aan toe. 'Ik handel gewoon uit voorzorg.'

'Molenweer?' vroeg Rens. 'Mag ik vragen of die maatregelen –'

'Met de overheid zijn getroffen?' vulde Molenweer aan, die Rens goed had aangevoeld. 'Nee. Ik heb een paar vrienden ingeschakeld.

Mocht Gordijn spionnen bij de overheid hebben – en het leek me het best om daar maar van uit te gaan – dan weten ze nergens van. Het is nooit honderd procent waterdicht, maar ik heb er alles aan gedaan om te voorkomen dat ze het in de gaten krijgen. Je weet dat je me kunt vertrouwen, Rens.'

'Ik vertrouw je helemaal,' zei Rens, en dat was de waarheid. Molenweer was een van de weinige mensen die hij echt vertrouwde.

'Oké,' zei Molenweer, terwijl hij zijn hoed weer opzette. 'Laten we eens kijken wat we kunnen met het volgen van de wind. Naar het oosten, zoals Chip opperde, lukt niet. Dan komen we in zee terecht.'

Chip keek teleurgesteld. 'Eh... misschien bedoelt meneer Benedict dat we tegen de wind in moeten in plaats van met de wind mee.'

Iedereen viel stil. Het was het eerste moment sinds ze waren gearriveerd dat niemand aan het praten of (in het geval van Molenweer) aan het werken was. Terwijl ze daar zwijgend stonden, werden ze zich langzaam maar zeker bewust van de geluiden van het eiland: het klapperen van Molenweers dekzeil en het ruisen van de wind in de takken, het gekreun en gekraak van de wiegende boomstammen, het gekwetter en gefladder van vogels die zich klaarmaakten voor de nacht, het water dat tegen de kust klotste...

En een zwak, maar onmiskenbaar getinkel dat ergens in het bos klonk, als van een windorgel.

Schemering vóór zonsondergang

Het windorgel hing een klein eindje het bos in aan een tak. Het was gemaakt van diamantvormige stukjes dun, beschilderd metaal, die volgens Molenweer waren uitgezaagd. In de boom waarin het windorgel hing, vonden ze niets en ook niet op de grond eronder. Nergens een spoor van een nieuwe aanwijzing. Rens dacht dat er iets verborgen moest zitten in de afbeelding op de stukjes metaal – die op het eerste gezicht uit willekeurige lijnen en krabbels bestond – maar toen Molenweer het windorgel van de tak haalde en het op de grond legde om het te onderzoeken, hoorden ze plotseling opnieuw getinkel in de verte.

'Nog een windorgel?' zei Chip.

'Dát is het dus,' zei Rens. 'Nu we dit windorgel van de tak hebben gehaald, kunnen we het volgende horen: het windorgel dat een stukje verderop hangt. Meneer Benedict heeft een geluidsspoor achtergelaten!'

'Ho eens even,' zei Constance, die zich vooroverboog om de stukjes metaal beter te kunnen zien. 'Laten we eerst dit eens ontcijferen.'

'Daar hebben we nu geen tijd voor,' zei Rens. 'De wind gaat na zonsondergang liggen en ik ben bang dat we de andere windorgels dan niet meer kunnen vinden. En tussen deze bomen zien we nu al bijna geen hand voor ogen.'

Constance keek hem kwaad aan. 'Wie zegt dat de wind na zonsondergang gaat liggen?'

'Hans de Reyseker. Jij sliep toen Chip het ons vertelde.'

'Dat is stom! Wie heeft er ooit gehoord van wind –'

Molenweer pakte met zijn ene hand de stukjes metaal op en met zijn andere Constance. 'Stom of niet, we moeten voortmaken.'

Constance keek verward en geïrriteerd om zich heen. 'Maar is het niet al na zonsondergang?'

'Dat lijkt maar zo vanwege de bergen,' zei Molenweer, die in de richting van het tinkelende geluid liep. 'Aan de westkant is het nog licht, maar niet lang meer.'

'Schemering vóór zonsondergang,' sputterde Constance. 'Belachelijk.'

Het tweede windorgel vonden ze vijftig meter windopwaarts, en het derde nog eens vijftig meter verderop. Toen waren ze bij de rand van het bos gekomen en, blijkbaar, bij het laatste windorgel, want ze hoorden geen getinkel meer. Terwijl Molenweer in een boom klom om de open vlakte voor hen te verkennen, maakten de kinderen de stukjes metaal los van de draden en spreidden ze uit op de grond: dertig diamantvormige identieke stukjes metaal, allemaal weer anders beschilderd.

'Ik weet opeens wat het zijn,' zei Kat.

Rens knikte instemmend. 'Puzzelstukjes. Met de hand uitgezaagd.'

Kat draaide een van de stukjes om. 'Het is wel een ingewikkelde puzzel. De stukjes zijn aan twee kanten beschilderd, ze zien er precies hetzelfde uit en we hebben geen idee wat de uiteindelijke afbeelding is. Dit kan uren duren!'

Constance kwam dichterbij en staarde ingespannen naar de stukjes. 'Draai die eens om, Kat,' zei ze en ze wees naar een van de stukjes.

'Nee, niet die, díé, vlak bij de rand. Nee, die ándere. Jemig! Geef hier, laat mij maar.' Ze ging op haar knieën zitten en draaide een aantal stukjes om. 'Zo. Zo liggen ze goed, denken jullie niet? Alleen zo zie je de verhaspelde kaart.'

De andere kinderen staarden eerst naar Constance en toen naar de verzameling metalen plaatjes. Waar Constance een verhaspelde kaart zag, zagen zij een wirwar van lijnen en kleuren.

Rens hurkte naast haar neer. 'Wij komen er niet helemaal uit, Constance,' zei hij, terwijl hij zo ontspannen mogelijk probeerde te klinken. 'Kun jij de stukjes voor ons in elkaar passen?'

Constances ogen werden groot. 'Bedoel je dat ik de enige –'

'O, uiteindelijk zullen we er wel uitkomen,' zei Rens zo nonchalant mogelijk, 'maar het gaat sneller als jij het doet. Wat denk je?'

Constance doorzag Rens' poging om haar niet onder druk te zetten, maar zijn ontspannen, vertrouwenwekkende manier van doen had toch zijn uitwerking. Ze slikte moeizaam. 'Ik... eh... oké. Ik zal het doen.' Ze pakte onhandig een stukje op en liet het onmiddellijk weer uit haar handen vallen. De stuntelige vingertjes die zelfs geen veters konden strikken, werden nu aan een veel belangrijkere test onderworpen en door de spanning waren ze ook nog eens gaan trillen.

'Doe maar rustig aan,' zei Rens. 'Neem je tijd. Hoelang het ook duurt, het is nog altijd sneller dan wij het zouden kunnen.'

Constance haalde diep adem en probeerde het nog een keer. Met onhandige bewegingen probeerde ze de afbeelding die ze zo helder voor zich zag tevoorschijn te toveren.

Ondertussen was Molenweer uit de boom geklommen en de open vlakte op gelopen om de grond te inspecteren. Kat liep naar hem toe. 'De grond is zo hard dat er geen sporen in achterblijven,' zei Molenweer en hij klopte op de zwarte rotsbodem, die zich uitstrekte tot aan de bergen, een kilometer of twee verderop. 'Behalve hier.' Hij wees naar de afdruk van een zwaar voorwerp in het gruis.

'Wat is dat? Een rupsband?' zei Kat, die zich afvroeg hoe een bull-dozer, of een ander zwaar voertuig, hier had kunnen komen.

'Een amfibievoertuig,' zei Molenweer. 'Ik dacht al dat dit de reden was waarom we geen boten zagen liggen. Meneer Gordijn heeft een Salamander.'

'Een wat?'

'Denk maar aan een gepantserde boot met rupsbanden. Snel op het land, nog sneller op het water. Groot genoeg voor Gordijn en een hele bemanning van Tienmannen, en dan is er nog ruimte over voor gevangenen.'

'Dat had ik kunnen weten,' zei Kat, die nauwelijks verbaasd was dat meneer Gordijn zich samen met zijn boevenbende in angstaanjagende machines liet rondrijden. Op het Instituut had hij de kinderen geterroriseerd met zijn snerpende, opgevoerde rolstoel en de Salamander klonk als een uitvergrote versie van dat verfoeilijke gevaarte.

'De sporen komen uit die richting,' zei Molenweer en hij wees naar het noordoosten. 'Ik denk dat ze bij de baai aan land zijn gegaan, maar een omweg moesten maken omdat het bos te dichtbegroeid is voor de Salamander. Waarschijnlijk hebben ze de buitenste rand van het eiland gevolgd en hebben ze overal verkenners gedropt. De Tienmannen zijn uitstekende spoorzoekers. Meneer Benedict en Nummer Twee kregen niet de kans zich ergens te verstoppen of te vluchten.' Molenweer ging kwaad met zijn hiel door het Salamanderspoor.

'Waar denk je dat ze zijn?' vroeg Kat, die minstens zo kwaad was bij de gedachte dat er op hun vrienden was gejaagd. Ze stelde zich voor hoe ze meneer Gordijn te pakken kreeg en hem een afranseling gaf, ook al wist ze dat ze hem in werkelijkheid niet in haar eentje aankon.

'Ik denk dat ze zich in de bergen schuilhouden,' zei Molenweer. 'Vanuit het vliegtuig konden we de Salamander niet zien, dus waarschijnlijk hebben ze die in een vallei of een grot verborgen.'

Chip kwam zeggen dat Constance bijna klaar was met de puzzel. Het had haar maar een paar minuten gekost, en toen ze bij haar aankwamen, legde ze net het laatste stukje neer. Voor hen lag een kaart van het eiland, die meneer Benedict met behulp van Hans de Reysekers brief moest hebben gemaakt. Hij had alleen bepaalde delen van het eiland weergegeven, door op eenvoudige, maar kunstzinnige wijze de bossen aan te geven met omhoog wijzende pijltjes, de bergen met een kartellijntje en het dorp aan de andere kant van het eiland met een verzameling vierkantjes. Dwars door de middelste berg liep een stippellijn, die in het dorp eindigde.

'Wat betekent volgens jullie die stippellijn?' vroeg Constance.

'Gezien de ligging ervan een tunnel,' antwoordde Molenweer. Hij hurkte en tikte met een vinger op het dorp. 'Jullie zouden elkaar hoogstwaarschijnlijk hier hebben ontmoet, vandaar dat dat mijn volgende stop is.'

'Jouw volgende stop?' vroeg Rens. 'Waarom niet de onze?'

Molenweer stond op. 'Ik wil dat jullie in de beschutting van de bomen blijven. Ik heb het eiland in alle richtingen afgespeurd en nergens iemand zien aankomen – en geloof me maar, als we ontdekt waren, zou er heus wel iemand zijn gekomen – dus hier zijn jullie het veiligst. Houd je allemaal stil, en Kat, zorg dat je je zaklantaarn niet gebruikt. Blijf uit het zicht en hou je ogen en oren goed open. Als ik binnen –'

'Molenweer!' onderbrak Constance hem bestraffend. 'Je hebt de andere kant nog niet eens gezien!'

'De andere kant?' vroeg Molenweer verbaasd. 'Staat daar dan wat op?'

'Laat mij maar even,' zei Kat. Ze deed haar emmertje open en haalde er een kwastje en het flesje superlijm uit en smeerde de naden van de puzzelstukjes snel in met lijm. 'Binnen vijfendertig seconden is het droog,' zei ze. Niemand twijfelde aan het aantal seconden: ze wisten allemaal dat Kat de seconden voor de zekerheid had geteld.

En inderdaad: toen Kat vijfendertig seconden later de puzzel optilde, zaten de stukjes stevig aan elkaar.

Kat legde de puzzel ondersteboven op de grond en ze zagen dat de achterkant was volgeschreven met de hun zo bekende punten en streepjes.

'Natúúrlijk,' zei Rens.

Voordat ze op hun missie naar het Instituut waren gegaan, had Meneer Benedict hun morse geleerd en ze konden het allemaal nog lezen. Maar omdat Chip er het meest bedreven in was, hadden ze de gecodeerde boodschappen altijd door hem laten ontcijferen. Ondanks dat het alweer een hele tijd was geleden, vielen ze terug op die oude gewoonten en ze keken Chip verwachtingsvol aan. Chip grinnikte – een beetje verlegen en een beetje trots – en las hardop voor wat er stond.

Blij dat jullie er zijn. In het dorp vinden jullie voedsel en een aanwijzing, want wij zijn misschien alweer op pad. Met de aanwijzing kom je bij ons. Tot gauw. B.

'Weer een aanwijzing!' riep Kat triomfantelijk uit. 'Dus je moet ons wel meenemen, Molenweer. Dat weet je heel goed!'

Tot hun verrassing leek Molenweer opgelucht. 'Om eerlijk te zijn hou ik jullie ook liever zo lang mogelijk bij me. Toch kunnen we er niet van uitgaan dat het dorp veilig is.' Hij dacht een ogenblik na. 'Oké, dit is wat we doen. We steken de vlakte over. Aan de voet van de bergen wachten jullie totdat ik de tunnel en het dorp heb geïnspecteerd. Als de kust veilig is, gaan we samen naar het dorp om de aanwijzing te zoeken. Maar als we die eenmaal hebben, breng ik jullie weer hierheen. Daarover duld ik geen tegenspraak.'

De kinderen gingen akkoord en wilden onmiddellijk op pad, maar Molenweer zei dat ze zouden wachten totdat het iets donkerder was geworden. Hoe donkerder het was, hoe minder risico ze op de open vlakte liepen.

'We moeten ons ook van de kaart ontdoen,' zei Molenweer. 'Met kaart kunnen we minder hard lopen en ik wil zo snel mogelijk aan de overkant zijn.'

'Constance en ik zullen hem verbergen,' zei Rens, toen hij de verdrietige blik in de ogen van het meisje zag. Hij begreep wat er door haar heen ging. De windorgelkaart was weer een bewijs van hoeveel moeite meneer Benedict voor hen had gedaan. Het was weer een getuigenis van zijn genegenheid geweest, misschien wel de laatste, want er was geen enkele garantie dat hij vóór ze gevangen waren genomen nog een aanwijzing had kunnen achterlaten. Rens dacht dat Constance de kaart graag nog even bij zich wilde houden en zijn vermoeden werd bevestigd toen Constance zonder morren met Rens' voorstel akkoord ging.

'Denk je dat we hem moeten begraven?' vroeg Constance terwijl ze het bos wat dieper inliepen.

Rens schudde zijn hoofd. Dat zou nogal op een begrafenis lijken, dacht hij, en misschien zou dat Constance te veel zijn. 'Laten we hem gewoon met naalden en takjes bedekken.'

Constance knikte enthousiast. Ze leek zowel dankbaar als opgelucht door het voorstel. Ze leek ook meer op een driejarige dan Rens haar ooit had gezien – zo kwetsbaar en hoopvol en angstig – en nu was het zijn beurt om geraakt te zijn.

Voordat ze twintig meter verder waren, kwam Kat hen achternagerend. 'Molenweer wil niet dat jullie uit het zicht verdwijnen,' liet ze hun weten. 'Ik zei nog dat jullie er heus niet vandoor gingen om ergens een feestje te bouwen, maar hij wil geen risico nemen.'

'Zeg maar dat we gaan zwemmen in de baai,' zei Constance geergerd.

Kat proestte het uit. 'Lachen! Dat ga ik hem zeggen. Ik zie nu al voor me hoe hij zijn lachen niet kan inhouden.' Ze draaide zich om en rende terug naar de bosrand.

'Kat is wel in een uitstekend humeur,' peinsde Rens hardop.

'Ik weet het,' zei Constance. 'Heel irritant.'

Kat voelde zich inderdaad zo blij en uitgelaten als ze zich in geen tijden meer had gevoeld. Ze vond het fascinerend om haar vader aan het werk te zien – ook al keek hij alleen maar naar de lucht, zoals Molenweer nu deed – en onderdeel uit te maken van een reddingsmissie die, in haar ogen, alleen maar kon slagen.

Toen Rens en Constance waren teruggekeerd van hun opdracht, zei Molenweer dat iedereen zich gereed moest maken. Het was hem eigenlijk nog niet donker genoeg, maar in het oosten kwam de volle maan op en er was geen wolkje aan de hemel; veel donkerder zou het niet worden. En dus ging Molenweer, na de kinderen op het hart te hebben gedrukt vooral stil te zijn, en snel, hen voor naar de vlakte. Om zo kort mogelijk zonder dekking te zijn, zetten ze er flink de pas in. Voor Molenweer was dat een sukkeldrafje, maar voor de jongens een regelrechte sprint, en dus nam Molenweer eerst de een op zijn schouders totdat de ander buiten adem was en wisselde dan. Kat rende de hele afstand met Constance op haar rug. Het was een hele inspanning en ook als Molenweer het niet had verboden om te praten, had Kat geen woord kunnen uitbrengen.

Een tijd lang leken de bergen geen millimeter dichterbij te komen, toen met centimeters in plaats van meters, maar uiteindelijk bereikten ze de plek waar het land zich begon te verheffen. De ingang van de tunnel lag aan de voet van de middelste berg en het kostte hun geen moeite hem te vinden. In het maanlicht was de grote donkere opening al vanaf een afstand zichtbaar en Molenweer leidde hen er recht naartoe. Toen ze er vlakbij waren (maar niet te dichtbij) beval hij hun daar te wachten terwijl hij op onderzoek uitging. De kinderen lieten zich op de rotsachtige bodem neervallen – iedereen behalve Constance was buiten adem – en Molenweer verdween geruisloos in de duisternis van de tunnel.

'De kust is veilig,' zei hij toen hij weer tevoorschijn kwam. 'Het is een nauwe tunnel, dus we moeten achter elkaar aan lopen. Kom Constance, ik draag jou, dan kun jij mijn zaklantaarn vasthouden.'

'Maar ik wil geen –'

'Laat maar. Ik hou hem zelf wel vast.'

Molenweer ging voorop met Constance op zijn rug, op de voet gevolgd door de anderen. De wanden en de vloer van de tunnel waren vochtig en oneffen, en het was er inderdaad nauw. De tunnel leek lang geleden te zijn uitgesleten door een ondergrondse stroom, maar op sommige plaatsen was hij duidelijk met hamer en beitel verbreed. Rens kon zich voorstellen dat de dorpelingen hem hadden gebruikt als de snelste verbinding met het oostelijke deel van het eiland. De bergen waren niet erg hoog – voor bergen hadden ze zelfs een nogal bescheiden formaat – maar het zou toch nog uren kosten om eroverheen of omheen te trekken. De tunnel daarentegen ging er recht en zonder veel te stijgen of te dalen onderdoor, en ruim een kwartier later liep Rens achter Molenweer aan de buitenlucht in.

Ze bevonden zich aan de voet van de berg, maar het was nog hoog genoeg om goed zicht te hebben op de westelijke helft van het eiland, of wat een goed zicht was geweest als de maan al boven de bergtoppen uit was gekomen. Maar zelfs in het schemerige licht konden ze de bossen onder aan de helling onderscheiden en aan de rand ervan het verlaten dorp: twee rijen vervallen huisjes aan weerszijden van een breed pad. Het dorp deed Rens denken aan de stadjes die hij wel eens in oude westerns had gezien, of in ieder geval de hoofdstraat van die stadjes, want er waren geen zijstraten of verder weg gelegen gebouwtjes. Het was één lange, rechte lijn, die net zo abrupt eindigde als hij begon. Molenweer inspecteerde de gebouwtjes en de omgeving door zijn telescoop. Hij luisterde met gespitste oren. Toen nam hij de kinderen mee de heuvel af naar het dorp.

Molenweer hoefde hun niet te zeggen dat ze bij elkaar moesten blijven. De oude, vermolmde bouwsels maakten waarschijnlijk overdag al een trieste en verlaten indruk, maar in het schemerdonker zagen ze er ronduit spookachtig uit. Een heel stel helde naar het oosten over, jaar in jaar uit geteisterd door de westenwind, en van een handjevol was het dak er tijdens een storm afgerukt. De daken waren een stukje ten oosten van de oorspronkelijke huizen neergekomen: een met wingerd overgroeide hoop balken en halfvergane spanten.

Molenweer en de kinderen liepen over het pad. Ze keken links en rechts, maar ook naar de grond, want het pad – dat ooit als weg dienst moest hebben gedaan – zat vol kuilen en was overwoekerd, zodat ze hun voeten voorzichtig moesten neerzetten. Zwijgend liepen ze langs het ene na het andere bouwsel met zwarte gapende ramen en deuren.

Ongeveer halverwege het pad kwamen ze bij de dorpsput. Net als bij sommige huizen was het dak er tijdens een storm af geblazen. Het lag tussen het onkruid, een heel eind bij de stakerige balken die het ooit hadden gestut vandaan. De roestige zwengel die ooit boven de put had gehangen was op de grond gevallen, met de troosteloze houten emmer, waarvan de bodem al tijden geleden was weggerot, er nog steeds aan vast.

'Wat zonde,' mompelde Kat, want het was onmiskenbaar een prima emmer geweest.

Op bevel van Molenweer kropen ze naast de put bij elkaar om te overleggen wat ze zouden doen. Het zag eruit alsof er hier in geen jaren meer mensen waren geweest. Als meneer Benedict, zoals hij in zijn bericht had geschreven, hier spullen had verstopt, dan had hij dat gedaan zonder duidelijke sporen achter te laten.

'Slechts de helft van de gebouwen ziet er enigszins betrouwbaar uit,' merkte Molenweer op. 'De rest kan zo instorten. Meneer Benedict weet dat Ronda en ik het nooit zouden toestaan dat jullie een gevaarlijk huis ingingen, dus die kunnen we buiten beschouwing laten.'

'Dan zijn er nog een heleboel huizen over,' zei Rens. 'Dat kan wel even duren.'

'Misschien hebben ze het niet in een huis verborgen,' zei Kat, terwijl ze over de stenen muur van de put leunde. Ze scheen met haar zaklantaarn in de duisternis. Zes meter lager zag ze een enigszins vervormde versie van zichzelf die een zaklantaarn op haar richtte. 'Noppes, alleen maar water. We zullen in ieder geval niet van de dorst omkomen. Ik weet niet hoe het met jullie zit, maar dat rennen over die vlakte heeft me een beetje dorstig gemaakt.'

'Gedehydrateerd,' zei Chip met krakende stem.

Rens knikte. 'Uitgedroogd.'

Molenweer haalde een waterfles onder zijn jas vandaan en gooide hem naar Kat. 'Iedereen drie slokjes,' zei hij.

Terwijl de kinderen het water verdeelden, praatten ze door over de beste strategie, maar niemand kon iets beters bedenken dan stuk voor stuk de betrouwbare gebouwen doorzoeken en hopen dat ze geluk hadden. 'Daar was ik al bang voor,' zei Molenweer en hij borg de fles weer op. 'Laten we teruggaan en het dorp vanaf de oostkant afwerken.'

Het eerste gebouw dat Molenweer betrouwbaar genoeg vond om binnen te gaan, was een woonhuis. Op hun hoede gingen ze in de kamers op zoek naar aanwijzingen. Te oordelen naar de grote hoeveelheid ouderwetse, gevlochten matrassen op zolder, had er ooit een groot gezin gewoond. Nu woonden er vleermuizen en spinnen, en op de houten vloeren lag een dikke laag stof. Met pijn in het hart zagen de kinderen dat meneer Benedict en Nummer Twee hier waren geweest – hun voetafdrukken waren overal in het huis te zien – maar ze hadden blijkbaar alleen maar rondgekeken, want het huis was overduidelijk leeg.

Nadat ze nog twee huizen hadden doorzocht, betraden ze een opvallend stenen huis in het midden van het dorp. Het gebouw, dat een soort opslagruimte of schuur leek te zijn (wel een veel grotere dan de bescheiden schuur van Molenweers boerderij) bestond uit een enkele, raamloze ruimte met hoge dakspanten. Verrast keken ze naar de enorme hoeveelheid dikke boomstammen die de bizarre indruk wekte dat er een bos tussen vier muren was ingesloten. De stammen stonden op gelijke afstand van elkaar in de ruimte en waren voorzien van grote metalen ogen, die ooit gebruikt moesten zijn om dingen aan op te hangen. Op de stoffige vloer liepen de voetafdrukken van meneer Benedict en Nummer Twee van wand tot wand tussen de stammen door.

Kat scheen met haar zaklantaarn in het rond. 'Ik snap het niet. Die ogen zitten allemaal op dezelfde hoogte – zestig centimeter en een meter twintig – maar wie hangt er nou iets zo laag? Je moet bukken om het eraf te halen.'

'Misschien waren de dorpelingen niet zo groot,' zei Chip.

Kat snoof. 'Een dorp van dwergen?'

'De deuren en de ramen hebben gewone afmetingen,' zei Rens. Hij knielde neer om twee ogen te inspecteren en zag dat er bij beide nog stukjes touw aan zaten. 'Ik denk niet dat hier dwergen woonden.'

'Ik heb nooit iets over dwergen gezegd,' zei Chip geïrriteerd.

'Hoe dan ook,' zei Kat. 'Het is een rare plek.'

'Het is ongelooflijk stevig gebouwd,' merkte Molenweer op, terwijl hij het licht van zijn zaklantaarn op de spanten liet schijnen, en vervolgens op de zware houten deur met zijn metalen grendels en scharnieren. 'Verreweg het stevigste gebouw van het dorp. Zelfs als de muren instortten, zou het dak het nog houden.'

Rens kwam overeind. 'Ik denk dat het een schuilplaats is voor als het stormde. Daarom zijn er ook geen ramen. En daarom is het zo stevig gebouwd. Er zijn genoeg balken en ogen om tientallen hangmatten op te hangen. Als er een zware storm woedde – en zo te zien gebeurde dat nogal eens – konden alle dorpelingen hier slapen.'

'Een dorpsschuilplaats, dat klinkt logisch,' zei Chip, die meegaand probeerde te klinken, ook al was hij eigenlijk gefrustreerd omdat hij er zelf niet op was gekomen.

Hoe speciaal het er ook was, de schuilplaats was leeg en dus liep het gezelschap verder. Het volgende gebouw dat ze doorzochten was weer een woonhuis en ook daar was het enige teken dat ze van hun vrienden aantroffen hun voetstappen in het stof. In het daaropvolgende huis ontbraken zelfs die en nadat Chip één blik op de vloer had geworpen zei hij: 'Laten we hier geen tijd verspillen. Hier zijn ze niet geweest.' Hij draaide zich om en wilde naar buiten lopen, maar Rens greep hem bij zijn arm.

'Ho, Chip, ik ben er redelijk zeker van dat dit de plek is die we zoeken.' Hij wees op de schone houten vloer. 'Ze zijn hier geweest. En ze hebben geveegd.'

Kat ontdekte de voorraden in een kast op de bovenverdieping, samen met de bezem die meneer Benedict en Nummer Twee van een stok en een bos twijgen in elkaar hadden geknutseld. Het huis was ongetwijfeld van de meest welgestelde dorpeling geweest, of anders van de ijverigste en bekwaamste timmerman, want het had twee stevig gebouwde verdiepingen, elk met een aantal kamers waarvan de deuren en de luiken nog steeds haaks in hun kozijnen hingen. Blijkbaar hadden meneer Benedict en Nummer Twee dit de uitgelezen plek gevonden om als tijdelijk onderkomen en hoofdkwartier te dienen.

De kast lag aan het eind van een gangetje en Kat stond bij de halfgeopende deur en scheen met haar zaklantaarn over de planken. Ze had de voorraden nog maar net ontdekt. Toen ze de anderen riep, die de slaapkamers aan het doorzoeken waren, kwamen ze snel aangerend.

De kastdeur werd tegengehouden door een deurstop op de grond en met moeite wurmden Rens en Constance zich naast Kat om een blik in de kast te werpen. Molenweer stond achter hen en keek over hun hoofden mee, terwijl Chip zich op de achtergrond hield, te beschaamd om een plekje te veroveren. (Hij vond dat hij een vreselijke flater had begaan met die voetstappen, en hoewel niemand hem ermee had gepest – zelfs Constance niet – stond het schaamrood hem nog op de kaken.)

'Ze hebben vast een heleboel keren moeten lopen,' zei Kat, terwijl ze naar al het eten keek. Het was een kleine kast, eigenlijk niet meer dan een stel planken tegen de muur, maar die waren op bewonderenswaardige wijze volgestouwd met water, blikken, noten, gedroogd fruit, poedermelk en – niet te vergeten – volkorenkoekjes, chocoladerepen en marshmallows om boven een vuur te roosteren. (Bij het zien van al dat lekkers begonnen de kinderen te watertanden; ze hadden al uren niets gegeten.) Afgezien van al het eten lagen er twee zaklantaarns op batterijen, en slaapzakken en extra dekens voor iedereen.

De volgende aanwijzing zou wel eens tussen de voorraden verstopt kunnen zijn. Nadat ze allemaal wat water hadden gedronken en snel iets te eten in hun mond hadden gestopt, deden ze de lantaarns aan en onderwierpen de kast aan een grondige inspectie. Het was een irritant klusje, want de opening was zo smal dat Kat elke keer dat ze er iets uit wilde halen haar elleboog stootte. Toen dat voor de derde keer was gebeurd, stelde ze voor de deur uit zijn scharnieren te lichten.

'Vergeet die scharnieren maar,' zei Rens.

'Hij heeft het gevonden!' riep Constance uit, die Rens' gezicht in de gaten had gehouden.

'Wat?' vroeg Molenweer, die Rens alleen maar naar de andere deuropeningen had zien kijken.

Rens aarzelde en knipperde met zijn ogen – hij moest nog steeds wennen aan Constances opmerkingsgave – schudde toen zijn hoofd en hurkte bij de deurstop neer. 'Dit is de onhandigst geplaatste deurstop aller tijden, vinden jullie niet? En ook nog eens de enige in het hele huis. Hij doet me denken aan dat tafeltje in de hotelkamer, en ik denk dat dat precies de bedoeling was. Kat, help me eens om hem los te wrikken.'

Kat haalde haar Zwitserse mes tevoorschijn en wipte de deurstop los. Het bleek een hol stukje hout te zijn en binnenin zat een stukje papier verstopt met de tekst:

Als jullie snel naar ons willen gaan
Kijk dan onder de tweelingmaan

'Weer een raadsel,' zei Chip met een verwrongen gezicht. 'Ik hoopte op een kaart.'

'Misschien is de volgende een kaart,' zei Kat. Ze las de aanwijzing nog een keer door. 'Of misschien loopt er een geheime gang onder dat tweelingmaangedoe door.'

'Of een pad dat op die plek begint,' opperde Rens.

'Wat het ook mag zijn,' zei Constance, 'laten we opschieten en snel op zoek gaan. Wat is die tweelingmaan?'

Ze keken allemaal Chip aan, die vol spijt zijn schouders ophaalde. 'Ik heb er nog nooit van gehoord.'

'Meneer Benedict is een tweeling,' zei Rens. 'Maar wat zou dat met die maan te maken hebben?'

Niemand wist het.

'Misschien is het veel eenvoudiger,' zei Molenweer, 'en was een van de gebouwen vroeger een herberg of een café. De Tweelingmaan klinkt als een naam voor zo'n plek. We moeten op zoek naar een oud uithangbord of een opschrift op een deur of een ander symbool.' Hij liep de trap af, maar halverwege bleef hij plotseling staan en hield zijn hoofd schuin.

De kinderen wilden hem achternagaan, maar Molenweer wierp hun een waarschuwende blik toe en legde zijn vinger op zijn lippen.

Als de uitdrukking op zijn gezicht hen niet al had doen verstijven, dan had het geluid dat ze nu hoorden dat wel gedaan. Voetstappen. Ze klonken steeds luider en hielden toen stil. Er stond iemand bij de voordeur. Molenweer haalde zijn verdovingspistool tevoorschijn.

Plotseling hapte Constance naar adem. 'Molenweer, niet doen! Het is –'

Nog voordat ze haar zin kon afmaken, vloog de voordeur open en stormde er iemand de voorkamer in. Het was te danken aan Constances waarschuwing en Molenweers snelle reflexen dat de indringer niet door een pijltje in de schouder werd getroffen.

'– Nummer Twee!' maakte Constance haar zin af.

Kat richtte haar zaklantaarn omlaag, en inderdaad. Het was Nummer Twee, die vanaf de plek waar ze op handen en knieën was neergekomen omhoogkeek. Gedesoriënteerd en met verwilderde ogen tuurde ze in het felle licht.

'Constance?' zei ze, want het was Constance die haar naam had genoemd. 'Ben ik... ben ik dan weer thúís? En ik dacht...' Nummer Twee lachte zwakjes. 'En ik maar denken... O, Constance, de hemel zij dank! Ik droomde dat ik nog op dat afschuwelijke eiland zat!'

$Schildwachten op de silo

Nummer Twee ijlde van de honger en de uitputting. Meneer Gordijn had niet geweten dat ze zo veel moest eten en ze had hem opzettelijk niet verteld dat ze te weinig kreeg, want dan had ze hem moeten uitleggen waarom. En Nummer Twee had voor geen goud willen vertellen dat ze een enorme voorraad eten nodig had omdat ze zo weinig sliep, want dankzij haar vrijwel constante slapeloosheid kon ze de pen in haar handboeien onder handen nemen, urenlang, nachtenlang, terwijl iedereen sliep.

'Meneer Benedict probeerde me steeds van zijn eten te geven,' zei Nummer Twee, terwijl Rens koude soep in haar mond lepelde. Ze hoestte en het grootste deel van de soep sijpelde over haar kin. 'Ik wilde het niet. Hij had al zo weinig. Ik ben bang dat ik hem boos heb gemaakt door te weigeren. Ik hoop dat hij nu niet meer boos is. Wat denk je?' Ze keek Rens ongerust aan.

'Natuurlijk niet,' zei Rens. 'Hij is nooit lang boos.'

Molenweer had Nummer Twee naar een van de slaapkamers op de eerste verdieping gedragen en haar geïnstalleerd op een gevlochten matras waar Kat een deken overheen had gelegd. Haar huid had zijn gele glans verloren (in het licht van de lantaarn zag hij er wasachtig uit), haar kleren waren verfomfaaid en vuil, en haar korte, rode haar zag eruit als een gerafeld voddentapijt. Zelfs nadat ze haar iets te eten hadden gegeven, was de arme vrouw nog helemaal uit haar doen. Het enige wat Molenweer zeker wist, was dat ze was ontsnapt terwijl haar bewakers sliepen. Toen ze haar vroegen waar ze gevangen was gehouden, maakte Nummer Twee een gebaar met haar hand alsof ze een vlieg wegjoeg en zei: 'Je weet wel, in die grot op het eiland.' Ze vroegen het haar een paar keer, op verschillende manieren, maar duidelijker dan dat werd ze niet en na een paar minuten zakte ze weg in een rusteloze slaap.

'Hou een oogje op haar,' zei Molenweer ernstig. 'Ik ben zo terug.' Hij klopte Nummer Twee op haar knie en verdween.

Constance keek hem na. 'Wat ziet hij er gedeprimeerd uit. Maar is het geen goed nieuws dat ze is ontsnapt? En hij zei toch dat ze er weer helemaal bovenop kwam? En nu we weten dat meneer Benedict het goed maakt...' Ze draaide zich om naar de anderen, die hun ogen afwendden. 'Hé, jullie zien er allemaal gedeprimeerd uit. Wat is er?'

Na een korte stilte zei Rens: 'Degene die Nummer Twee bewaakt zal wakker worden en ontdekken dat ze verdwenen is, op zijn laatst morgenochtend.'

'Wat betekent dat ze naar haar op zoek zullen gaan,' zei Kat.

'En ons zullen vinden,' vulde Chip aan, die zijn bril was gaan poetsen.

'Ik snap het,' zei Constance, die eigenlijk wilde dat ze dat niet deed. Ze slikte moeizaam. 'Denken jullie... denken jullie dat ze weten dat ze eerst hier moeten zoeken?'

'Misschien niet,' zei Rens. 'De enige voetafdrukken die we hebben gezien, zijn van meneer Benedict en Nummer Twee. De Tienmannen en meneer Gordijn moeten hen dus ergens anders hebben onderschept. Ik vermoed dat Nummer Twee naar het dorp is gekomen omdat ze wist dat hier eten lag. Maar meneer Gordijn weet dat waarschijnlijk niet. Als hij wist dat ze hier waren geweest, hadden we sporen van hun zoektocht moeten zien.'

Constance voelde zich enigszins gerustgesteld. 'Dus de Tienmannen weten misschien niet waar ze moeten zoeken.'

'Het zijn wel uitstekende spoorzoekers,' merkte Kat behulpzaam op.

Constance kreunde zacht en verborg haar gezicht in haar handen. Rens had veel zin om hetzelfde te doen. De ironie van hun situatie was tenslotte nogal bitter. Door te vluchten had Nummer Twee haar kans om te worden gered om zeep geholpen, en de rest van het gezelschap in gevaar gebracht. Molenweer zou zijn plannen moeten bijstellen om de kinderen in veiligheid te brengen. Of om in ieder geval te proberen hen in veiligheid te brengen. Rens huiverde en wierp een blik op Chip, die net zijn poetsdoekje in zijn zak stopte.

'Soms wilde ik dat ik een bril droeg,' zei hij.

'Je mag altijd de mijne lenen,' zei Chip, en ze wisselden een flauwe glimlach.

Weldra kwam Molenweer terug met de mededeling dat hij een snelle ronde door het dorp had gedaan op zoek naar de 'tweelingmaan', maar niets had gevonden. 'Ik zal jullie zeggen wat we nu gaan doen,' zei hij. Zijn toon en de uitdrukking op zijn gezicht maakten duidelijk dat er deze keer geen discussie mogelijk was. 'Ik ga op zoek naar de grot. Jullie blijven hier. Er moet steeds een van jullie bij Nummer Twee blijven. Als ze weer bij haar volle verstand komt, vraag dan waar die grot zich bevindt, of die tweelingmaan. Kom zo veel mogelijk te weten. Als ik de grot binnen een paar uur niet heb kunnen vinden, kom ik kijken hoe het met jullie is.'

'En als je hem wel vindt?' wilde Kat weten.

'Dan ben ik waarschijnlijk niet voor de ochtend terug. In dat geval wil ik dat jullie teruggaan naar het bos bij de baai. Zorg dat je voordat het licht wordt beschutting hebt gevonden tussen de bomen. Als Nummer Twee sterk genoeg is, neem je haar mee; anders laten jullie haar hier en zorg ik voor haar. Ik weet dat het idee jullie niet aanstaat,' zei Molenweer, toen hij hun zorgelijke gezichten zag, 'maar het is wel wat er moet gebeuren. Nummer Twee bekommert zich evenzeer om jullie veiligheid als ik. Trouwens, het is een bevel.'

Er volgden nog meer bevelen: ze mochten de lantaarns gebruiken, maar moesten de luiken en deuren sluiten zodat het licht van buitenaf niet te zien zou zijn. Ze moesten ook een uitkijkpost installeren – hij zou hun vertellen wat de beste plek was – en een lichtsignaal geven als er gevaar dreigde. En in dat geval moesten ze allemaal onmiddellijk de schuilhut in en de deur barricaderen totdat Molenweer er was.

'De deur zal de Tienmannen niet heel lang kunnen tegenhouden, maar dan ben ik alweer terug,' zei Molenweer. 'Maak je geen zorgen, als jullie goed de wacht houden, zal ik het signaal ruim op tijd zien.'

'Zal het lichtsignaal niet ook hun aandacht trekken?' vroeg Chip.

'Als jullie Tienmannen zien,' zei Molenweer, 'wil dat zeggen dat ze toch al op weg zijn naar het dorp. Ik weet dan in ieder geval dat jullie in de problemen zitten.'

De kinderen waren al bang geweest, maar hun angst groeide met elk woord dat Molenweer sprak. Toen hij onverwacht de lantaarn uitdeed, gingen hun harten sneller kloppen en in het donker tastten ze naar elkaars hand. Hij opende de luiken en zijn silhouet tekende zich scherp tegen het maanverlichte raam af.

'Ik wil jullie de uitkijkpost laten zien,' zei Molenweer en hij gebaarde dat ze naar het raam moesten komen. Hij wees naar het pad in westelijke richting. Het laatste gebouw van het dorp was ook het hoogste: een soort houten toren met een ladder tegen de buitenwand. 'Twee van jullie houden de wacht op die oude graansilo. Hij is stevig en het dak is in goede staat. Als jullie voorzichtig zijn, kan er niets fout gaan.'

Kat bood zich onmiddellijk aan als wachtpost. Rens zei dat hij met haar mee zou gaan.

'We doen het om de beurt,' zei Constance. 'Chip en ik lossen jullie over een paar uur af.'

Chip staarde haar aan en zei toen traag, mechanisch als een robot: 'Eh, ja, dat is een prima idee, Constance.' De woorden kostten hem grote moeite. Het dak van die silo was vreselijk ver boven de grond, en het zag er vreselijk onbeschut uit.

'Dat is een goed idee. Jullie kunnen dan wel twee stel frisse ogen gebruiken.' Molenweer sloot de luiken en deed de lantaarn weer aan. Hij knielde neer en liet de kinderen om hem heen plaatsnemen. 'Luister. Dit gaat allemaal helemaal goed. Wees gewoon dapper en blijf kalm, en we redden het. En ik zal meneer Benedict hoe dan ook vinden. Morgenochtend ligt het gevaar ver achter jullie en morgenavond zijn we allemaal weer bij elkaar, ook meneer Benedict en Nummer Twee, veilig en wel. Oké?'

De kinderen knikten en ze wensten elkaar allemaal succes. Toen liepen Kat en Rens achter Molenweer aan het huis uit en het pad op. Achter hen kwam de volle maan net boven de bergtoppen uit. Toen ze de lange ladder van de graansilo op waren geklauterd, zagen ze hem bijna voor de helft.

'Ik zal kijken of er zich iemand tussen de bomen schuilhoudt,' zei Molenweer en hij wees naar het bos dat zich aan de rand van het dorp in westelijke richting uitstrekte. 'Het bos hoeven jullie niet in de gaten te houden. Houd je ogen maar gericht op die lege vlakte in het noorden, tussen de bomen en het struikgewas.' Hij draaide zich om en wees weer. 'Hetzelfde verhaal voor het zuiden. Daar ligt een open grasvlakte, zien jullie? Als er iemand aankomt, zie je hem al van verre. Dan blijft er alleen nog die berg over,' zei Molenweer terwijl hij naar de middelste berg wees, die voor hen opdoemde. 'Maar op de lage hellingen is geen beschutting, dus ook vanaf die kant zal niemand jullie verrassen.'

'En de tunnel?' vroeg Kat. 'Als ze daardoorheen komen, zijn ze hier voordat we er erg in hebben.'

'Dat zal niet gebeuren,' verzekerde Molenweer haar. 'In haar toestand kan Nummer Twee onmogelijk ver of snel hebben gelopen. Ze moet van deze kant van de berg zijn gekomen, anders zouden we haar onderweg hebben gezien. Ze zullen dus aan deze kant beginnen te zoeken.'

Het klonk logisch wat Molenweer zei. Toch tuurde Rens zenuwachtig naar het donkere gat in de rotsen. Ongewild stelde hij zich voor dat er iets uit de duisternis tevoorschijn kwam en hij huiverde bij de gedachte. Dit was niet het meest geschikte moment om een levendige verbeelding te hebben.

Molenweer legde een hand op Rens' schouder. 'Ik zou er voor de zekerheid een boobytrap kunnen aanbrengen,' zei hij, 'maar het is jullie vluchtroute. De tunnel is de snelste weg naar de andere kant. Oké? Dan zal ik jullie nu laten zien hoe je een lichtsignaal geeft.' Molenweer haalde een lichtpistool uit zijn binnenzak. Het was ongeveer zo groot als een waterpistool en net zo eenvoudig te gebruiken. 'Deze veiligheidspal wegschuiven, op de hemel richten en de trekker overhalen. Gesnopen? Als ik het sein zie, kom ik meteen.'

Molenweer gaf Kat een zoen op haar voorhoofd en woelde door Rens' haar. Toen greep hij de zijkanten van de ladder beet en gleed naar beneden, net zoals Kat een paar dagen geleden in de schuur had gedaan. *Was het echt nog maar een paar dagen geleden?* dacht Rens. Het leek wel iets uit een vorig leven.

Molenweer verdween tussen de bomen en Rens en Kat wijdden zich ernstig aan hun taak. Ze stonden rug aan rug midden op het dak van de silo. Rens keek zuidwaarts naar het grasland, en Kat keek noordwaarts naar de open vlakte achter het bos. De maan was nu helemaal boven de bergen uit gekomen en hulde alles in een spookachtig licht.

'Daar gaat hij,' fluisterde Kat na een tijdje. Rens draaide zich om en zag een klein figuurtje in snel tempo de open vlakte aan de rand van het bos oversteken. Het figuurtje stopte opeens en zwaaide in hun richting, met grote, trage armbewegingen. Kat zwaaide terug. Op deze afstand leek Molenweer zo klein als een insect en toen hij zich omdraaide en verder noordwaarts rende, werd hij nog kleiner. Weldra was hij in het struikgewas verdwenen.

Ze keken elkaar aan, maar zeiden niets. Alle twee voelden ze het gewicht van hun taak op zich drukken. Rens hield het zuiden in de gaten. Kat hield het noorden in de gaten. Het eiland leek onnatuurlijk stil. De bomen bewogen niet en er stond niet het kleinste briesje. Het was alsof de wind zich overdag had uitgeput en 's nachts moest rusten. Er ging een halfuur voorbij, een uur. In een gespannen stilzwijgen tuurden de jonge wachtposten over het maanverlichte landschap, tegen beter weten in hopend dat hetgeen waar ze naar uitkeken niet zou verschijnen.

Twee uur later kwam Constance over het pad naar de silo gelopen. Kat had zich er zorgen over gemaakt en fluisterend liet ze Rens weten dat Constance volgens haar te klein en te onhandig was om op een dak te klimmen, om nog maar te zwijgen over hoe snel ze haar aandacht verloor. Stel dat ze afgeleid raakte? Maar Rens had er ook over nagedacht en hij was van mening dat als Constance eenmaal iets beloofde, ze op haar konden rekenen. Trouwens, wat zou haar op het dak van een silo kunnen afleiden?

'Als jij het zegt,' zei Kat, die meestal op Rens' oordeel vertrouwde. 'Maar ik zou er geruster op zijn als ik haar omhooghielp en een veiligheidslijn gaf. Neem jij het even over?'

De volgende minuten stond Rens gespannen eerst naar het zuiden, vervolgens naar het noorden en toen weer naar het zuiden te kijken. Hij durfde niet langer dan een seconde niet een bepaalde kant uit te kijken, zodat het leek alsof hij verwoed nekoefeningen aan het doen was, toen Constance boven aan de ladder verscheen.

'Wat ben jij in hemelsnaam aan het doen?' vroeg Constance. 'Het ziet er belachelijk uit!'

Terwijl Rens het haar uitlegde, haalde Kat haar touw tevoorschijn en bond het ene uiteinde rond het middel van het meisje. Het andere uiteinde bevestigde ze aan de ladder, zodat Constance hooguit een meter omlaag kon vallen. Ze moesten de voorzorgsmaatregel beneden hebben besproken, want Constance stribbelde niet tegen. Ze klaagde alleen maar dat het touw knelde. Ondertussen bleef Rens maar heen en weer kijken. Hij was opgelucht toen Constance Kats positie overnam en hij zich alleen nog maar op het grasland hoefde te concentreren. Kat ging Chip halen, die bij Nummer Twee was gebleven.

'Geen verbetering?' vroeg Rens aan Constance. Ze stonden rug aan rug.

'Ze heeft één keer haar ogen geopend om me te vragen mijn eigen was te doen,' zei Constance. 'Ik zei dat ik liever had dat zij het deed, want dat zeg ik altijd. Ik wilde haar niet nog meer in verwarring brengen dan ze al is. Ze zuchtte en sliep onmiddellijk weer in.'

Niet lang daarna kwam Chip de ladder op. Zonder zijn ogen van het grasland los te maken, overhandigde Rens hem het lichtpistool (hij had besloten dat hij die verantwoordelijkheid níét aan Constance zou toevertrouwen) en herhaalde Molenweers instructies. Chip knikte en ging met zijn armen over elkaar op Rens' plaats staan, om te voorkomen dat hij zijn bril van zijn neus haalde. Hoe groot de aandrang ook was, het was nu niet het moment om zijn glazen te gaan poetsen.

Rens wenste hun succes en klom de ladder af. Langzaam liep hij het pad af en keek om zich heen of hij iets zag wat licht zou werpen op de aanwijzing. Dat hij niets zag, kon ook te maken hebben met het feit dat Rens zich nauwelijks kon concentreren. De twee uren dat hij op de uitkijk had gestaan hadden hem uitgeput en bovendien was het een lange en vermoeiende dag geweest. Rens wist zeker dat dit de langste en vermoeiendste dag van zijn leven was geweest. Wat ze tussen zonsopgang en zonsondergang al niet hadden beleefd! Ze waren in de museumbibliotheek geweest, op de vlucht geslagen voor de politie, ze hadden oog in oog gestaan met een Tienman, ze waren Risker te slim af geweest en naar dit eiland gevlogen, waar de problemen en het gevaar alleen maar groter waren geworden. Rens besefte heel goed dat de Tienmannen op dit moment misschien wel over het eiland slopen, op zoek naar Nummer Twee. Hij was echter plotseling zo moe en daas dat hij zelfs geen angst meer voelde. Dat was een van de voordelen van uitgeput zijn, dacht hij.

Kat wierp een blik op hem en stuurde hem met een van de lantaarns naar boven. 'Pak een deken en ga liggen. Ik maak je wel wakker als er iets is. Echt, Rens, je bent een wandelend lijk!'

Rens kon er niets tegen inbrengen. Hij kwam nauwelijks de trap op. Als een slaapwandelaar pakte hij een deken uit de kast en stommelde naar een van de slaapkamers. Een deel van zijn hersenen was nog net wakker genoeg om eraan te denken de batterijen te sparen. Hij deed de lantaarn uit en opende de luiken om het maanlicht binnen te laten. Toen gooide hij zijn deken over de ouderwetse gevlochten matras en viel erop neer. De touwen waren enigszins losgeraakt, zodat het bed kreunend doorzakte, maar het maakte Rens niet uit. Hij zou nog door een treinbotsing heen slapen. Of door een tornado.

Hij zou zelfs nog door Constances gekrijs heen slapen. En dat was precies wat hij deed.

Prettige dromen en andere valse hoop

Op het moment dat Rens als een blok in slaap viel, deed Chip op het dak van de silo zijn best om niet hetzelfde te doen. De onmogelijk lange dag eiste ook bij hem zijn tol. Chip had nooit gedacht dat hij in slaap zou kunnen vallen, niet wanneer hij op wacht stond, niet wanneer hij zo bang was voor wat er zou gebeuren. Maar nu hij in de stille nacht eindeloos naar hetzelfde punt stond te turen, voelde hij zijn oogleden steeds zwaarder worden. Chip besefte nu hoe moe hij eigenlijk was. Zou meneer Benedict zich altijd zo voelen? Hij besloot zichzelf af en toe te knijpen. Maar na een tijdje drong het tot Chip door dat hij was vergeten zichzelf te knijpen en dat zijn oogleden gevaarlijk omlaag waren gezakt. Geschrokken schoot hij overeind, knipperde met zijn ogen en tuurde weer over het grasland. Met zijn hart bonkend in zijn oren – een angstaanjagend geluid dat hem aan voetstappen deed denken – probeerde hij erachter te komen hoelang hij zijn aandacht had laten verslappen. Een seconde of twee? Een paar minuten? Langer? Hij tuurde naar de volle maan, maar in tegenstelling tot Kat kon hij slecht afstanden en verhoudingen schatten. De maan leek ongeveer recht boven hen te staan, net zoals toen Chip het huis uit was gekomen.

Laat me alsjeblieft niets zijn ontgaan, dacht Chip en hij haalde diep adem om zichzelf te kalmeren. Toen hij zag dat alles in orde was, verdween zijn angst, werd zijn ademhaling rustiger, en algauw zakte Chip weer in dezelfde hachelijke toestand weg. Knijpen, doezelig vergeten te knijpen en vervolgens paniekerig en met opengesperde ogen wakker schrikken.

Uiteindelijk besefte Chip dat hij niet alleen zichzelf, maar ook zijn vrienden in gevaar bracht. Hoewel zijn trots verschrompelde bij de gedachte dat hij het zou opgeven, begon hij toch te piekeren over hoe hij kon wegkomen zonder een lafaard te lijken. Hij was bang dat de anderen dachten dat zijn slaperigheid een smoesje was – Constance leek tenminste geen moeite te hebben om wakker te blijven – maar zelfs als hij een goed excuus kon verzinnen, zou hij zijn post moeten verlaten om Rens of Kat te halen. Dat leek hem veel te gevaarlijk, want het was te veel gevraagd om Constance beide kanten in de gaten te laten houden. Hij had al geprobeerd zichzelf wakker te houden door met Constance te praten, maar ze had hem onmiddellijk de mond gesnoerd. 'Ik kan me niet concentreren als jij praat,' had ze hem toegesist en het was duidelijk dat ze het meende. Praten had hem misschien geholpen, maar haar had het afgeleid en dan was het noorden een zwakke plek geweest.

Chip pijnigde zijn hersenen. Zichzelf knijpen werkte niet. Op en neer springen maakte te veel herrie en zou Constance kunnen afleiden. Wat moest hij doen? Chips vermoeide hersenen deden hun uiterste best een antwoord op deze vraag te vinden en kwamen uiteindelijk met een beeld uit een boek. Een man had brandende twijgjes aan zijn vingers gebonden en wanneer het vuur zijn vingertoppen bereikte, werd hij wakker van de pijn. Dat was geen slecht idee, dacht Chip met neerzakkende oogleden. Welk boek was dat geweest? Het was ongebruikelijk dat hij dat niet meer wist. Hij wist nog wel waar hij het had gelezen: veilig thuis bij zijn ouders. Het was winter, hij had een extra paar sokken aan. Chip sloot zijn ogen en zag zichzelf in gedachten de bladzijden omslaan, in beslag genomen door het verhaal. Het was prettig om daar bij het raam te zitten lezen. Toen kwam zijn vader binnen en vroeg wat hij aan het lezen was.

'Ik weet het niet meer,' zei Chip hardop. Zijn ogen schoten open. Hij was aan het dromen geweest.

'Wat niet?' vroeg Constance. 'Maakt ook niet uit. Vertel het me maar niet. Hou gewoon je mond, alsjeblieft. Je hebt me een ongeluk laten schrikken.'

Chips ademhaling raspte in zijn keel. Hij staarde de duisternis in. De grasvlakte zag er vreemd wazig uit, meer als een abstract schilderij van een grasvlakte dan een echte vlakte. Zijn bril was langs zijn neus omlaaggegleden. Chip duwde hem weer omhoog en tuurde de duisternis in. Zag hij iets? Goddank niet. De grasvlakte was leeg. De dichtstbijzijnde berghelling was leeg. Er was niets te zien en Chip voelde de overweldigende opluchting van iemand die een vreselijke blunder had begaan zonder dat iemand het had gemerkt.

Dat mag niet nog eens gebeuren, sprak hij zichzelf streng toe. *Je hebt gewoon geluk gehad dat er niemand is gekomen. Je hebt zelfs geluk gehad dat je niet van het dak bent gevallen.* Het zou een nare val zijn geweest. Hoe diep zou het zijn? Zes meter? Negen meter? Kat zou het wel weten. Chip deed voorzichtig een stapje naar de rand en gluurde over de rand.

Beneden stond een Tienman die hem aankeek.

Chip slaakte een gesmoorde kreet en deinsde paniekerig achteruit. Hij botste hard tegen Constance op, die zich had omgedraaid om te zien wat er aan de hand was. Vol ongeloof en afschuw zag Chip haar achterover van het dak vallen. Krijsend viel ze omlaag, maar toen Kats touw, dat om haar middel zat gebonden, haar val brak, was ze plotseling stil. Eerst wist Chip niet wat er was gebeurd. Hij dacht dat Constance op de grond neer was gekomen. Toen hoorde hij haar voeten tegen de zijkant van de silo bonken en hij haastte zich naar de rand om haar op te takelen. Chip greep het touw, maar pas toen het te laat was realiseerde hij zich dat hij het lichtpistool in zijn hand had. *Nee, nee, nee!* dacht hij terwijl hij het omlaag zag vallen. Het belandde naast de Tienman, die om de silo heen was gelopen en hen geamuseerd aankeek, alsof ze twee ruziënde mussen op de dakrand waren.

De Tienman raapte het lichtpistool op en liet het in zijn zak glijden. Vervolgens haalde hij een radio tevoorschijn en zei: 'Ik heb activiteit in het dorp.' Hij zei nog iets wat Chip niet kon verstaan, want Constance (die net weer op adem was gekomen) schreeuwde dat hij haar omhoog moest trekken. De Tienman borg de radio op en begon de ladder op te klimmen. Hij bewoog zich sierlijk – de aktetas leek hem niet in het minst te hinderen – en de geur van zijn aftershave dreef voor hem uit.

Toen Constance de aftershave rook, hield ze abrupt haar mond. Ze staarde Chip hulpeloos aan, te bang om omlaag te kijken. Onder haar maakten de schoenen van de Tienman zacht tikkende geluidjes op de sporten.

'Kindje toch,' zei de Tienman. 'Laat mij je eens helpen.'

Rens ontwaakte langzaam uit een diepe slaap. Eerst had hij geen idee waar hij was. Hij had onaangename dromen gehad, totdat iets hem had gewekt. Om hem heen was het donker en stil. Hij had de indruk dat hij niet in zijn eigen bed lag en in het maanlicht dat door het venster scheen, kon hij net het onbekende plafond boven hem onderscheiden. Geen plafondlamp. Hij knipperde en bewoog zijn ogen heen en weer, te moe zelfs om zijn hoofd te draaien. Hij zag geen meubels. Droomde hij nog? Waar wás hij? Het bed was in het midden doorgezakt en had geen voeteneinde, maar in het donker zag hij wel twee hobbels. Zijn voeten. Om de een of andere reden nog met zijn schoenen aan. En daarachter zag Rens...

Een gestalte. Weggedoken in de duisternis.

Hij zag twee ogen.

Rens' huid prikte, alsof er mieren overheen liepen, en hij hield zijn adem in. Hij kon zich niet bewegen. Een moment lang was zijn geest leeg van angst en toen ging hij wanhopig op zoek naar een verklaring. Hij droomde. Niet zomaar een droom; een nachtmerrie. De meest angstaanjagende, realistische nachtmerrie die hij ooit had gehad. Het was meneer Benedicts nachtmerrie, realiseerde hij zich opeens. De gestalte die ineengedoken aan het eind van zijn bed stond: de Oude Hag. Rens had over meneer Benedict liggen denken, en zodoende... Ja, dat moest het zijn. Nog steeds te bang om zich te bewegen, probeerde Rens wakker te worden. *Een nachtmerrie,* dacht hij. *Gewoon een nachtmerrie. Word nou wakker.*

Rens zag de ogen knipperen. Hij huiverde. Het was alsof de roerloze gestalte hem in de duisternis probeerde te ontwaren. Hij begreep best dat meneer Benedict vreselijk leed onder deze visioenen! Wakker worden, commandeerde hij zichzelf. Wakker worden! Met inspanning van al zijn krachten lukte het Rens eindelijk overeind te komen.

De ogen van de gestalte sperden zich open en sissend stortte hij zich op Rens.

Met een verpletterende slag drong de werkelijkheid tot Rens door. Hij bevond zich in het verlaten dorp op het eiland. En nu probeerde iemand, een vreemde, hem uit zijn bed te sleuren. Rens vocht terug, maar de vreemdeling was veel sterker dan hij. Na een paar kreunen en kreten en vinnige klappen werd hij van het bed getild en onzacht, met zijn kin eerst, op de houten vloer gesmeten. Enkele tellen lang zag hij speldenknopjes licht in de duisternis. Het duizelde hem nog steeds toen er een fel licht de kamer in scheen dat op het gezicht van zijn belager viel.

Het was Martina Krauw. Haar lange zwarte haar was door het gevecht in de war geraakt en hing in slierten voor haar gezicht, maar de wraakzuchtige uitdrukking liet geen twijfel.

Er was ook geen twijfel over degene die de zaklantaarn vasthield.

Het ene moment stond Kat in de deuropening en zag hoe haar vriend door Martina Krauw in bedwang werd gehouden. Het volgende vloog de zaklantaarn hoog door de lucht, bijna tot aan het plafond, en verdween Kat in de duisternis. Rens en Martina volgden de zaklantaarn instinctief met hun ogen (wat precies de reden was waarom Kat hem omhoog had gegooid). Daardoor hadden ze geen van beiden door wat er gebeurde toen Kat op Martina neerkwam en haar languit op de vloer deed belanden. Martina dacht dat Rens haar op de een of andere manier een klap had weten te verkopen. Voor Rens leek het alsof Martina op magische wijze in Kat was getransformeerd, want zijn vriendin bevond zich precies op de plek waarvandaan Martina zo hardhandig was verdreven.

Kat ving de zaklantaarn op voordat hij de grond raakte. 'Kom mee,' zei ze en ze trok Rens overeind en de kamer uit. Terwijl Martina door de kamer op hen af kwam rennen, sloeg Kat de deur dicht en zette haar voet tegen de kier onderaan. Ze overhandigde Rens kalm haar zaklantaarn en opende haar emmertje.

Aan de andere kant van de deur gooide Martina zich met haar volle gewicht tegen de deur. 'Het heeft geen zin om weg te rennen, stelletje idioten!' krijste ze door de deur heen. 'Jullie kunnen toch nergens naartoe!'

'Pak een deken uit de kast,' zei Kat tegen Rens, terwijl ze haar knikkerzak uit het emmertje haalde. 'Rol hem strak op en prop hem in de kier.' Ze wees met haar teen. 'Dat zal haar even bezighouden. Geef me dan de zaklantaarn en ga naar de trap.'

Rens stouwde de deken zo stevig mogelijk in de kier tussen de deur en de vloer en deinsde even geschrokken achteruit toen Martina vlak bij zijn hoofd tegen de deur trapte. Toen Rens klaar was en naar de trap was gelopen, deed Kat haar zaklantaarn uit. Rens hoorde een kletterend geluid. Kat liep achterstevoren naar hem toe en leegde ondertussen haar knikkerzak. Er werd weer woest aan de deur gerammeld en deze keer was Martina's gevloek duidelijker hoorbaar: de deur ging centimeter voor centimeter open. De deken die eronder was gepropt zou haar niet lang meer tegenhouden.

'Wegwezen,' fluisterde Kat.

Ze renden omlaag en gingen de slaapkamer in waar Nummer Twee had liggen slapen. De lantaarn brandde nog. De luiken stonden wagenwijd open. Het bed was leeg.

'O jee,' zei Kat. 'Dat is niet best.'

'Wat is er gebeurd? Waar is ze, Kat?'

'Ze werd wakker toen Constance gilde. Ze was nog steeds niet bij zinnen en moest en zou gaan kijken wat er was. Ik dacht dat ik haar ervan had overtuigd dat ze hier moest blijven, maar –' Boven hun hoofd klonk een doffe dreun, gevolgd door het geluid van knikkers die van de trap af stuiterden. Ze hoorden Martina kreunen. 'Snel,' fluisterde Kat. 'Volg me.'

Ze gingen door het raam naar buiten. Kat nam hem mee naar de achterkant van het huis en samen slopen ze in de richting van de schuilhut. Plotseling verscheen er een fel licht boven de berg, vergezeld van een knetterende klap, als van een donderslag. Rens en Kat doken weg achter een berg hout: een weggeblazen dak. Toen ze van de schrik waren bekomen keken ze omhoog of er donderwolken te zien waren, maar ze zagen alleen maar de maan, die aan een heldere hemel stond.

'Dat was een ontploffing,' fluisterde Rens. 'Wat gebeurt er allemaal, Kat?'

'Ik heb geen idee. Na Constances gegil ben ik meteen naar de silo gerend, maar daar was niemand, dus ging ik naar de schuilhut. Die was leeg. Toen ik weer naar buiten kwam, zag ik dat Nummer Twee de luiken had geopend zodat iedereen het licht zou kunnen zien. Ik rende terug om de luiken te sluiten en te kijken hoe het met haar was, maar toen hoorde ik jou en Martina boven vechten. Dat is het enige wat – wacht eens, hoor je dat?'

En of Rens het hoorde. Het was een rommelend geluid als de donder, maar deze keer zachter en gelijkmatiger. Het kwam uit de richting van de grasvlakte en werd steeds luider, totdat het overal om hen heen uit de bodem leek te komen. Toen kwam de Salamander in zicht. Hij rolde het pad tussen de huizen op. Rens en Kat kropen achter het weggeblazen dak weg en gluurden tussen de planken door. Een groot, gepantserd beest van negen meter lang en drie meter hoog kwam met grote vaart op zware rupsbanden aanzetten. De zijkanten waren staalblauw en glinsterden dof in het maanlicht. Voorop stond een Tienman met zijn handen op een groot stuurwiel, als een kapitein aan het roer van zijn schip. Achter hem zag Rens nog net het topje van Chips kale hoofd en zijn angstig opengesperde ogen. Het was niet te zeggen of Constance bij hem was.

De Salamander denderde voorbij in de richting van het huis dat ze zojuist hadden verlaten. Ze hoorden Martina op kwade en ongeduldige toon tegen de Tienman schreeuwen en het gerommel stopte. Toen pas hoorden ze de diepe dreun van de krachtige motor van de Salamander.

Rens keek Kat aan. 'Als ik ze afleid, kun jij dan –'

'Je weet dat ik dat kan,' zei ze met vlammende ogen. 'Ga maar. We zien elkaar in de schuilhut.'

Rens holde achter de huizen langs terug naar waar ze vandaan waren gekomen. Toen hij de Salamander zag, schreeuwde hij: 'Hier!' en holde door, helemaal tot aan het laatste gebouw van het dorp, het huis dat uitkeek op de helling. Daar bleef hij even staan. Er kwam nog een Tienman heuvelafwaarts naar het dorp toe lopen, met zijn aktetas in zijn hand en een tevreden uitdrukking op zijn gezicht, alsof hij zojuist een uitermate bevredigende transactie had gesloten. Achter hem, waar zich eerst de ingang van de tunnel had bevonden, lag een grote berg puin. Dat verklaarde de ontploffing die ze hadden gehoord.

Rens trok zich terug in de schaduw en drukte zijn lichaam plat tegen de achtermuur. Hij luisterde. Hij hoorde geen stemmen, wat waarschijnlijk betekende dat hij werd geschaduwd. Rens gluurde om het hoekje en volgde met zijn ogen de Tienman die vanaf de ingestorte tunnel aan kwam lopen. Misschien zou hij ongewild iets doen – fronsen, zwaaien, knikken – waardoor Rens wist welke kant hij uit moest rennen. Hij wilde nog één keer de aandacht trekken en dan zo hard hij kon naar de schuilhut rennen. Als Kat Chip en Constance te pakken kon krijgen, was ze snel genoeg om hen binnen enkele tellen de schuilhut in te loodsen. De vraag was echter of Rens zelf snel genoeg zou zijn.

De Tienman was nog ongeveer vijftig meter van hem verwijderd en in het helle maanlicht kon Rens zijn gezicht goed onderscheiden. Hij zag eruit alsof hij zich nergens om bekommerde. Gewoon een goedgeklede zakenman met een aktetas die midden in de nacht op een onbewoond eiland langs een helling een verlaten dorp in kwam lopen. Het soort dingen die je in een kwade droom zag. Rens keek, en kon zijn ogen niet van de man losmaken. De Tienman droeg een bril en toen hij opkeek, weerspiegelden de glazen glinsterend het maanlicht.

Als een tweelingmaan, ging er als een schok door Rens heen. Plotseling wist hij waar ze meneer Benedicts aanwijzing konden vinden.

Maar terwijl Rens dit dacht, realiseerde hij zich ook dat de Tienman niet voor niets omhoog had gekeken. En nog steeds omhoogkeek. Waar keek hij naar? Iets hoogs dat zich aan het andere eind van het dorp bevond. De graansilo. Dat kon niet anders. Waarschijnlijk was iemand erop geklommen om beter zicht te hebben, om Rens' schuilplaats te ontdekken. En inderdaad, op dat moment hoorde Rens de Tienman in de Salamander roepen: 'Zie je iets?'

'Nog niet,' riep Martina terug. Zij was degene die op de silo stond en de achtervolging tijdelijk had gestaakt. Dit was het moment.

Rens stormde achter het gebouw vandaan het pad op.

Geschrokken slaakte de Tienman met de bril een kreet, en begon toen te lachen. Hij schudde zijn hoofd alsof een schattig, eigenwijs konijntje uit zijn kooi was ontsnapt. Hij leek zich niet te haasten om de achtervolging in te zetten, maar hij kwam wel Rens' kant uit.

Rens keek niet achterom. Hij rende regelrecht naar de Salamander, die een heel eind verderop aan de andere kant van het dorp langs het pad stond geparkeerd. De Tienman achter het stuur zag hem aankomen en maakte aanstalten om uit te stappen. Hij gooide een been over de rand, en aarzelde toen, blijkbaar in dubio of hij omlaag moest springen terwijl het een stuk makkelijker was om Rens door de anderen te laten oppakken.

Kom omlaag, dacht Rens. *Kom omlaag en geef Kat een kans.*

De Tienman bleef Rens besluiteloos met gefronste wenkbrauwen aankijken.

Kat hakte de knoop voor hem door. Ze schoot uit de schaduw achter de Salamander vandaan en sprong zo snel over de zijkant, dat de inzittenden – Chip, Constance en de Tienman – nauwelijks tijd hadden om verbaasd te kijken toen ze met een dreun op de Tienman terechtkwam en hem op het pad deed belanden. Hij kwam hard op de grond neer, met onelegant gespreide armen en benen, en toen hij overeind krabbelde stond de haat op zijn gezicht te lezen.

Kat was ondertussen al met Constance over haar schouder uit de Salamander gesprongen en over het pad weggeracet. Ze dacht dat Chip vlak achter haar aan kwam. Maar Chip had niet zo snel over de zijkant kunnen klimmen. Rens begon te roepen, in de hoop de aandacht van de Tienman van Chip af te leiden, maar die negeerde Rens en ging voor de dichtstbijzijnde prooi. Hij lichtte Chip net zo makkelijk van de zijkant van de Salamander als hij een overhemd uit een winkelrek had kunnen pakken. En net als met een overhemd, hield de Tienman het magere jongetje bij zijn schouders omhoog alsof hij naar de maat keek. Chip kronkelde en schopte, terwijl de Tienman hem teleurgesteld aankeek. Hij trok Chip naar zich toe, hield hem met één hand in bedwang, terwijl hij met zijn andere hand zijn zakdoek uit zijn borstzakje haalde.

'Nu even rustig, ventje,' zei de Tienman. 'Tijd voor een dutje.'

Rens had een vaag, tot mislukken gedoemd plan om met volle kracht tegen de Tienman aan te beuken, maar hij was nog een aantal meters van hem verwijderd en hij zou misschien te laat komen. Ondertussen bewoog Chip zijn gezicht alle kanten uit om de verraderlijke zakdoek te ontwijken. Met een geïrriteerde uitdrukking drukte de Tienman zijn wang tegen Chips hoofd om hem stil te houden. Chip gooide zijn hoofd zo hard mogelijk naar voren – en de Tienman schreeuwde het uit.

'Hij heeft me opengehaald!' grauwde de Tienman woedend, zijn ogen ongelovig opengesperd. 'Dat knulletje heeft me met zijn hoofd opengehaald!' Hoe verrast hij ook was, hij had Chip nog steeds stevig vast en hij zou met hernieuwde kracht met zijn zakdoek zijn aangevallen, als Rens niet precies op dat moment met gestrekte armen, gebogen nek en stijf dichtgeknepen ogen tegen hem aan was geknald.

Tijdens het moment van verwarring dat volgde, haalde de Tienman met de zakdoek uit naar Rens' gezicht en miste, zwaaide Chip met zijn vuist naar de Tienman en slaagde erin Rens op zijn linkeroor te treffen, en raakte Rens, die door de pijnlijke klap in elkaar kromp, toevallig met zijn schedel de kin van de Tienman. Toen de man verbijsterd achteruitwankelde, maakte Chip zich los en rende hij achter de meisjes aan naar de schuilhut.

Rens wankelde zelf echter ook achteruit en het duurde even voordat hij zijn evenwicht had hervonden. Tegen die tijd had de Tienman zich hersteld en maakte hij aanstalten Rens de weg te versperren. Rens draaide zich razendsnel om en sprintte tussen twee gebouwen door weg. Vanuit zijn ooghoek zag hij de Tienman met de bril met een geamuseerde uitdrukking over het pad komen aanlopen. Hij deed zijn aktetas open.

Rens bleef achter een van de gebouwen staan luisteren. Geen voetstappen, geen stemmen. Hij gluurde om het hoekje. De Tienman van de Salamander had zichzelf weer onder controle en stopte nonchalant zijn zakdoek in het borstzakje terug, terwijl de bebrilde Tienman met zijn geopende aktetas op het lage stenen muurtje van de put zat, alsof hij net had bedacht dat hij nog een paar belangrijke papieren moest doornemen. Hij keek op, glimlachte naar Rens en bewoog zijn pols. Er floot iets langs Rens' oor de duisternis in. Een moment lang was hij zo verrast dat hij stokstijf bleef staan.

'Mis,' zei de andere Tienman snuivend. 'Je bent me een pen schuldig.'

'Dubbel of niets,' zei de bebrilde Tienman en hij haalde weer iets uit zijn aktetas.

Rens draaide zich om en rende zo hard mogelijk weg.

De ingang van de schuilhut bevond zich langs het pad. Hij zou uit de beschutting van de huizen tevoorschijn moeten komen. Ondertussen was hij een heel eind van de Salamander verwijderd en de schuilhut bevond zich recht tegenover hem. Hij zag geen Tienmannen meer en de deur van de schuilhut stond open. Dit was zijn kans. Maar net toen hij naar de deur wilde sprinten, kwam Martina tussen twee gebouwen tevoorschijn. Rens wist dat het spel uit was. Martina was sneller en ze was dichter bij de hut. Ze zou hem de weg afsnijden.

'Ik heb je, Muldoorn,' zei Martina en haar gezicht vertrok van wraakzuchtig genot.

Rens kwam midden op het pad halsoverkop tot stilstand. 'Doe de deur dicht!' schreeuwde hij. 'Kat, doe de deur dicht!'

Kat verscheen in de deuropening, maar ze deed de deur niet dicht. In haar hand had ze haar slinger en ze legde er een knikker in. Er ging een golf van hoop door Rens heen. Hij had nog een kans!

Met een rauwe, opgewonden kreet trok hij zijn schouders omlaag en stormde op de deur af. Martina deed een uitval om hem de weg te versperren... Kat liet haar slinger zoeven... en Martina viel kermend en met het hoofd in haar handen op haar knieën neer.

'Ik had er eentje voor jou bewaard!' riep Kat, terwijl Rens langs haar heen naar binnen rende. Toen trok ze haar hoofd net op tijd met een snelle beweging terug. Een voorwerp schampte haar neus en kwam met een luid *pok!* in een van de houten balken achter haar terecht. Zelfs in de duisternis konden ze zien dat het een pen was. Het moest een heel scherpe pen zijn geweest, want hij stond nog als een pijl na te trillen in het hout. Kat smeet de deur dicht en schoof de metalen grendel ervoor.

'We hebben het gehaald!' hijgde Rens. Hij kon het nauwelijks geloven. In de raamloze schuilhut was het aardedonker. 'Chip, Constance, zijn jullie daar? Is alles goed met jullie?'

'Kat heeft mijn ribben bijna gebroken,' zei Constance klagend, wat Rens als een goed teken opvatte.

'Ik dacht echt dat ik er geweest was,' zei Chip. 'Ik dacht dat we er allemaal geweest waren.'

Rens voelde dat Constance zijn hand beetpakte.

Kat richtte haar zaklantaarn op de balk waar de pen van de Tienman zich in had geboord. Ze probeerde hem eruit te trekken, maar hij had net zo goed in cement gestort kunnen zijn. Het lukte haar zelfs niet om hem af te breken.

'Ik vraag me af wat ze nu aan het doen zijn,' zei Chip, die zijn oor tegen de deur had gelegd om te luisteren.

'Nou, ze wachten totdat wij ze binnenlaten,' zei een zware stem.

Rens moest bijna overgeven. De stem had recht boven zijn hoofd geklonken.

Kat vond de Tienmannen tussen de dakspanten met haar zaklantaarn. Het waren er twee. Ze zaten gehurkt en tuurden gemeen grijnzend omlaag naar de kinderen, als in het pak gehesen waterspuwers. Ze zagen er enorm en spinachtig uit, een en al ellebogen en knieën, en hun schaduwen besloegen het hele plafond.

'Maar... maar hoe...?' stamelde Chip.

'Het is niet zo'n mysterie, schatjes,' zei een van de Tienmannen. 'Ik ben jullie gewoon te slim af geweest.'

De doos van Pandora of dingen die beter gesloten kunnen blijven

'Niet bewegen, als jullie oren je lief zijn,' zei een van de Tienmannen met een grijns. Hij liet hun het cilindervormige apparaatje in zijn handen zien. 'Ik heb geen zin om dit bij jullie te moeten gebruiken: het duurt de hele nacht om hem weer op te laden.'

De kinderen, die graag hun oren behielden, waren weldra in de handboeien geslagen en tegen de achterwand van de hut gezet. Ondertussen had de andere Tienman de deur geopend en zijn collega's binnengelaten. In totaal waren ze met z'n vieren, afgezien van Martina (die haar hoofd vasthield en, in ieder geval op dat moment, te woest leek om een woord te kunnen uitbrengen), en ze zagen er allemaal even goedgekleed, ontspannen en opgewekt uit. De schuilhut was doortrokken van de geur van dure aftershave.

'Garotte,' zei de grootste Tienman tegen degene die de laser in zijn hand had. 'Wees zo goed om een lantaarn voor ons te halen, wil je? Nu je het toch over batterijen hebt, kunnen we net zo goed ook onze zaklantaarns sparen.'

'Wat een geweldig idee, McCracken,' zei Garotte, een bebaarde man met puntige oren en een platte neus. In zijn zwarte pak vertoonde hij een onrustbarende gelijkenis met een enorme vleermuis.

'Als ik toch ga, zal ik dan wat proviand meenemen? Wat dacht je van een middernachtelijke picknick?'

McCracken grinnikte. 'Alleen de lantaarn, dank je, Garotte. Ik zit nog vol van het avondeten.'

Gezien de aard van hun werk, was de voorkomende manier van doen van de Tienmannen verontrustender dan als ze agressief of lomp hadden gedaan. En de kinderen waren dan ook zeer verontrust. Zelfs Kat bevond zich in een verhoogde staat van paniek, niet alleen omdat ze gevangen waren genomen (hoewel dat er wel toe bijdroeg), maar ook omdat ze de naam van de grootste Tienman, McCracken, eerder had gehoord en zijn reputatie kende.

Molenweer had het ooit over hem gehad. McCracken was de aanvoerder van de Tienmannen en de meest ongrijpbare (Molenweer had hem nooit gezien). Kat had nu de twijfelachtige eer hem eerder te ontmoeten dan haar vader. Het was een indrukwekkende man, met schouders als nachtkastjes, onberispelijk gekapt bruin haar en doordringende blauwe ogen, maar zijn reputatie was nog veel indrukwekkender. Volgens Molenweer was McCracken de gevaarlijkste Tienman van allemaal. En nu stond hij in de duisternis naar hen te glimlachen.

'Je kunt je kleine kijkertjes net zo goed opendoen, snoepje,' zei hij tegen Constance, die haar ogen stijf had dichtgeknepen, in een poging te doen alsof ze ergens anders was. 'Wíj zien jou namelijk wel, ook al zie jíj ons niet.'

'Laat haar met rust,' piepte Chip. Hij had willen schreeuwen, maar zijn woorden kwamen er bijna onhoorbaar uit. McCracken had niet eens gemerkt dat hij iets had gezegd. Chip slikte moeizaam en probeerde zijn stem terug te krijgen. Hij stond op het randje van een instorting, niet vanuit angst (ook al was hij heel bang), maar vanuit een overweldigend gevoel van schaamte. Elk gevoel van trots of zelfverzekerdheid had hem al een eeuwigheid geleden verlaten. Het enige wat Chip wilde, was zijn vrienden redden van de gevolgen van zijn vreselijke blunders. Hij had echter niets om hen mee te redden – zijn gaven waren hier nutteloos – en in de chaos van frustratie en wanhoop maalden zijn hersenen als een gek rond.

Ook Rens was behoorlijk van streek. Wat hem direct was opgevallen – en had verontrust – was hoe snel McCracken de situatie had beoordeeld en onder controle had gekregen. In een tijdsbestek van enkele minuten had hij gehoord dat de kinderen zich in het dorp bevonden, geconcludeerd waar ze zich moesten verschuilen en was hij hen tussen de dakspanten van de schuilhut gaan opwachten. McCracken was degene die hen vanaf de spanten had toegesproken en hij had gelijk gehad: hij was hen te slim af geweest, wat betekende dat McCracken heel slim was.

Rens haalde een paar keer diep adem. Als ze een kans wilden maken om hier weg te komen, dan kon hij maar beter rustig nadenken.

Ondertussen was Martina Krauw haar woede zodanig de baas geworden dat ze weer kon praten. Ze blafte de Tienmannen bevelen toe en tot verbazing van de kinderen gehoorzaamden de Tienmannen haar. Zo te zien deden ze het niet graag (hoewel McCracken het wel vermakelijk leek te vinden), maar elke keer dat Martina iets zei, reageerden ze met: 'Tot je orders', en deden ze wat ze vroeg. Martina kon deze machtspositie onmogelijk met haar eigen daden hebben verworven – meneer Gordijn moest haar die hebben gegeven – maar ze genoot er hoe dan ook zichtbaar van.

Haar eerste bevel was dat McCracken de kinderen moest vastbinden zodat ze niet opnieuw konden ontsnappen. McCracken was dat blijkbaar al van plan geweest – hij had al een dunne ketting uit zijn aktetas gehaald – maar hij glimlachte alleen maar en zei: 'Tot je orders' en ging door met waar hij al mee begonnen was. De polsen van de kinderen zaten al met handboeien aan elkaar, met Kat aan het ene uiteinde, dan Constance, daarna Chip en ten slotte Rens. Nu maakte McCracken Rens' vrije pols vast aan de ketting, die niets meer leek te zijn dan een sliert paperclips: alsof iemand zich tijdens een lange teleconferentie had verveeld en iets in elkaar had zitten knutselen. In werkelijkheid (zo legde McCracken opgewekt uit) was hij vervaardigd uit hoogwaardig staal en met de hand niet kapot te krijgen.

'Zelfs ik kan hem niet kapot krijgen,' zei McCracken, terwijl hij het andere uiteinde van de ketting om een balk wikkelde en met een hangslot vastzette. Hij knipoogde. 'En ik ben heel goed in dingen kapotmaken.'

'Hou op met dat geklets, McCracken,' snauwde Martina. 'Geef mij de sleutel van de handboeien.' Ze stak haar hand gebiedend uit en met een onverholen spottend lachje legde McCracken het sleuteltje met een sierlijk gebaar op haar handpalm. De kinderen staarden naar het sleuteltje, dat volmaakt symbool stond voor hun hachelijke situatie. Ze bevonden zich nu in de handen van Martina Krauw.

En Martina Krauw haatte hen vanuit de grond van haar hart.

Eigenlijk haatte Martina Krauw vrijwel alles. Ze haatte de kinderen in het bijzonder, maar die waren slechts het topje van een lange lijst. Wat Martina ook haatte, was zwakte en domheid, en aangezien ze het meeste gedrag als zwak en dom beschouwde, bevatten deze categorieën vele subcategorieën, en die op hun beurt nog meer subcategorieën, enzovoorts, totdat er nog maar weinig dingen waren die buiten het bereik van Martina's haat vielen. Een van die dingen was echter commanderen. Martina was dol op commanderen en dan met name op het commanderen van de Tienmannen. Ze genoot er ook van haar commando's eerlijk te verdelen, zodat niemand buiten de boot viel. En nadat ze de sleutel van McCracken had opgeëist, keek Martina de bebrilde Tienman hooghartig aan en blafte: 'Sharp, zoek iets voor me om op te zitten!' Vervolgens beval ze Garotte, die zojuist met een lantaarn was teruggekeerd, de lantaarn in het midden van de hut op de grond neer te zetten. Uiteindelijk knipte ze met haar vingers naar de vierde Tienman (een kale man met maar één wenkbrauw – die boven zijn linkeroog – waardoor er permanent een zure uitdrukking op zijn gezicht lag) en blafte: 'Sluit de deur, Kruinings!'

Diep ongelukkig keek Rens toe hoe Kruinings de deur vergrendelde, alsof het zijn eigen graftombe was die werd verzegeld. Hij hoopte dat Molenweer slechts vertraging had opgelopen, maar hoe zou Molenweer wanneer hij terugkwam – áls hij al terugkwam – hen kunnen redden als hij er niet in kon? Hij had dit gebouw tenslotte uitgekozen vanwege zijn stevigheid. En ook al zou het hem lukken om binnen te komen, dan was hij sterk in de minderheid, en de kinderen zaten vastgeketend en konden niet eens vluchten.

Kruinings voegde zich bij de andere Tienmannen die op bevel van Martina bij de lantaarn waren gaan staan. Sharp had niks kunnen vinden om op te zitten en Martina wierp een heimelijke blik op zijn aktetas, maar zei niets. Blijkbaar waren de aktetassen verboden terrein voor haar. Het leed geen twijfel dat ze dat haatte.

'Wel, McCracken,' zei Martina, 'misschien wil je uitleggen hoe ze is ontsnapt?'

'Ze is niet ontsnapt,' antwoordde McCracken. Hij peuterde nonchalant tussen zijn tanden met het scherpe uiteinde van de pen die in de balk had gezeten. Rens had gezien hoe hij hem uit het hout had getrokken alsof het een punaise in een prikbord was. Kat had het ook gezien en haar mond was opengevallen.

'Ze is niet ontsnapt?' zei Martina spottend. Ze keek de hut rond en wierp haar handen in de lucht. '*Ik* zie haar niet. Waar is ze dan? Heeft ze zich soms achter een van die balken verstopt?'

'Ze is in het bos. Sharp zag haar tussen de bomen verdwijnen. Ik heb hem de ingang van de tunnel laten opblazen, zodat ze niet naar de andere kant van het eiland kan doorsteken. We kunnen haar nu zo opsporen.'

'Waarom zijn we haar nu dan niet aan het opsporen?'

'Ik dacht dat we eerst met deze schatjes moesten afrekenen,' zei McCracken. 'Die zijn namelijk niet uit de lucht komen vallen. Iemand moet ze hier hebben gebracht. We kunnen er maar beter zo snel mogelijk achter zien te komen wie dat is, vind je niet?'

Martina beaamde het grommend. Het was alle aanwezigen zo helder als glas dat Martina in werkelijkheid niets liever wilde dan zich met de kinderen bezighouden, maar eerst duidelijk wilde maken dat het niet haar fout was maar die van de Tienmannen dat ze Nummer Twee niet te pakken hadden gekregen. Ze draaide zich op haar hakken om en beende op Kat af. Van alle kinderen had Martina de grootste hekel aan Kat, omdat die haar het vaakst voor schut had gezet op het Instituut (om over het afgelopen kwartier nog maar te zwijgen).

'Hoe verklaar jij je aanwezigheid hier, Weeral?' vroeg ze gebiedend.

'Magie,' zei Kat, terwijl ze de dreigende blik van het oudere meisje koeltjes beantwoordde. 'Hoe is het trouwens met je voorhoofd? Je moet er misschien wat ijs op leggen.'

Rens zag dat Kat haar vrije hand in haar emmertje had laten glijden. *Doe nou niets stoms,* dacht hij. *Kijk nou uit dat je niet gewond raakt, Kat.*

Martina betastte de buil op haar voorhoofd. Haar ogen schoten vuur. 'En jíj moet goed beseffen in welke positie je verkeert.' Ze hield het sleuteltje van de handboeien omhoog. 'Zie je dat? Ik heb hier de touwtjes in handen, Weeral, en jij bent degene die in de boeien is geslagen, dus als je niet wilt dat je –'

Kat stampte op Martina's voet, griste het sleuteltje uit haar hand en gaf haar een kopstoot tegen haar borst.

Martina wankelde achteruit. Haar pijnkreet werd gesmoord door de kopstoot, die alle lucht uit haar longen perste. Ze draaide zich om naar McCracken, haar ogen opengesperd van razernij, en priemde een vinger in de richting van Kat, die met het sleuteltje aan haar handboeien aan het morrelen was.

'Tot je orders,' reageerde McCracken op het onuitgesproken bevel. Hij deed geen moeite om zijn geamuseerde glimlach te verbergen, maar hij treuzelde ook niet om op Kat af te lopen en haar pols beet te pakken. 'Dat was leuk, waaghalsje,' zei McCracken tegen Kat, 'maar dat wil niet zeggen dat ik dit niet ook leuk vind.' Hij kneep. Kats adem stokte van pijn en ze deed haar hand open. Het sleuteltje viel op de grond.

McCracken controleerde de handboeien. Ze zaten nog dicht. Ondertussen had Martina het sleuteltje van de grond geraapt en zich buiten Kats bereik begeven. Toen ze weer een beetje op adem was gekomen zei ze: 'Ik wil... dat jij het... dat meisje... betaald zet!'

'Tot je orders,' zei McCracken en hij opende zijn aktetas.

'Ik dacht dat jullie wilden weten hoe we hier zijn gekomen, Martina,' zei Rens snel.

Martina keek hem wantrouwend aan. 'Ze komt er toch niet onderuit, Muldoorn. Wat je ook zegt of wanneer je het ook zegt, dat verwaande vriendinnetje van je gaat ervan langs krijgen.'

Rens haalde zijn schouders op. 'Oké, als het jou – of meneer Gordijn – niet uitmaakt, dan kan ik wel wachten met vertellen wat er gaat gebeuren.'

'Wat er gaat... gebeuren?' herhaalde Martina. Ze keek hem dreigend aan. 'Wat bedoel je?'

'Als we morgenochtend niet bij de boot zijn, waarschuwt Risker de autoriteiten,' zei Rens. 'Ik stel dus voor dat jullie goed nadenken over de eventuele acties die jullie nu willen ondernemen.'

Het werd stil in de hut. Toen keken de Tienmannen elkaar aan en barstten in lachen uit. Martina lachte ook en na hem een hele tijd hoofdschuddend te hebben opgenomen zei ze: 'Risker? Je bedoelt die inhalige lafaard in Naardrecht? Bedankt voor de waarschuwing, Muldoorn, daar zijn we heel blij mee, maar we maken ons niet echt zorgen om iemand als Risker. Het verbaast me dat hij jullie überhaupt hierheen heeft willen brengen.'

Rens deed zijn best om er beteuterd uit te zien. Beteuterd maar opstandig. 'Nou, toevallig heeft hij dat wel gedaan! We hebben hem de helft van het geld gegeven dat meneer Benedict voor ons had achtergelaten en beloofd dat hij de andere helft krijgt wanneer we terugkomen. Maar als we niet terugkomen, gaat hij –'

'Waar is dat geld?' onderbrak McCracken hem.

'Nergens waar jullie bij kunnen,' zei Rens.

'En waar mag dat dan wel zijn?' vroeg McCracken. Hij haalde een sierlijk, met leer bekleed sigarendoosje uit zijn aktetas, schudde het heen en weer en legde het tussen Rens' voeten op de grond. Er kwam een vreemd scherp, klikkend geluid uit het doosje, gevolgd door een nauwelijks hoorbaar gegil.

McCracken gaf het een duwtje met de neus van zijn glimmend gepoetste schoen. 'Zal ik het openmaken? Of ga je me vertellen waar het geld is?'

Rens staarde naar het sigarendoosje. Hij begon te zweten. 'Het... het ligt op de boot. In mijn tas.'

McCracken klakte meelevend met zijn tong. 'Dan is Risker gevlogen, lieve jongen. Hij heeft je geld gepakt en is ervandoor gegaan. Zo iemand is het namelijk. Wees maar niet bang, we trekken het voor de zekerheid na, maar ik denk dat je ervan uit kunt gaan dat hij jullie vergeten is. Hoe wist je trouwens van het bestaan van Risker, hm? En van dit eiland? Als je het me snel vertelt, laat ik het doosje misschien wel dicht.'

Terwijl de andere kinderen verbijsterd luisterden – ze hadden geen idee waar Rens op uit was – vertelde Rens McCracken de waarheid. Hij zei dat ze thuis waren weggeslopen om op zoek te gaan naar meneer Benedict en Nummer Twee. Hij vertelde over de aanwijzingen die meneer Benedict had achtergelaten als onderdeel van een verrassingsreis, hoe ze die hadden opgevolgd in de hoop hun vrienden te vinden, om vervolgens Ronda Kazembe te waarschuwen. Hij vertelde McCracken alles – alles, behalve over Molenweer en de laatste aanwijzing – en omdat alles wat Rens vertelde waar was, klonk het als een zeer overtuigend verhaal.

McCracken leek onder de indruk. 'Jullie hebben die reis helemaal in je uppie gemaakt? Goeie grutten, wat een grote jongens en meisjes zijn jullie!' Hij pakte het sigarendoosje op en hield het vlak bij Rens' met zweet bedekte gezicht. 'Weet je zeker dat je niet even een klein kijkje wilt nemen?' Hij grinnikte en schudde het doosje heen en weer. Het geluid werd sterker. 'Nee? Wil je niet kennismaken met Pandora?' Hij haalde zijn schouders op en stopte het doosje weer in zijn aktetas.

Garotte nam het woord. 'Wat denken jullie, gaat Risker het ons moeilijk maken?'

'Ik betwijfel het,' zei Kruinings. 'Als hij het geld van die schatteboutjes heeft gestolen, gaat hij heus niet de autoriteiten waarschuwen.'

'Doe niet zo stom,' snauwde Martina geïrriteerd, omdat ze haar niet in het gesprek betrokken. 'We moeten het hoe dan ook aan meneer Gordijn rapporteren. Geef me je radio, Kruinings.'

Kruinings trok zijn ene wenkbrauw op. 'Lieve schat, ik heb toch nooit gezegd dat we het niet moesten rapporteren? Maar ik ben bang dat je aan mijn radio niet veel hebt.' Hij deed alsof hij verontschuldigend keek. 'In de grot is er geen ontvangst, weet je nog?'

Martina vloekte binnensmonds. Ze schudde haar haren hooghartig naar achter en zei: 'Dan neem ik de Salamander. Garotte, jij rijdt me erheen. De rest wacht hier. We blijven niet lang weg.'

'Waarom neem je de kinderen niet mee?' vroeg McCracken.

'Omdat ik het zeg,' gromde Martina.

Ze gaf geen verdere uitleg, maar Rens wist vrijwel zeker wat ze dacht. Hier in de schuilhut had Martina de kinderen in haar macht. Als ze eenmaal naar meneer Gordijn waren gebracht, zou dat afgelopen zijn en van Martina mocht dat nog even wachten. Ze had ongetwijfeld een onaangename straf voor hen in petto – die ze door de Tienmannen, die haar moesten gehoorzamen, kon laten uitvoeren – en die kans wilde ze niet laten lopen. Ze haatte waarschijnlijk elke minuut uitstel, maar ze durfde niet langer te wachten met haar verslag aan meneer Gordijn.

'Voordat ik ga,' zei Martina en ze gebaarde met haar duim naar Kat, 'moeten we haar dat emmertje afpakken en haar zakken doorzoeken. Het is een linke tante. Kom hier, McCracken. Jij houdt haar vast terwijl ik haar fouilleer.'

Het was slim van Martina om McCracken Kat te laten vasthouden, want anders was ze misschien ook nog een paar tanden kwijtgeraakt.

Nu kon Kat nauwelijks ademhalen terwijl Martina haar grondig en niet al te zachtzinnig van top tot teen doorzocht. Toen McCracken haar losliet, viel Kat naar adem happend en met haar handen rond haar middel geslagen op haar knieën neer.

'Dat was nog maar het begin,' zei Martina met een voldane grijns op haar gezicht. 'Wacht maar tot ik terug ben, dan wordt het pas echt leuk. Vooruit, Garotte, we gaan. McCracken, jij houdt ze goed in de gaten, begrepen? Ik wil niet dat ze ervandoor gaan.'

'Dat zal niet gebeuren.'

'Doe nou maar gewoon wat ik zeg,' zei Martina. Ze keek grinnikend naar Kat, die overeind krabbelde, en hield het emmertje omhoog, zodat Kat kon zien dat ze ermee wegging. Toen liep ze naar buiten, gevolgd door Garotte, en McCracken vergrendelde de deur achter hen.

'Waarom doe je die grendel ervoor?' vroeg Kruinings. 'Als hare doorluchtige hoogheid terugkomt, moet hij toch weer weg.'

McCracken gromde. 'Je bent een prima kerel, Kruinings, maar wat voorzichtigheid betreft heb je nog heel wat te leren.'

'Ik ben niet voorzichtig genoeg, vind je?' zei Kruinings. 'Oké, ik heb een paar krasjes opgelopen, maar ik ben heus wel voorzichtig, McCracken. Net zo voorzichtig als jij, durf ik te wedden!'

'En toch heb ik mijn beide wenkbrauwen nog en jij niet.'

Sharp gniffelde. 'Daar heb je niet van terug, Kruinings!'

'Maar hoe dan ook,' zei McCracken, 'er klopt hier iets niet en als ik weet wat het is, wil ik er klaar voor zijn.'

'Zullen we de boel inventariseren?' vroeg Kruinings.

'Kan geen kwaad,' zei McCracken. 'Het doodt in ieder geval de tijd totdat mevrouw de koningin terugkomt.'

Als op een onzichtbaar teken knielden de Tienmannen tegelijkertijd neer en zetten hun aktetassen voor zich op de grond. Ze zaten in het midden van de ruimte, waar het licht van de lantaarn het sterkst was, en de kinderen krompen ineen – ook tegelijkertijd – bij het angstaanjagende geluid van de aktetassen die werden opengeklikt.

Buiten reed de Salamander bulderend het dorp uit. Toen was alles stil, op de Tienmannen na, die de inhoud van hun aktetassen inspecteerden. Hoewel het duidelijk een serieuze aangelegenheid was, lag er een uitdrukking van blijde verwachting op hun gezichten, van uitgelatenheid zelfs, alsof ze chocolaatjes uit een snoeptrommel pakten. De kinderen keken vol afschuw toe hoe ze de inhoud uitstalden in keurige rijtjes: geslepen potloden, een verzameling vulpennen in diverse kleuren, ontnieters (die op metalen piranha's leken), chique, gestroomlijnde rekenmachientjes, stapels smetteloos witte visitekaartjes, sierlijke briefopeners in leren hoesjes met monogram, en natuurlijk de gevreesde laserpennen.

Kruinings hield zijn pen omhoog. 'Wat vinden jullie?' zei hij, terwijl hij zijn ene wenkbrauw optrok en zijn kin in de richting van de kinderen bewoog. 'Zal ik het puntje van een van hun neuzen eraf halen? Ik voel wel wat voor een verzameling.'

McCracken fronste. 'Wil jij dat ene schot verspillen aan het puntje van een neus? Dat bedoel ik nou met onvoorzichtig zijn, Kruinings.'

'Man, doe niet zo serieus,' zei Kruinings. 'Ik was maar aan het dollen met de kleintjes.' Hij grinnikte naar de kinderen. Blijkbaar vond hij het erg leuk om hen bang te maken. 'Jullie weten toch dat ik liever dit gebruik.' Hij tilde iets op wat eruitzag als een gewoon klembord.

McCracken knikte waarderend. 'Dat komt doordat je er zo goed mee bent.'

'Dat is waar,' zei Sharp en hij klopte Kruinings op zijn rug. 'Ik heb nog nooit iemand zo behendig met een klem–'

'Jullie zijn een stel monsters!' brulde Chip, die eindelijk zijn stem terug had. De andere kinderen staarden hem geschokt aan. 'Worden jullie niet misselijk van jezelf? Ik bedoel, moet je zien! Jullie genieten ervan om mensen píjn te doen! Om kínderen bang te maken!'

Abrupt hield hij zijn mond. Hij was minstens zo geschokt door zijn uitbarsting als de anderen en hij had vreselijke spijt. Welke idioot wilde nou een Tienman kwaad maken? Hij had niet eens doorgehad dat hij zijn mond open ging doen. Met hortende ademhaling en nog ondersteboven van de schrik zette Chip zich schrap voor hun reactie.

Maar de Tienmannen keken hem nauwelijks geïnteresseerd aan. McCracken grinnikte en zei: 'Dat bang maken geldt niet speciaal voor kinderen, honnepon. Het is niet jouw schuld dat je nog een kind bent, toch? Vooruit, nu de grote mensen even rustig laten praten. Je wilt ons toch niet storen? We zouden wel eens boos kunnen worden.'

Sharp woei zichzelf koelte toe met zijn klembord. 'Weet je, McCracken, ik krijg het altijd zo warm wanneer ik boos word. Dan wil ik altijd mijn das losmaken.'

'Heel warm, inderdaad,' mompelde Kruinings, en hij deed alsof hij zijn kale schedel met zijn zakdoek bette. 'Misschien moet ik ook maar mijn das afdoen.'

McCracken keek schuins naar de zakdoek. 'Wat heb ik nou gezegd, Kruinings. Voorzichtigheid.'

'Jeetje, McCracken, wees toch niet zo'n kloek. Ik ga heus m'n neus er niet in snuiten.'

McCracken en Sharp moesten lachen en voorzichtig vouwde Kruinings zijn zakdoek op en borg hem weer weg. De Tienmannen vervolgden hun lugubere conversatie.

Chip beefde zo hevig dat zijn handboeien rinkelden. Hij wilde zijn brillenglazen poetsen, maar met zijn handen vastgeketend aan die van Constance en Rens was dat te ingewikkeld.

'Het is oké,' zei Rens. 'Het komt allemaal in orde.'

Chip keek hem aan. 'H-hoe dan?'

Rens had geen idee. Hij keek langs Chip naar Constance en Kat. Constance was blijkbaar onder de indruk van Chips uitbarsting en keek hem aan alsof ze hem voor het eerst zag. Ze leek zich redelijk goed te houden. Kat daarentegen hield nog steeds haar handen tegen haar maag gedrukt en Rens was bang dat McCracken haar echt verwond had. Hij wilde net vragen hoe het met haar ging, toen Kat plotseling haar hoofd schuin hield en Constance verstijfde. Ze hoorden iets. Kat kneep in de hand van het meisje – om haar te waarschuwen dat ze niets moest zeggen – en draaide zich om naar de muur.

McCracken keek op. 'Wat is er, schattebout? Vind je het niet leuk om te zien hoe we onze spulletjes op orde brengen?'

'Ik moet overgeven,' bracht Kat er moeizaam uit.

'Ah! Heb ik je ingewanden een beetje door elkaar gehusseld? Dat gebeurt wel eens. Brave meid. Doe het maar tegen de muur zodat we er niet in gaan staan.' Hij richtte zijn aandacht weer op zijn aktetas.

De ketting liet Rens en de anderen genoeg speling om dichter bij Kat te gaan staan en te doen alsof ze haar troostten. In werkelijkheid keken ze naar het plekje in de muur dat Kat zojuist had ontdekt. In de mortel tussen twee stenen in verscheen een boortje. Het maakte een nauwelijks hoorbaar schrapend geluid, niet meer dan een insect zou hebben gemaakt. Dit was wat de meisjes hadden gehoord. Na enkele seconden verdween het boortje, zodat er een wormvormig gaatje achterbleef, waar vervolgens een strak opgerold stukje papier in verscheen. Kat haalde het papiertje eruit. Het was een briefje van Molenweer.

Niet verroeren totdat ik er ben. Dan regelrecht naar de deur rennen. Geen seconde aarzelen.

Kat gaf het briefje aan Constance, die het las en aan de jongens doorgaf.

'Alles in orde,' riep Kruinings hun toe. 'Zijn je koekjes er al uit, hartendiefje?'

'Nog niet,' antwoordde Kat met verstikte stem.

'Laat haar met rust,' schreeuwde Chip, die zijn zelfbeheersing weer verloor. Hij sloeg zijn hand voor zijn mond, waardoor de handen van Rens en Constance mee omhoogschoten.

'Rustig maar, Chip,' zei Rens, hoewel het hem niet ontging dat Constance baat had bij Chips brutale uitval. Elke keer dat hij tegen de Tienmannen tekeerging, zag zij er minder bang en meer als haar gewone opstandige zelf uit.

Sharp gniffelde en mompelde iets tegen de andere Tienmannen over 'die kale die naar een zakdoek solliciteert'. Ze bromden instemmend.

De Tienmannen waren de spullen weer in hun aktetassen aan het terugstoppen en praatten nu met gedempte stemmen, wat Rens nog luguberder vond klinken dan wanneer ze expres zo hard praatten dat de kinderen hen konden horen.

Constance keek hem aan en fluisterde: 'Maar hoe kunnen we nou... je weet wel, hoe doen we dat?'

'Momentje,' mompelde Kat. Ze begon te hoesten, toen te kokhalzen en vervolgens te spugen. De Tienmannen bij de lantaarn snoven en lachten spottend. Kat gooide haar hoofd een paar keer naar voren als een kip, maakte een laatste weerzinwekkend kokhalzend geluid en viel toen stil. Een moment lang bleef ze met haar handen op haar knieën staan, zwaar ademend door haar neus. Toen keek ze haar vrienden van opzij aan, knipoogde en grijnsde breed. Tussen haar tanden geklemd zat een sleuteltje.

Kat had het sleuteltje van de handboeien verwisseld met een van haar oude boerderijsleuteltjes. Daarom had Rens Kat haar hand in het emmertje zien steken. Op de tast had ze een sleuteltje gezocht dat kon doorgaan voor het sleuteltje dat McCracken aan Martina had gegeven. Kat had voorzien dat ze zou worden gefouilleerd. Daarom had ze het sleuteltje van de handboeien ingeslikt en dat van de boerderij laten vallen toen McCracken haar vastgreep. Het drong allemaal ineens tot Rens door, maar Constance en Chip staarden Kat verward aan. Ze hadden toch met eigen ogen gezien dat Mc-Cracken het sleuteltje had afgepakt?

'We leggen het later wel uit,' fluisterde Rens. Hij was bang dat het geluid van de openklikkende handboeien de aandacht van de Tienmannen zou trekken, en dus zei hij tegen Kat dat ze weer moest gaan kokhalzen, wat ze prompt en met grote overgave deed. Terwijl ze het ene na het andere afschuwelijke geluid maakte, omringd door haar vrienden die haar zogenaamd troostten, opende Kat al hun handboeien en zette ze een heel stuk ruimer weer vast. Zo leek het alsof ze de handboeien gewoon om hadden, maar als het moment daar was, konden ze hun handen er makkelijk uit laten glippen.

Maar wanneer zou dat moment zijn? Dat was nu de meest prangende vraag.

De Tienmannen, die hun aktetassen weer hadden ingepakt en dichtgeklikt, stonden op en schudden elkaar de hand, alsof ze zojuist een zeer aangename vergadering hadden gehad. Molenweer was nog niet komen opdagen. McCracken stak een potlood achter zijn oor en liep op de kinderen af. 'Raad eens?' zei hij opgewekt. Hij knielde op de grond neer voor Constance, die ineenkromp en zijn blik probeerde te vermijden. 'Jij bent een geluksvogel! Jij mag Mc-Cracken helpen!'

'Jou helpen?' vroeg Constance.

'Jazeker! Ik heb er namelijk nog eens over nagedacht en het zit me nog steeds niet lekker hoe mooi jullie verhaaltje in elkaar past. Ik denk dat jullie iets voor McCracken verbergen, kleine deugnieten, en ik ga erachter komen wat dat is!'

'Als mijn verhaal je niet aanstaat, waarom praat je dan niet met mij?' vroeg Rens.

McCracken liet Constance niet los met zijn ogen. 'Omdat het mijn ervaring is dat de kleinsten je het eerst vertellen wat ze niet zouden moeten vertellen.' Hij hield een vinger onder Constances kin en tilde die op zodat ze hem wel moest aankijken. 'Heb ik geen gelijk, ukkepuk? Denk je dat ik jou zou kunnen overhalen mij je geheimpjes te vertellen?'

Constance staarde naar het scherpe potlood achter het oor van de Tienman en haar lip begon te trillen. Maar in plaats van te gaan huilen, begon ze uitzinnig te krijsen. Ze krijste zo hard dat McCracken ineenkromp en een stap achteruit deed. Ze krijste totdat ze buiten adem was en toen keek ze hem woedend aan, hijgend en met een gezicht zo paars als een overrijpe pruim.

McCracken keek naar Constance alsof ze hem had teleurgesteld. 'Waarom doe je dat nou, snoepje? Je wilt de ouwe McCracken toch niet boos maken? Besef je niet dat jullie kleine avontuurtje voorbij is? Dat niemand jullie komt redden?'

'Dat denk jij,' beet Constance hem toe.

McCracken fronste zijn wenkbrauwen. Zijn blauwe ogen versmalden zich en hij keek het meisje met een kille en doorsnijdende blik aan. Constance zag eruit alsof ze een schorpioen had ingeslikt en hoopte dat hij haar op zijn weg omlaag niet zou steken.

'Ik geloof niet dat dat de manier is waarop je over iemand als Risker zou praten,' merkte McCracken op. 'O nee. Niet dat miezerige mannetje ergens ver weg op zijn boot. Jullie verwachten iemand anders, nietwaar?'

'Ja!' riep Rens, in de hoop dat McCracken zou denken dat hij loog uit wanhoop. 'We verwachten –'

'Jij houdt je mond,' zei McCracken en hij stak waarschuwend een vinger op naar Rens. 'Geen geintjes meer.' Hij wendde zich tot de andere Tienmannen. 'Wat denken jullie ervan?'

Kruinings' ene wenkbrauw schoot omhoog. Hij knipte met zijn vingers, stak een hand in zijn zak en haalde Molenweers lichtpistool eruit. 'Dit heeft die magere kale laten vallen! Ik dacht dat de kinderen het gebruikten om elkaar te waarschuwen.'

'Dacht jij dat?' McCracken krabde zich op het hoofd. 'Een lichtpistool? Dat was niet zo slim van je, Kruinings! Ze zaten met z'n allen in het dorp, dus ze hadden geen lichtpistool nodig om elkaar te waarschuwen. Wie was onze grote vriend dan wel aan het waarschuwen, denk je?'

'Niemand. Hij liet het vallen voordat hij het had afgevuurd.'

'Misschien, Kruinings, maar denk je niet dat het opblazen van de tunnelingang hetzelfde effect heeft gehad?' McCracken tuitte zijn lippen. 'Je kunt maar beter weer op de dakspanten plaatsnemen. Ontgrendel de deur, Sharp. We willen het niet te moeilijk maken om binnen te komen.'

Kruinings knipoogde naar de kinderen met zijn rechteroog – die zonder wenkbrauw – waardoor zijn gezicht er onheilspellend scheef uitzag. Maar de manier waarop hij als een spin langs een van de balken omhoogklom en in de duisternis tussen de dakspanten verdween, was nog veel onheilspellender.

De Tienmannen zetten een valstrik.

Rens keek zijn vrienden angstig aan. Kat balde haar vuisten zonder iemand aan te kijken, te zeer van streek om een woord te kunnen uitbrengen. Constance was gaan huilen en Chip zei met een gepijnigde uitdrukking op zijn gezicht tegen haar dat ze het zich niet moest aantrekken, dat het zijn schuld was dat ze in de knoei zaten en niet de hare.

'Dat is waar,' snifte Constance. Toen trok iets haar aandacht, alsof ze weer iets voelde en enkele tellen later hoorden ze allemaal het gebrom van de Salamander.

'Daar heb je Garotte en Martina,' zei Sharp, terwijl hij achterwaarts bij de deur vandaan ging en zijn das losmaakte.

'Misschien, en misschien ook niet,' zei McCracken. Hij deed de lantaarn uit en de hut werd in duisternis gehuld. 'We wachten gewoon af wie er door die deur komt binnenlopen.'

Weldra had McCracken zijn antwoord: er zou niemand door die deur komen binnenlopen. Tot verrassing van alle aanwezigen was er opeens geen deur meer.

De impasse in de schuilhut

Met een enorm geraas en gekraak versplinterde het dikke hout van de deur. De metalen grendels vielen kletterend op de grond, stenen vlogen in het rond en vulden de ruimte met fijn stof, en waar eerst de deur had gezeten verscheen nu de neus van de gepantserde Salamander. Iemand had in de Salamander een knop omgedraaid, want de hut was plotseling fel verlicht. Het steenstof hing als een oranjerode mist in het lichtschijnsel.

'Rennen!' schreeuwde Kat, terwijl ze haar handboeien liet afglijden en Constance bij haar hand pakte. Met de jongens op haar hielen rende ze hoestend vanwege het stof en knipperend in het felle licht recht op de Salamander af. Ze rende over de plek waar een tel eerder McCracken en Sharp hadden gestaan. Als kakkerlakken waren de Tienmannen bij het aangaan van het licht alle kanten uit gestoven.

Het leek wel of Molenweer uit de lucht kwam vallen. Een meter voor de Salamander kwam hij op de grond neer, scherp afgetekend tegen de schijnwerper, met het steenstof als kolkende rookwolken om hem heen wervelend. Hij liet zich op een knie zakken en richtte zijn verdovingspistool op het bizarre bos van houten balken. Eerst links, toen rechts. Hij had gezien achter welke balken de Tienmannen waren verdwenen en hij hield beiden onder schot. 'Help de rest met instappen, Kat! Snel! De Salamander in!'

Kat sleepte Constance achter hem langs. 'Kijk uit, Molenweer! Er zit er een in de dakspanten!'

Bij de woorden 'kijk uit' sprong Molenweer naar voren en op hetzelfde ogenblik stak er, als bij toverslag, trillend een geel potlood uit de plank waar hij zojuist had gezeten. Hij richtte zijn verdovingspistool op de dakspanten, maar er was niets te zien dan schaduwen en hout. Achter hem duwde Kat de anderen over de rand van de Salamander.

'Laat je wapen zakken,' klonk een stem boven hen.

'Straks,' gromde Molenweer.

'Nu,' klonk de stem, 'of anders bezorgen we het meisje met de paardenstaart een heel naar kapsel.'

Kat had net Rens de Salamander in geholpen toen ze de woorden hoorde. Ze keek omhoog. Eerst zag ze niets. Toen zag ze tot haar ontsteltenis iets wat op een zenuwachtige rups leek. Het was Kruinings' wenkbrauw, die opgewonden trilde. Het lichaam van de Tienman ging grotendeels schuil in de schaduw, maar hij zorgde ervoor dat Kat zijn gezicht kon zien en, belangrijker nog, de laserpen die hij op haar had gericht.

'Kat?' riep Molenweer. Vanuit zijn positie kon hij niet zien wat zij zag. Toen ze niet antwoordde, keek hij achterom en hij zag haar hulpeloos omhoogkijken. Molenweer aarzelde geen moment. Hij legde zijn verdovingspistool op de grond.

'Molenweer, niet doen!' schreeuwde Kat, die haar stem terug had. Maar het was te laat.

'Schop het weg,' riep Kruinings.

Molenweer schopte het pistool met zijn laars weg.

'Loop naar achteren, pak een paar handboeien en maak jezelf aan die ketting vast. Doe de handboeien zo strak dat ze knellen.'

Molenweer liep naar de ketting, die nog steeds met een hangslot aan een van de balken vastzat. Hij trok aan de ketting om te laten zien dat hij stevig vastzat. Kruinings liet zich onmiddellijk een paar meter van hem vandaan op de grond vallen en richtte zijn laserpen op Molenweers borst. Hij grijnsde verrukt. 'Heb ik dat goed gehoord? Ben jij Molenweer?'

Molenweer zei niets. Hij boog zich voorover, alsof hij niets liever wilde dan een uitval doen naar Kruinings. Maar de ketting stond al helemaal strak.

'Hebben jullie dat gehoord, jongens?' riep Kruinings uit. 'Het is Molenweer! Hier staat de beroemde Molenweer aan een paal geketend!'

McCracken en Sharp kwamen tevoorschijn en liepen naar het midden van de hut. McCrackens mondhoek trok, alsof hij probeerde niet te lachen. 'Dus jij bent Molenweer? Wat een aangename verrassing!'

Kruinings deed een stap dichterbij om hem beter te kunnen bekijken, ondertussen nauwlettend in de gaten houdend of hij zich niet binnen Molenweers bereik begaf. Zijn laserpen hield hij op Molenweers borst gericht. 'Uitgerekend jij! Onze aartsvijand! Nee maar! Wat zou ik graag degene zijn die ons voor eens en voor altijd van jou bevrijdt!'

Molenweer mompelde iets.

Kruinings boog zich nog iets naar voren. 'Wat zei je?'

Niemand zag wat Molenweer deed. In ieder geval niet wat hij echt deed. Het zag eruit alsof hij een stap naar voren deed om de omhelzing die Kruinings hem ogenschijnlijk had willen geven te beantwoorden. En toen lag Kruinings bewusteloos op de grond en hield Molenweer de laserpen in zijn hand.

'Ik zei dat de ketting langer was dan je dacht,' zei Molenweer.

McCracken en Sharp stonden een paar meter van elkaar vandaan in het midden van de hut en hielden hun ogen strak op de laserpen gevestigd. Hun glimlach was verdwenen en ze bewogen zich niet.

'Dat was een knap staaltje,' zei McCracken toen hij zich enigszins had hersteld. 'Hoe heb je dat gedaan? Hield je een stuk ketting achter je rug om hem korter te doen lijken? Wat een indrukwekkende behendigheid, mijn beste. Je hebt hem volledig verrast. Vooruit, maak er maar een eind aan.'

Molenweer negeerde hem. 'Kat, kruip de Salamander in en rij direct naar de plek waar we hadden afgesproken. Het is een soort tractor, dus dat lukt je wel.'

'Molenweer, we kunnen jou niet achterlaten!'

'Natuurlijk wel!' riep McCracken zonder zijn hoofd om te draaien. 'Hij heeft een laserpen. Hij redt zich wel!'

'Molenweer!' riep Rens vanuit de Salamander. 'McCracken zei dat je er maar één keer mee kunt schieten en dat hij dan weer opgeladen moet worden!'

'O jee,' zei McCracken schaapachtig, alsof hij was betrapt op het pikken van een koekje. Hij haalde zijn schouders op. 'Nu zijn ze mij te slim af. Dat heb ik inderdaad gezegd. Dus, Molenweer, dit is de deal. Ik weet dat je niets liever wilt dan dat de kleine Kat jouw wapen pakt. Maar als ze dat doet, beloof ik je dat een van ons haar flink zal toetakelen. Het spijt me, maar zo is het nu eenmaal. We kunnen niet toestaan dat je ons beiden te grazen neemt. Eentje, alla, maar niet alle twee. Heb ik gelijk, Sharp?'

'Helemaal, McCracken. Dat is de code.'

'Dus laat die kleine schatjes weggaan,' zei McCracken. 'Dat is een eerlijke deal. Jij laat ze vertrekken en wij drieën blijven hier voor een babbeltje.'

Molenweer verloor de Tienmannen geen moment uit het oog. 'Kat, jullie gaan nu weg. Dit is een bevel. Wees niet bang. Onze vrienden komen daarnaartoe.'

'Maar –'

'Nú, Kat!'

Kat klom de Salamander in. Ze zei niets tegen de anderen – die trouwens zelf ook sprakeloos waren – maar veegde alleen de tranen uit haar ogen om het bedieningspaneel te kunnen bestuderen en het gevaarte achteruit te rijden. Ze konden het geen van allen geloven. Ze gingen Molenweer – vastgeketend aan een paal, met twee Tienmannen en een enkel schot – alleen achterlaten.

'We moeten wel,' zei Constance verontschuldigend. 'We moeten doen wat hij zegt, Kat: we moeten terug naar de baai.'

'We gaan niet terug naar de baai,' zei Rens grimmig. De anderen keken hem verbaasd aan.

'Waar gaan we dan heen?' vroeg Constance.

'Meneer Benedict redden. Wij zijn nu zijn enige kans.'

'Maar we weten niet eens waar –'

'En of we dat weten,' zei Rens.

Het was ver na middernacht en de volle maan werd niet meer weerspiegeld in het water van de dorpsbron – de tweelingmaan was nu verdwenen – maar zoals Rens hun uitlegde, had meneer Benedict erop gerekend dat ze de aanwijzing ongeacht het tijdstip van de dag zouden oplossen, net zoals hij erop had gerekend dat Kat de aanwijzing boven water zou kunnen halen. Het kostte Kat inderdaad niet meer dan een paar seconden om haar touw bij de silo op te halen, het aan een van de resterende steunbalken van het dak van de waterput vast te maken, haar schoenen uit te schoppen en zich in de duisternis te laten zakken.

'Ik heb het!' riep Kat, nadat ze even had rondgespetterd. Weldra klauterde ze weer over de rand, met een verzegelde glazen pot in haar hand. Hij was met een stuk touw en een steen onder water gehouden, vertelde ze. En in de pot zat een kaart.

Na alle verwarring en geheimzinnigheid, leek de laatste etappe van de reis van de kinderen bevreemdend ongecompliceerd. Het was een eenvoudige, makkelijk te lezen kaart en vlak bij de top van de zuidelijkst gelegen berg stond een grote x. Ze hoefden niet eens een route uit te stippelen, want ze konden gewoon de sporen van de Salamander over de grasvlakte volgen.

'Ga zitten,' zei Kat, nadat ze iedereen weer de Salamander in had geholpen en zelf achter het stuur had plaatsgenomen. Toen Rens op de voorste bank ging zitten, schopte hij tegen iets aan. Voor hem op de grond stond Kats emmertje.

Zonder een woord te zeggen nam ze het van hem aan. Het was een magere troost, maar toch leek Kat met het emmertje aan haar riem iets fierder achter het stuur te staan. Ze wierp een laatste blik op de verwoeste deur van de schuilhut, waarachter Molenweer gevangenzat met de Tienmannen. Met een vertrokken gezicht greep ze het stuur beet, verschoof een hendel, en met een schok zette de Salamander zich in beweging.

Rens, Chip en Constance werden tegen de rugleuningen geworpen.

'Hou je vast!' riep Kat. Haar paardenstaart wapperde achter haar aan.

Bulderend reed de Salamander het dorp uit en de grasvlakte op, waar de sporen van geplet gras duidelijk zichtbaar waren in het licht van de koplampen. Kat volgde de sporen. Ze week er maar één keer van af: om de lichamen van Martina Krauw en Garotte de Tienman te ontwijken, die bewusteloos maar verder ongedeerd midden op de grasvlakte lagen, waar Molenweer hen op de terugweg van meneer Gordijn had overvallen. De andere kinderen hadden niets gezien en Kat zou hun ook nooit vertellen hoe groot de verleiding was geweest om niet uit te wijken. Maar ze deed het wel, en de Salamander dreunde voort.

Niet veel later kwamen ze aan de voet van de berg. De hellingen werden steeds steiler en het duurde niet lang of de kinderen hielden hun handen voor hun ogen, te bang om te kijken, want vanaf de bodem van de Salamander (het lukte hun niet op de banken te blijven zitten) zagen ze niets dan de maan en de nachtelijke hemel. Het was alsof de grond onder hen was verdwenen.

Kat stond aan het stuur, met haar kaken op elkaar geklemd en elke vezel in haar lichaam gespannen. Ze had beter zicht dan de rest en tuurde geconcentreerd naar de rupsbandsporen, die op de rots-bodem veel moeilijker te zien waren dan op het gras. Ze lette ook op het geluid van de machine onder zich. De motor van de Salamander draaide op volle toeren, maar toch gingen ze steeds langzamer en be-gonnen de rupsbanden te slippen. Toen de helling nog steiler werd en de Salamander als een slak vooruitkroop, zette Kat de motor af. Ze waren vlak bij de top. Vanaf hier ging lopen sneller.

Toen de anderen hun ogen openden, zagen ze Kat met een zak-lantaarn over de kaart gebogen. 'De grot is niet ver. Laten we gaan.'

Ze stapten uit en even later ontdekten ze een geitenpad, wat de beklimming een heel stuk makkelijker maakte. De lucht was scherp en koel en er groeide nauwelijks iets. Hier en daar staken wat plant-jes tussen de rotsspleten uit en op de zanderige stukken stonden groepjes gedrongen en door de wind misvormde boompjes, maar het landschap bestond voornamelijk uit rots. Rens vroeg zich af hoe een kwetsbare plant als schemerkruid op zo'n plek had kunnen gedijen, toen Kat hem uit zijn overpeinzingen haalde.

'We zijn er,' mompelde ze.

Het kon niet missen. Helder licht stroomde uit de ingang van de grot en de kleinere openingen in de rotswand erboven, waardoor hij op een enorme lampion leek. Het licht leek zelfs te flikkeren als een echte kaars. Het duurde even voordat Rens doorhad dat het flikke-ren werd veroorzaakt doordat er in de grot iemand voor de lichtbron heen en weer liep.

Rens huiverde onwillekeurig. Hij had gehoopt meneer Gordijn nooit meer te zullen ontmoeten. Maar nu, twaalf maanden en dui-zenden kilometers verder, was het moment dan toch aangebro-ken.

Ondertussen kwam ergens anders op het eiland, in de schuilhut van het verlaten dorp, een uitermate onaangename onderhandeling tot een eind.

Toen de kinderen in de Salamander vluchtten, dachten ze Molenweer geketend aan een paal, alleen in de duisternis met twee Tienmannen achter te laten. Dat was echter niet geheel correct, want nog voordat Kat de kaart uit de waterput had opgevist, kwam de Tienman die bekendstond als Kruinings bij bewustzijn. Hij lag verdwaasd brabbelend en met zijn ogen knipperend aan Molenweers voeten op de grond en probeerde weer bij zinnen te komen. Het was donker in de schuilhut. Het enige licht was van de maan afkomstig die door de verwoeste ingang scheen. Het drong tot Kruinings door dat McCracken stond te praten. Toen hoorde hij het gebulder van de Salamander die het dorp verliet. Kreunend kwam hij op zijn knieën, wreef zijn ogen uit: en zag Molenweer met een laserpen staan. Zíjn laserpen. Kruinings sprong overeind en keek wild om zich heen.

'Niet bewegen,' zei Molenweer en Kruinings bevroor.

'Welkom terug, Kruinings,' hoorde hij McCrackens stem achter hem zeggen.

'Wat... wat gebeurt hier?' vroeg Kruinings, zonder zijn blik los te maken van Molenweer.

'Laat me eens kijken,' zei McCracken. 'Je hebt jezelf bewusteloos laten slaan, waarbij je je wapen aan de vijand hebt uitgeleverd, en Sharp en ik moesten werkloos toezien hoe de kinderen er met de Salamander vandoor zijn gegaan. Ik zeg het niet graag, Kruinings, maar ik denk dat meneer Gordijn hier niet blij mee is.'

'Helemaal niet blij, mag ik wel zeggen,' zei Sharp.

Kruinings spuugde op de vloer. Hij was weer helemaal wakker en razend vanwege de vernedering. 'Wat staan we hier dan nog? We zijn toch met z'n drieën? Hij kan maar één keer schieten.'

'Daar hadden we het juist over,' zei McCracken. 'Ik legde Molenweer uit dat de pen een uitermate geavanceerd apparaatje is, een chemisch laserwapen dat meneer Gordijn voor ons heeft ontworpen, en dat hij er misschien nog eens goed over na moet denken of hij het echt wel wil gebruiken. Weet hij bijvoorbeeld wel zeker dat hij hem de goede kant uit houdt? Hij wil toch niet per ongeluk zichzelf raken?'

'Je vergeet dat ik al een verzameling van deze dingen heb,' zei Molenweer.

'Dat is waar ook,' zei McCracken met een gladde glimlach. 'Dat was ik vergeten. Maar toch, wanneer het moment is aangebroken om te schieten, moet je wel voorzichtig zijn. Je wilt toch niet missen en een van de balken in vlammen doen opgaan, of het dak. Een vuur zou niet zo prettig voor je zijn, vastgeketend aan die balk.'

'Ik zal eraan denken,' zei Molenweer.

'Waar gaat dit over?' vroeg Kruinings geïrriteerd. 'Hij kan ons niet allemaal tegenhouden en dat weet hij.'

'Hij wil de kinderen een voorsprong geven,' zei McCracken. 'Maar Kruinings heeft wel gelijk, vind je niet, Molenweer? Dus kom op. Je verspilt iedereen z'n tijd. Waarom het onvermijdelijke nog langer uitgesteld?'

'Misschien geniet ik er wel van,' zei Molenweer. Hij richtte de laserpen op McCrackens borst. 'Maar als je zo'n haast hebt, kom dan maar op.'

McCracken fronste. 'Maar Molenweer, je weet toch wat er dan gebeurt! Jij schiet één keer en misschien – heel misschien – heb je het geluk een van ons uit te schakelen. Maar dan zijn er nog twee over om jou aan te pakken en... tja, aanpakken zullen we je, Molenweer. Gaan we hem aanpakken of niet, jongens?'

'Met genoegen,' zei Kruinings, die nog vreselijke hoofdpijn had door wat Molenweer met hem had uitgehaald.

Sharp grinnikte. 'Reken maar. We zijn echte aanpakkers!'

'Maar ik heb een ideetje dat je zal aanstaan, Molenweer,' zei McCracken. 'Als jij die pen naar me toe gooit, zullen we het onaangename deel overslaan en je gewoon aan meneer Gordijn uitleveren. Wie weet? Misschien heb je geluk en kan hij je gebruiken. Dat is toch je grootste kans om het te overleven. Geloof me, we vinden het niet makkelijk. Het is voor ons een hele opoffering om je niet te straffen voor je onbeleefde gedrag.'

'Een gróte opoffering,' mompelde Kruinings.

'Een immense opoffering,' beaamde Sharp.

'Maar als je de pen niet naar me toe gooit...' McCracken haalde zijn schouders op. 'Tja, dan ziet het er niet mooi voor je uit.'

'Helemaal niet mooi,' zei Sharp. 'Lelijk zelfs.'

'Héél lelijk,' zei Kruinings.

'Hoe lelijk precies?' vroeg Molenweer, alsof hij het een fascinerend onderwerp vond. 'Net zo lelijk als jij?'

Kruinings keek hem vuil aan met één scheve wenkbrauw. Hij balde zijn vuisten en gluurde verlangend naar zijn aktetas.

McCracken gniffelde. 'Reken maar, Molenweer, nog lelijker dan Kruinings! En ik ben bang dat het nu tijd is om een besluit te nemen. Ik tel tot drie en dan komen we allemaal in beweging. Je kunt de pen naar ons toe gooien of hem naar believen gebruiken. De keus is aan jou. Ben je er klaar voor? Daar gaan we dan. Een... twee...'

'Ik heb mijn besluit genomen,' zei Molenweer.

'Dat dacht ik al.' McCracken knipoogde neerbuigend. Hij stak zijn grote hand uit. 'Voorzichtig gooien, alsjeblieft. Het is duur spul.'

Maar Molenweer dacht er niet aan om de pen te gooien. Na McCrackens knipoog te hebben beantwoord, draaide hij zich razendsnel om en vuurde op de ketting, die dwars doormidden ging.

'Doortrapt!' riep McCracken uit, met één hand in zijn aktetas. Toen de andere Tienmannen van de verrassing waren bekomen, schudden ze hun armen los, waardoor de zilveren horloges tevoorschijn kwamen. 'Doortrapt, maar zinloos. We staan tussen jou en de deur in.'

Molenweer had echter niet de bedoeling te ontsnappen. Hij deed een schijnaanval, dook toen de andere kant uit en griste zijn verdovingspistool van de grond.

'Alweer een gewaagde zet!' klonk McCrackens stem, terwijl Molenweer achter een paal wegdook. De horloges van de Tienmannen lieten een elektrisch gezoem horen. 'Maar je had je nog steeds beter kunnen overgeven. Het is wel drie tegen een!'

'Niet lang meer,' gromde Molenweer, en hij sprong achter de paal vandaan.

En zo begon een van de hevigste en vreemdste gevechten ooit gestreden, een strijd waarbij gebruikgemaakt werd van allerhande kantoorartikelen, elegante kledingstukken en een niet kinderachtige hoeveelheid bedrog en spotternij. Het was een strijd die urenlang zou woeden en toen hij eindelijk was uitgewoed, lag het verlaten dorp volledig in puin en keek er slechts één man over de puinhopen uit. Het was ook een strijd die de jonge leden van het Geheime Benedict Genootschap aan een nog groter gevaar blootstelde dan daarvoor... want helaas, de man op de puinhopen was niet Molenweer.

De grot
op de berg

recies op het moment dat de vreselijke strijd met de Tienmannen in het dorp losbarstte, bleven Rens en de andere kinderen voor de ingang van de grot staan. De lucht die uit de grot dampte, was opvallend warm en droeg een vage zwavelgeur met zich mee. Aan het eind van een smalle, tunnelachtige doorgang bevond zich een veel grotere ruimte, een spelonk waarin onder en boven puntige druipsteenformaties uit de rotsen staken. De kinderen konden alles goed zien, want de grot werd verlicht door een aantal schijnwerpers op metalen poten. Er bewoog niets. Er klonken geen stemmen. Maar de kinderen hadden de schaduwen gezien en wisten dat er iemand was. Rens herinnerde zich hoe het eiland er vanuit de lucht als een monster had uitgezien. Nu liepen ze regelrecht zijn opengesperde muil in.

Aan het eind van de tunnel bleven de kinderen staan om de naargeestige omgeving in zich op te nemen. Om de zoveel stappen rees er een stalagmiet op uit de bodem, en de nog talrijkere stalactieten waarmee het plafond bezaaid was hingen zo laag, dat een volwassene de punten had kunnen aanraken. Van onder tot boven zag het er slijmerig en grauw uit; alles glinsterde in het felle lamplicht. Het zachte gebrom van de lampen was het enige geluid dat de kinderen hoorden: totdat er iemand kuchte.

Met bonzend hart keken ze elkaar aan. Het was een heel gewoon kuchje geweest en het had van dichtbij geklonken. Kat gebaarde dat de anderen zich niet moesten verroeren en sloop een paar meter verder. Ze bleef staan. Rens zag dat haar ogen wijd opengingen. Ze legde een vinger op haar lippen en wenkte hen met haar andere hand. Op hun tenen liepen de kinderen naar haar toe.

Ze zagen een open plek met een straal van een paar meter met in het midden een stalagmiet. En meneer Benedict zat met zijn rug tegen die stalagmiet geleund.

Zijn hoofd hing omlaag, zijn ogen waren gesloten en zijn handen bevonden zich in een ongemakkelijke positie achter zijn rug. Er was een stalen beugel aangebracht in de stalagmiet; Rens gokte dat dit de beugel was waaraan Nummer Twee vastgeketend had gezeten en dat meneer Benedict op dezelfde manier was vastgemaakt. Het zou in ieder geval verklaren waarom zijn handen zo ongemakkelijk naar achter staken. Toen Rens meneer Benedict zag, voelde hij blijdschap in zich opwellen. Daar was de vertrouwde kop met wit haar en het vertrouwde pak van groene Schots geruite stof, allebei net zo wanordelijk als altijd! Maar zijn blijdschap maakte onmiddellijk plaats voor ongerustheid, want hoe zou meneer Benedict eraan toe zijn?

Ondanks alle emoties die de aanblik van meneer Benedict bij hen opriep, behielden de kinderen hun zelfbeheersing. Zwijgend en met al hun zintuigen op scherp, gluurden ze om zich heen, op zoek naar een teken van meneer Gordijn. Niet ver van meneer Benedict vandaan stond een smalle werktafel vol instrumenten: een microscoop, een aantal fiolen en stopflesjes, en een verzameling instrumenten en andere voorwerpen. Onder de tafel lagen zo'n vijftig zwarte metalen dozen, die eruitzagen als schoenendozen. Of al die spullen van meneer Benedict of van meneer Gordijn waren, was niet te zeggen. Het was net zomin te zeggen of er een sleutel op tafel lag, een sleutel waarmee ze meneer Benedict zouden kunnen bevrijden. Rens kneep zijn ogen samen, maar het was te ver weg, en het leek hem te riskant om er zomaar naartoe te lopen. Er had iemand in deze grot rondgelopen, hoogstwaarschijnlijk meneer Gordijn, en de kinderen moesten er eerst achter zien te komen waar hij was. Hij mocht hen niet verrassen.

Rens wierp zenuwachtig een blik op de tunnel achter hen en zocht toen de vloer van de spelonk af naar menselijke schaduwen. Had meneer Gordijn zich achter een stalagmiet verscholen en kon hij elk moment tevoorschijn springen? Kat trok aan zijn arm en wees. Een heel eind verderop bevond zich aan de linkerkant een opening in de rotswand. Daarachter leek zich een aparte ruimte te bevinden, die eveneens hel verlicht was. Ook daar waren de rotsen bezaaid met stalagmieten en stalactieten, en op het eerste gezicht had het geleken alsof de ruimte deel uitmaakte van de spelonk. Rens voelde hoop oplaaien. Als meneer Gordijn zich in die andere ruimte bevond, zouden ze meneer Benedict misschien kunnen bevrijden zonder zijn slechte broer tegen het lijf te lopen.

'Wat denk je?' fluisterde Kat.

Ze zei het heel zacht, maar meneer Benedicts ogen schoten open. Ook al was hij hun vriend en waren ze hier om hem te redden, de plotselinge beweging verraste de kinderen en ze konden nog net een verschrikte kreet onderdrukken.

'Jullie hier?' fluisterde meneer Benedict ongelovig. 'Maar hoe –?' Hij onderbrak zichzelf en fluisterde op dringende toon: 'Dat doet er nu niet toe. Luister. We hebben niet veel tijd. Jullie moeten het schemerkruid vernietigen! Nirdat mag niet te weten komen waar het groeit!'

'Maar we hebben geen idee waar het groeit!' fluisterde Kat terug. 'U moet het ons laten zien!'

Meneer Benedict fronste. 'Jullie weten niet waar het groeit? Maar ik dacht... Het maakt ook niet uit. Het is in orde. Jullie moeten alleen – wacht. Niet bewegen. Stil zijn. Daar gaat-ie.'

De kinderen bleven stokstijf staan en lieten hun blik door de spelonk dwalen. Een beweging in de opening boven de rotswand trok hun aandacht. Toen zagen ze iets wat op het hoofd en de romp van een mens leek door de andere ruimte zweven. De spookachtige verschijning deed een rilling langs hun ruggengraat omhoogkruipen en Constance slaakte een verstikte kreet. Het was op zich al angstaanjagend geweest, maar het feit dat ze wisten wie het was, maakte hun angst nog groter. Het was meneer Gordijn. Ze hadden zijn grote, knobbelige neus en de woeste witte haardos gezien, en omdat hij in zijn rolstoel zat, had het geleken alsof hij zweefde. Ze hadden het allemaal gezien en toch had geen van hen iets gehoord. Rens dacht dat het met de akoestiek van de grot te maken had, dat het een of ander vreemd geluidseffect van deze spelonk was.

Meneer Benedict had gevoeld dat de rolstoel eraan kwam, en blijkbaar voelde hij nu ook dat de kust weer veilig was. Hij knikte naar de kinderen. 'Het is in orde,' fluisterde hij. 'Maar hij kan elk moment terugkomen. Jullie moeten voortmaken!'

Het kippenvel stond op Rens' armen. 'Wat moeten we doen?'

'Maak mijn handen los,' zei meneer Benedict. 'Snel, en dan gaan we er samen vandoor.'

Rens aarzelde. Er was iets niet in de haak, maar vanwege de grote druk kon hij er de vinger niet op leggen. Kat daarentegen had haar Zwitserse mes al tevoorschijn gehaald en haastte zich naar meneer Benedict toe. Op dat moment gaf Constance een ruk aan Rens' arm. Toen hij omlaagkeek, realiseerde hij zich dat Constance iets had willen zeggen, maar van angst geen woord had kunnen uitbrengen. Haar ogen waren zo groot als schoteltjes. Ze schudde verwoed haar hoofd.

Vol afschuw drong het tot Rens door wat de reden van zijn aarzeling was geweest. Meneer Benedict zou hun nooit hebben gevraagd hem los te maken: niet als ze daarbij zo veel gevaar liepen. Nee, meneer Benedict zou hebben gezegd dat ze zich uit de voeten moesten maken. Rens holde Kat met zwaaiende armen achterna. Hij durfde niet te roepen (uit angst dat er een Tienman in de andere ruimte zat). 'Kat, stop! Stóp!' fluisterde hij.

Kat hoorde hem en keek achterom. En dat was precies wat ze niet had moeten doen. Ze was al te dicht bij meneer Gordijn – want het kon niemand anders dan meneer Gordijn zijn die zo triomfantelijk overeind sprong – en voordat ze wist wat er gebeurde, had de kwaadaardige man haar vastgegrepen.

Rens stormde op hem af. Maar meneer Gordijn liet Kat vrijwel meteen weer los, en terwijl ze met een verblufte uitdrukking op haar gezicht op de grond zakte, zag Rens de glinsterende zilverkleurige handschoenen van meneer Gordijn, waarvan er een hem bij zijn arm vastgreep. Onmiddellijk was het alsof er vuurwerk in hem werd afgeschoten: zijn lichaam leek uit ontelbare withete sterretjes te bestaan. Het was verbijsterend pijnlijk en Rens was intens opgelucht toen het vuurwerk wegebde en er een strakke zwarte hemel achterbleef. Of nee, geen hemel... Rens opende zijn ogen en keek in het wazige grijnzende gezicht van meneer Gordijn. Als van verre hoorde hij Chip tegen Constance roepen dat ze moest vluchten. Toen voelde hij dat iets kouds, hards en metaalachtigs zich om zijn pols sloot.

'Niet nog een keer,' zei Rens nog versuft.

'O jawel,' zei meneer Gordijn. 'Nog een keer.'

De kinderen werden in de volgorde waarin ze gevangen waren genomen in de handboeien geslagen. Kat werd vastgemaakt aan een van de metalen beugels in de stalagmiet – meneer Gordijn had het zekere voor het onzekere genomen en zich eerst met haar beziggehouden – en Rens werd aan Kat vastgemaakt. Daarna kwam Chip, die ondanks dat hij het effect van die zilveren handschoenen op zijn vrienden had gezien een uitval naar meneer Gordijn had gedaan om Constance te redden.

'Rennen, Constance!' had hij geschreeuwd. 'Rennen en niet achterom kijken!'

Enkele tellen later lag Chip op de grond, bewusteloos geschokt, en toen hij weer bijkwam, was hij aan Rens vastgeketend. Met z'n drieën keken ze ontmoedigd toe hoe Constance door V.S. Pedalius werd teruggebracht, die bij de ingang van de grot had staan wachten. Ze huilde en snotterde en was volledig verlamd, zodat V.S. haar moest dragen.

'Kom, kom, Constance,' zei V.S. oprecht bezorgd. 'Je hoeft niet zo overstuur te zijn. Dit is gewoon een groot misgedrag. Ik bedoel dat jij je misverstaan hebt. Ik bedoel dat je stout bent geweest. Begrijp je?'

'Zo is het wel genoeg, V.S.,' zei meneer Gordijn, terwijl hij zijn zilveren handschoenen uittrok en ze in zijn jaszak liet glijden. 'Maak haar nou maar aan meneer Washington vast en hou verder je mond.'

Voor de kinderen was het onwennig om het voormalige staflid in alledaagse kleren te zien. Het elegante uniform met de blauwe das was verdwenen, maar voor de rest zag V.S. er nog precies hetzelfde uit: lang en slungelig, met reusachtige voeten en vanuit een of andere dommige loyaliteit aan meneer Gordijn leek hij zijn eigen vriendelijke inborst te verloochenen. Met de geroutineerde, efficiënte bewegingen van iemand die het al ontelbare keren had gedaan, maakte V.S. Constances pols stevig aan die van Chip vast. Constances gezicht vertrok toen het metaal in haar vlees drukte en V.S. keek haar meelevend aan. Maar hij herinnerde zich meneer Gordijns woorden en hield zijn mond.

Meneer Gordijn bekeek de kinderen alsof hij naar een beroemd kunstwerk keek. De opgetogen uitdrukking op zijn gezicht had een onthutsend effect, want hij leek nu meer op meneer Benedict dan op zichzelf. 'Bedankt dat jullie allemaal gekomen zijn,' zei hij. 'Ik had me geen groter geschenk kunnen wensen.'

'Het was het minste wat we konden doen,' zei Kat. Ze was eigenlijk heel bang, maar ze ging liever dood dan dat ze haar angst verried aan die weerzinwekkende man die haar net sterretjes had doen zien.

Hij had haar ook haar Zwitserse zakmes ontnomen, en daarmee haar hoop de metalen beugel los te wrikken.

Meneer Gordijn klapte in zijn handen. 'Wat een vertoon van moed! Ik verwachtte natuurlijk ook niet anders van jullie. En, zoals jullie ondertussen misschien hebben begrepen, ik verwachtte ook jullie komst! Velen van mijn voormalige stafleden bekleden namelijk posities bij de overheid. Sommige zelfs in Benedicts directe omgeving. Toen jullie er in je eentje vandoor gingen, werd ik direct op de hoogte gebracht. Mijn informanten waren verbijsterd door jullie verdwijning, maar ík wist meteen wat jullie van plan waren. De enige vraag was of jullie erin zouden slagen je dierbare Benedict te vinden. Ik hoopte zó van wel!'

'Waar is meneer Benedict?' vroeg Rens op gebiedende toon. 'Of bent u zo laf dat u –'

'Reinard! Schaam je!' Meneer Gordijn liet zijn vinger afkeurend voor zijn gezicht heen en weer gaan. 'Denk je echt dat ik me deze keer weer door jouw spelletjes laat beetnemen? De vorige keer, misschien herinner je je het nog, heb je me bedrogen. Anders had je me nooit kunnen overrompelen. Nu weet ik wat voor een samenzweerderig en achterbaks ventje je bent. Deze keer zal het je niet lukken om me kwaad te maken, Reinard. Deze keer zul je me niet in slaap laten vallen. *Au contraire!*'

'Wat?' zei Constance, die met veel moeite was gestopt met huilen. Ze keek meneer Gordijn kwaad aan. 'Wat moet u?'

'Hoe bedoel je?' vroeg meneer Gordijn in verwarring gebracht door haar vraag.

Constance fronste. 'U zei: "O, Contraire!" Dus, wat is er? Wat moet u?'

Meneer Gordijn barstte in zijn bekende gelach uit. Hij klonk als een schreeuwuiltje in doodsnood. 'Net als V.S. al zei, juffie Contraire! Je hebt het misverstaan!' Hij schudde zijn hoofd in gemaakt medeleven. 'Het geeft niet, meisje. Waar het om gaat, is dat ik heel rustig ben en dat zal blijven. Jazeker, ik houd de controle over mijn verstandelijke vermogens, wat betekent dat ik jullie in mijn macht houd.' Hij legde zijn vingertoppen tegen elkaar. 'Maar ik word wel een beetje moe. Ik geloof dat ik maar even ga zitten.'

Met een geheimzinnige, verwachtingsvolle glimlach legde meneer Gordijn zijn handen op zijn rug en bleef in de houding staan, alsof hij ergens op wachtte. Voordat de kinderen zich hadden kunnen afvragen waar hij op wachtte, gebeurde er iets waar hun nekharen van overeind kwamen.

Zonder één geluid te maken schoot meneer Gordijns rolstoel als een raket uit de andere ruimte tevoorschijn en snelde tussen de stalagmieten op zijn eigenaar af. De wielen gleden stil over de rotsbodem en ook de motor en de aandrijving waren geluidloos, op de een of andere manier méér dan geluidloos. Het was alsof ze naar een stomme film zaten te kijken. Met als verschil dat dit echt was. Het enige geluid dat de kinderen hoorden, was het gerinkel van hun handboeien (want ze beefden allemaal). De rolstoel was een rijdende nachtmerrie en in die nachtmerrie zat meneer Benedict, vastgesnoerd in de riemen. Zijn handen zaten met handboeien aan de armleuningen vast, zijn hoofd was voorover gezakt en zijn bril viel bijna van zijn neus. Hij leek diep in slaap.

'Zoals jullie zien heb ik een prima afstandsbediening ontworpen,' zei meneer Gordijn, die hun het kleine apparaatje liet zien dat hij achter zijn rug had gehouden. 'V.S., zet hem bij de rest. Maar wees op je hoede, ik weet zeker dat hij soms doet alsof hij slaapt.'

V.S. haalde meneer Benedict uit de rolstoel, liet hem voorzichtig tegen de stalagmiet aan zakken en maakte een van zijn polsen aan de andere metalen beugel vast.

Terwijl V.S. bezig was, nam meneer Gordijn zijn plaats in de bekende rolstoel in. Het was nog steeds dezelfde – een ingewikkeld ding met een heleboel hendels, knoppen en pedalen – maar er waren duidelijk een aantal alarmerende aanpassingen aangebracht.

'Ik denk dat hij zichzelf in slaap heeft geschreeuwd toen hij jullie probeerde te waarschuwen,' zei meneer Gordijn geamuseerd. 'Sinds Martina kwam vertellen dat jullie op het eiland waren, is hij er niet zo best aan toe en het werd alleen maar erger toen V.S. jullie de berg op zag komen en ik van plan was gebruik te maken van jullie domheid. Wat heeft hij luidkeels geprotesteerd! Of zo zag het er in ieder geval uit. Ik had namelijk mijn nieuwe apparaatje geactiveerd en dus was zijn geschreeuw niet te horen.'

'Antigeluid?' mompelde Chip verrast. 'Maar niemand heeft dat ooit op een dergelijke schaal...' Hij viel stil, want eigenlijk had hij zijn mond helemaal niet willen opendoen.

Maar meneer Gordijn had hem gehoord en hij trok zijn wenkbrauwen op. 'Ik hoor dat je je huiswerk hebt gedaan, George! Inderdaad, ik heb een gloednieuw apparaat geïnstalleerd – een van mijn eigen uitvindingen en dus veel beter dan die andere troep – dat al het geluid in zijn directe omgeving tenietdoet. Zoals jullie weten ben ik zeer bedreven in het manipuleren van onzichtbare golven. Vergeleken met mijn Fluisteraar was dit project geen grotere uitdaging dan...' Hij grinnikte. 'Maar ik dwaal af. Waar het om gaat is dat jullie Benedict niet hebben horen schreeuwen en ik weet zeker dat hij zichzelf in slaap heeft gepaniekt.'

'Waarom horen we u wel praten?' vroeg Constance. 'Het zou fijn zijn als dat niet zo was.'

Meneer Gordijns gezicht vertrok en dat was het eerste teken van ergernis dat hij liet zien. 'Ik heb het apparaat gedeactiveerd, Constance, met een druk op een knop. Als je oplettender was, had je dat geweten.'

'Ik ben oplettend genoeg om te zien dat u nog even afschuwelijk bent als altijd,' kaatste Constance terug. De langverwachte hereniging met meneer Benedict, die nu onder deze nare omstandigheden plaatsvond, had bij haar een explosief mengsel van opluchting, bezorgdheid en angst doen ontstaan: emoties die ze van nature tot uitdrukking bracht in boze opstandigheid. Ze stond zelfs op het punt een beledigend rijm ten gehore te geven, toen meneer Gordijn haar met een dreigende blik de mond snoerde.

'V.S.,' zei meneer Gordijn, 'wees zo goed – en dus niet zo'n onhandige sukkel – om iets verder van mejuffrouw Weeral af te gaan staan. Het staat me niet aan hoe ze naar de sleutel in je hand gluurt.'

Bij die waarschuwing stopte V.S. de sleutel diep in zijn zak en deed met een blik vol ongeloof een paar stappen achteruit. Op het Instituut had hij de kinderen graag gemogen en ondanks alles wat er was gebeurd, had V.S. vertrouwen in hen, te veel vertrouwen. Hij schudde boos zijn hoofd. 'Jullie zouden je moeten schamen!'

'Ik had alleen maar bewondering voor hoe handig je met die sleutel was,' zei Kat. 'Je bent veel minder onhandig geworden, V.S.!'

Het gezicht van V.S. klaarde op. 'Vind je dat echt?'

'V.S.!' beet meneer Gordijn hem toe. 'Hou je mond en breng me het reukzout.'

'Moet ik ook het serum meenemen?' vroeg V.S. terwijl hij zich naar de tafel haastte.

'Geen denken aan. Hoe vaak heb ik al niet gezegd dat je er af moet blijven. Het serum is te kostbaar voor jouw stuntelige klauwen, V.S. Dat zou je onderhand moeten weten.'

'Ik dacht gewoon aan wat Kat zei, dat ze vond dat ik –'

Meneer Gordijn wreef over zijn voorhoofd. 'Ze loog tegen je, V.S. Ze bewonderde de sleutel, en niet jouw behendigheid. Vooruit, maak Benedict wakker. En voor de laatste keer: hou je mond.'

V.S. hield gehoorzaam het reukzout onder meneer Benedicts neus. Meneer Benedict snoof, schrok en keek plotseling op. Zijn anders zo heldere en stralende groene ogen waren bloeddoorlopen en roodomrand – hij leek volledig uitgeput – maar ze lichtten op van vreugde toen hij de kinderen zag. Toen hij doorkreeg in welke situatie ze zich bevonden, vulden ze zich weer met zorg. 'Ach,' zei meneer Benedict droevig, terwijl hij met zijn vrije hand zijn bril op zijn neus duwde. 'Wat fijn om jullie weer te zien, vrienden, en wat had ik graag gewild dat jullie niet waren gekomen.'

'Ze zijn gekomen om je te redden, Benedict!' riep meneer Gordijn uit. 'Ze hebben mijn Salamander gepikt en zijn hierheen geracet om jou te bevrijden! Is dat niet knap?'

'Ik vind het bewonderenswaardig,' zei meneer Benedict. Hij wendde zich tot V.S. en voegde eraan toe: 'V.S., je weet dat ík het niet erg vind om je bij me in de buurt te hebben, maar ik denk dat mijn broer liever heeft dat je iets meer afstand houdt tot zijn gevangenen.'

'Hoe vaak moet ik nog zeggen dat je me niet zo moet noemen!' beet meneer Gordijn hem toe, terwijl V.S. haastig een stap achteruit deed. 'Je bent mijn broer niet! Een broer zou nooit mijn jarenlange werk naar de verdommenis hebben geholpen! Een broer zou me nooit hebben afgenomen waar ik het meest aan hechtte! Mijn broer? Nee, Benedict, jij bent beslist níét mijn broer!'

'En toch lijken we nogal op elkaar,' merkte meneer Benedict op.

Meneer Gordijn perste zijn lippen zo hard op elkaar dat alle kleur eruit verdween, en ook zijn knokkels werden wit door de kracht waarmee hij de leuningen van zijn rolstoel beetgreep. Hij draaide zich om, zodat hij met zijn rug naar meneer Benedict stond – de stoel bewoog zich geruisloos, hij had waarschijnlijk het stilteapparaatje aangezet – en haalde een paar keer diep adem. (Niemand hoorde hem, maar zijn schouders maakten grote op- en neergaande bewegingen.) Zijn verwantschap met meneer Benedict bracht hem blijkbaar ernstig van slag, net zoals het dat meneer Benedict ooit had gedaan, en misschien nog deed. Er was een jaar voorbijgegaan sinds ze hadden ontdekt dat ze een verloren gewaande broer, maar tevens geduchte vijand hadden. Meneer Gordijn had klaarblijkelijk elke seconde gebruikt om zijn wrok te voeden.

Nadat hij zijn zelfbeheersing terug had, draaide hij zich weer om naar meneer Benedict. Zijn mond bewoog, maar er klonk geen geluid. Met een geïrriteerde frons drukte hij op een knopje van de afstandsbediening in zijn hand en begon opnieuw te praten. 'Goed dan,' zei hij. 'Ik erken dat jij mijn broer bent, een broer die al mijn ambities aan gort heeft geholpen en dus de grootst mogelijke verrader is. Tevreden?'

Meneer Benedict wilde iets zeggen, maar meneer Gordijn snoerde hem de mond.

'Dat was een retorische vraag, Benedict. Het interesseert me in de verste verte niet of je tevreden bent.' Hij rolde met zijn ogen en kwam iets dichterbij. 'En nu ter zake. Aangezien je een tijdje hebt liggen slapen, zal ik je op de hoogte brengen van de laatste ontwikkelingen. Ik had gehoopt dat deze kinderen meer afwisten van het schemerkruid, maar naar eigen zeggen is dat helaas niet het geval. Daarom –'

Meneer Benedict onderbrak hem. 'Ik heb je herhaaldelijk gezegd, Nirdat, dat je Nummer Twee en mij alleen maar hoeft te laten gaan en ik bezorg je alle informatie over het schemerkruid. Dat aanbod geldt nog steeds. Als mijn vrienden en ik eenmaal veilig zijn, beloof ik dat je de informatie krijgt toegestuurd.'

'Ik weet heus wel wat je hebt beloofd, Benedict,' zei meneer Gordijn geïrriteerd. 'Maar ook als ik je vertrouwde, zou je aanbod niet in mijn plannen passen. Ik laat je niet gaan. Ik laat je nóóit meer gaan.'

'Ga ik je dan niet vreselijk in de weg zitten?' vroeg meneer Benedict. 'Ik ben niet graag iemand tot last.'

Meneer Gordijn keek hem spottend aan. 'Maak jij maar grapjes. Het lachen zal je weldra vergaan. Nee, je zult me niet in de weg zitten. Ik ben namelijk niet van plan je bij me te houden, maar ik laat je ook niet gaan. Ik ben van plan jouw plaats in te nemen.'

Met zichtbaar genoegen zette meneer Gordijn zijn zorgvuldig voorbereide plannen uiteen. Hoe hij maanden aan het observeren, wachten en voorbereiden was geweest. Hoe hij het waarheidsserum had laten stelen om mensen wachtwoorden en andere informatie te ontfutselen waarmee hij zich makkelijker als meneer Benedict kon uitgeven. Met zijn nieuwe identiteit zou meneer Gordijn weer toegang krijgen tot de Fluisteraar, en daarmee de mogelijkheid hebben het geheugen en de meningen van anderen te manipuleren. Ambtenaren die de ambities van de 'nieuwe' meneer Benedict dwarsboomden, zouden onmiddellijk op oneervolle wijze uit hun ambt worden ontheven, zonder zich te herinneren dat ze hem hadden gedwarsboomd. En met de hulp van zijn voormalige stafleden, die strategische posities binnen de overheid bekleedden, zou meneer Gordijn – bij iedereen bekend als meneer Benedict – binnen een mum van tijd zijn opgeklommen tot een ongekend machtig man.

In zekere zin, zo legde meneer Gordijn op spottende toon uit, had meneer Benedict het meeste werk al gedaan. Hij had alleen maar zijn kans hoeven grijpen toen die zich voordeed. 'Mijn compagnons stonden klaar om je te pakken te nemen zodra jij je buiten het beveiligde gebied begaf. Maar toen hoorde ik dat je een reisje had gepland zonder dat iemand wist waarheen. Dat klonk verdacht, en ik besloot je te laten lopen totdat ik meer te weten was gekomen. En kijk eens! Wat ik te weten kwam was het wachten dubbel en dwars waard, vind je niet? Schemerkruid! Het kostbaarste plantje ter wereld! En uitgerekend jij ging me er zonder het in de gaten te hebben regelrecht naartoe brengen!' Meneer Gordijn liet een kakelend gelach horen, dat klonk alsof hij de hik had.

'Nirdat,' zei meneer Benedict, 'waarom vertel je me dit nu?'

Meneer Gordijn negeerde hem. Hij wendde zich tot de kinderen en vervolgde: 'Toen ik hem hier aantrof, wist ik dat het schemerkruid niet ver weg was. Benedict en zijn assistente – ik weiger haar bij die belachelijke codenaam te noemen – waren overduidelijk van plan deze grot tijdelijk als laboratorium in te richten. Ze hadden alles wat ze nodig hadden: een beschutte plek, een microscoop, goed licht. Tot mijn grote ergernis kwam ik erachter dat ze nog geen planten hadden geplukt om te bestuderen. Hoe kon ik weten dat ze met zo'n slakkengangetje werkten! Zonder zelfs maar te weten waar dat plantje zich bevond of hoe het er überhaupt uitzag, zaten ze hier gewoon met hun duimen te draaien en te wachten totdat een of andere geheimzinnige bondgenoot hun de noodzakelijke informatie zou doorspelen.'

Meneer Gordijn wierp meneer Benedict een minachtende blik toe. 'Gelukkig,' ging meneer Gordijn verder, 'ontdekte ik na een paar druppels van mijn waarheidsserum te hebben ingezet de meest efficiënte manier om deze persoon op te sporen. Ik zou gebruikmaken van de beschermingsdrift van Benedicts vrienden. Het was een perfect plan, een meer dan perfect plan zelfs! Ik zou mijn informatie krijgen en vervolgens zegevierend naar Steenstad terugkeren. Ik zou het schemerkruid én de Fluisteraar in mijn bezit hebben. Kunnen jullie het je voorstellen?'

De kinderen huiverden. Ze konden het zich maar al te goed voorstellen. Meneer Gordijns droom was de nachtmerrie van de rest van de wereld.

'Natuurlijk zou ik mijn euforie geheim moeten houden,' zei meneer Gordijn. 'In het openbaar zou ik moeten rouwen vanwege mijn assistente, die arme verzenuwde vrouw die zogenaamd niet met mij had kunnen vluchten. Ik weet zeker dat jullie wel begrijpen waarom jullie vriendin niet met me mee had kunnen komen. Nee, ik ben bang dat zij in de handen van die wrede meneer Gordijn voortijdig aan haar einde is gekomen. Of – ik ben er nog niet helemaal uit –

hij heeft haar gevangengenomen en in een uithoek van de wereld opgesloten, zodat alle topagenten van de overheid er tevergeefs op uit worden gestuurd om haar te zoeken. En daarom zitten mijn mannen op dit ogenblik achter haar aan. Ik weet dan misschien nog niet welk lot ik haar toebedeel, maar ik kan hoe dan ook niet toestaan dat ze vrij rondloopt.'

'Nirdat,' zei meneer Benedict ernstig. 'We kunnen dit toch ook anders oplossen.'

Meneer Gordijn keek hem van opzij aan. 'Maar ík wil het graag op déze manier oplossen. En de komst van de kinderen heeft de zaak vereenvoudigd. Je vroeg daarnet waarom ik je al deze dingen nu vertel. Het antwoord is dat ik op mijn woorden moest letten. Ik wilde je geen informatie geven die je tegen me zou kunnen gebruiken. Je had al bewezen te onbetrouwbaar te zijn voor het waarheidsserum. Het lukte je voortdurend om iets te zeggen dat strikt gesproken waar was, maar tegelijkertijd volledig onbruikbaar. Maar dat was toen ik het serum toediende zonder – hoe zal ik het zeggen – zonder de juiste ingrediënten. En nu beschik ik over die ingrediënten.'

Meneer Gordijn haalde de zilverachtig glanzende handschoenen tevoorschijn. Onwillekeurig deinsden de kinderen achteruit. Meneer Gordijn grinnikte bij het zien van hun reactie en sloeg met de handschoenen op zijn knie. 'Ik heb het vermoeden dat je in het bijzijn van de kinderen meer geneigd bent te vertellen wat ik wil weten. Wat zeg je ervan, Benedict? Zal ik mijn "kinderhandschoenen" aantrekken?'

Meneer Benedict keek zijn broer zorgelijk aan. 'Nirdat, je kunt toch niet –'

'Vertel mij niet wat ik wel of niet kan!' riep meneer Gordijn uit. Hij sloot snel zijn ogen en haalde diep adem. Na een tijdje opende hij zijn ogen. 'Je mag zeggen wat je wilt,' zei hij, weer enigszins gekalmeerd, 'maar als je antwoorden niet bruikbaar zijn, betalen de kinderen de prijs.'

Meneer Gordijn schoot naar voren met zijn rolstoel en miste daarbij de kinderen en meneer Benedict op een haartje. Hij griste een klein flesje en een pipet van de tafel, draaide zich razendsnel om en reed op meneer Benedict af. 'Aan de slag.'

Meneer Benedict keek zijn broer strak aan. 'Hoe weet ik dat je de kinderen niet toch iets aandoet?'

'Dat is een terechte vraag,' zei meneer Gordijn, terwijl hij een enkele druppel uit het flesje opzoog. 'Ik zal je geruststellen.'

Meneer Gordijn tilde de pipet op, boog zijn hoofd achterover en liet de druppel in zijn geopende mond vallen. Zijn ogen puilden uit en zijn hoofd bewoog heen en weer, alsof hij een slok terpentijn had genomen. 'Ik beloof je,' zei hij op snelle, geforceerde toon, 'dat als jij me alles vertelt wat ik wil weten, ik deze kinderen niets zal aandoen. Ik zal de Fluisteraar gebruiken om hun herinnering aan deze gebeurtenis te wissen, zodat ze geen bedreiging vormen voor mijn plannen en de rest van hun leven veilig zullen zijn. Beter dan dat krijg je niet van me, maar dat beloof ik je in ieder geval.'

De twee mannen staarden elkaar aan, meneer Gordijn met een uitdagende blik in zijn ogen, die van meneer Benedict taxerend en bedachtzaam. Toen meneer Benedict uiteindelijk het woord wilde nemen, was Constance hem voor.

'Hij liegt, meneer Benedict! Dat was het waarheidsserum helemaal niet! Terwijl u sliep, heeft hij de flesjes omgewisseld!'

Meneer Benedict schrok en keek haar toen ontsteld aan, alsof hij zojuist een afschuwelijk bericht had ontvangen. 'Ik wist dat hij loog, lieve kind,' zei hij zo zacht dat alleen de kinderen het konden horen.

Meneer Gordijn nam Constance verwonderd op. 'Nee maar,' zei hij keurend. 'Hoe kon jij in hemelsnaam weten dat ik de flesjes heb verwisseld?'

Constance staarde hem verstijfd aan. Ze wist niet hoe ze het wist. Ze wist alleen dat ze niet wilde dat meneer Benedict om de tuin werd geleid, en dat meneer Gordijn blijkbaar erg ingenomen was met haar onthulling.

'Ik heb ze inderdaad omgewisseld, maar dat was een hele tijd voor jullie komst,' zei meneer Gordijn, min of meer tegen zichzelf. Zijn vingers roffelden opgewonden op de armleuningen. 'En toch wist jij... jij wist het. Lieve deugd, wat een bruikbaar klein meisje ben jij, Constance. Als ik dát had geweten!'

'Nirdat,' zei meneer Benedict snel, 'beloof me dat je haar met rust laat – dat serum hebben we niet nodig, beloof het gewoon – en dan zal ik je alles vertellen wat je wilt weten.'

Er verscheen een zalvende glimlach op het gezicht van meneer Gordijn. 'Dat ga ik je niet beloven, Benedict. Ik wil je wel beloven dat ik de kinderen voorlopig niets aandoe, maar alleen als jij direct antwoord geeft. Dat is mijn aanbod. Zal ik mijn handschoenen aantrekken, of...?'

'Dat hoeft niet,' zei meneer Benedict. 'Beloof het maar gewoon.'

'Beloofd,' zei meneer Gordijn. Hij wierp een sluwe blik op Constance. 'Spreek ik de waarheid, jongedame?'

Angstig keek Constance hem aan. Ze knikte.

Meneer Gordijn bromde tevreden. Hij wendde zich weer tot meneer Benedict. 'En nu wil ik antwoord, en geen spelletjes meer! Over wie had je het? En waag het niet te zeggen dat je niet weet wie ik bedoel! Je weet heel goed wie ik bedoel: degene die je "uitzonderlijk na" staat. De enige persoon die mij de informatie kan geven! Dat zijn jouw exacte woorden! Vooruit! Wie is die persoon?'

Meneer Benedict keek zijn broer recht in de ogen. 'Jij.'

'Ik?' zei meneer Gordijn verbijsterd. Zijn ogen vernauwden zich en hij legde zijn handen over zijn mond, alsof hij ze warm wilde blazen. Het was duidelijk dat hij zijn uiterste best deed om kalm te blijven. 'Hoe bedoel je, ik? Hoe kan ik nu mezelf die informatie geven?'

'Door ons te laten gaan, en dat voorstel heb ik je herhaaldelijk gedaan,' zei meneer Benedict. 'Als je ons had vrijgelaten, had ik je de informatie onthuld.'

Meneer Gordijn gooide zijn handen in de lucht. 'Maar je zei dat je niets wist!'

'Dat heb ik nooit gezegd.'

De rolstoel schoot naar voren en met verrassende lenigheid sprong meneer Gordijn eruit en kwam enkele centimeters voor meneer Benedict neer. Hij schudde zijn vinger voor meneer Benedicts gezicht. 'En als ik had gedreigd je metgezel iets aan te doen? Zou je de informatie dan niet hebben onthuld?'

'Zeker wel,' antwoordde meneer Benedict. 'Maar dan nog was jij degene geweest die de informatie door middel van dreigementen had verkregen.'

'Je verwoordde het dus op die manier om te voorkomen dat ik je ondervroeg!' bulderde meneer Gordijn, tot wie het nu in volle omvang doordrong. 'Je wist dat ik niet nog meer serum wilde verspillen! Je wíst dat ik het wilde bewaren!'

'Dat vermoeden had ik inderdaad,' zei meneer Benedict, terwijl hij de woedende blikken van zijn broer met een kalme en ondoorgrondelijke uitdrukking op zijn gezicht beantwoordde.

De kinderen keken hoopvol toe. Als meneer Gordijn heel kwaad werd, viel hij misschien in slaap en dan konden ze ervandoor. Misschien...

Maar na een moment trillend van woede zo te hebben gestaan, ontspande meneer Gordijn zich. Hij glimlachte, knikte en legde zijn handen op zijn rug. De rolstoel kwam als een goed opgevoed huisdier aangereden.

'Hoe dan ook,' zei meneer Gordijn, terwijl hij in de stoel plaatsnam. 'Uiteindelijk heeft jouw bedrog in mijn voordeel uitgewerkt. Je zult wel vreselijk teleurgesteld zijn in jezelf, Benedict. Ik heb nu zowel mijn schemerkruid als mijn Fluisteraar en deze kinderen blijken ook zeer bruikbaar...' Hij draaide zijn rolstoel en wierp Constance een indringende blik toe.

'Nirdat,' zei meneer Benedict. 'Zal ik je nu vertellen wat ik te weten ben gekomen, of wacht je liever nog even?'

'Ja,' zei meneer Gordijn, terwijl hij zich gretig naar hem omdraaide. 'Nu.'

'Dan zul je het licht uit moeten doen.'

'Wat?'

'De schijnwerpers. Doe ze uit. Op de tafel staat een schakelpaneel.'

'Ik weet heus wel waar het schakelpaneel staat,' zei meneer Gordijn. 'En ik heb het licht niet voor niets aangelaten, dan kon ik precies zien wat je aan het doen was.'

Meneer Benedict glimlachte geduldig. 'Daar was ik mij natuurlijk van bewust. Maar als je wilt zien wat ik voor je verborgen heb gehouden, dan moeten ze uit.'

Meneer Gordijn keek hem kil aan. 'Moet ik je eerst nog duidelijk maken wat de kinderen te wachten staat als blijkt dat je me een kunstje wilt flikken?'

'Ik geloof niet dat een dergelijke toelichting noodzakelijk is, dank je. Ik verzeker je dat ik niets zal doen terwijl de lichten uit zijn.'

Meneer Gordijn reed achteruit naar de tafel en pakte het schakelpaneel. Hij bestudeerde het achterdochtig en overhandigde het kastje toen – voor de zekerheid – aan V.S., die in eerbiedig stilzwijgen en gehoorzaam op veilige afstand de gebeurtenissen had gadegeslagen. 'Goed dan, Benedict. Laten we hopen dat jij je jonge vrienden niet nodeloos in gevaar hebt gebracht. V.S., haal de schakelaar over!'

V.S. deed wat hem werd bevolen en van het ene op het andere moment was de grot in volmaakte duisternis gehuld. De duisternis was echter van korte duur, want weldra lichtte er van de wanden, de stalagmieten en de stalactieten een groen schijnsel op.

344

'Waar je naar kijkt is een soort doorschijnend mos,' zei meneer Benedict. 'Daardoor lijken de rotsen overdag nat en slijmerig. Zoals je ziet, is het in het donker lichtgevend.'

Een hele tijd lang zat meneer Gordijn sprakeloos en verbijsterd om zich heen te kijken. Toen begon hij te lachen. Eerst zachtjes, maar vervolgens steeds luider – en steeds scheller – totdat de hele grot zich vulde met de snijdende lachsalvo's van meneer Gordijns triomf.

Oude vrienden en nieuwe vijanden

Er volgden een aantal ellendige uren. Meneer Benedict en de kinderen moesten toekijken hoe meneer Gordijn en V.S. ijverig al het schemerkruid waar ze bij konden van de rotswanden schraapten. De kinderen kwamen erachter dat de zwarte dozen die onder de tafel waren opgestapeld van meneer Gordijn waren. Hoewel hij geen idee had gehad hoe de plant eruitzag of waar hij groeide, had hij zich al tijden geleden in de schemerkruidlegenden verdiept en – in een duister hoekje van de wereld – in een eeuwenoud boek een aantekening gevonden over hoe je deze kwetsbare plant moest vervoeren en in leven houden. Blijkbaar was er niet meer nodig dan duisternis, vocht en een zekere warmte, en meneer Gordijn had iets laten maken wat aan deze eisen voldeed. Wanneer hij of V.S. een van de metalen dozen openmaakten om het kostbare mos erin te doen, wolkte de stoom eruit, alsof het hedendaagse heksenketels waren.

'Om dan te bedenken,' zei meneer Benedict, terwijl hij toekeek hoe zijn broer zich uitstrekte naar het mos op het topje van een stalagmiet, 'hoeveel we hadden kunnen bereiken als we hadden samengewerkt, Nirdat. We wisten alle twee dingen die de ander weer niet wist.'

'En dat is nog steeds zo,' zei meneer Gordijn, die op zijn rolstoel ging staan om beter bij het schemerkruid te kunnen. (Op een onzichtbaar signaal cirkelde de rolstoel naargeestig om de stalactiet heen, alsof hij zelf kon denken.) 'Maar zoals je nu hebt gemerkt, ben ik zeer wel in staat jou de dingen te laten vertellen die ik wil weten. Ik zie het voordeel niet van "samenwerken", zoals jij het noemt.'

'Het voordeel,' begon meneer Benedict, 'zou zijn dat we –'

'Ik hoef jouw bedenksels niet te horen,' onderbrak meneer Gordijn hem, terwijl hij een strook slijmerig mos losschraapte. 'Dwaze bedenksels leiden me af en ik heb geen tijd voor afleiding.'

'Je lijkt nogal haast te hebben,' merkte meneer Benedict op.

'Wat zei ik nou net?' beet meneer Gordijn hem toe. 'Ook nu weer verraad je je simpelheid, Benedict. Hoe denk je dat het komt dat ik nooit gepakt ben? Door te treuzelen en mijn tijd te verbeuzelen? Neem deze situatie: zelfs als ik niets van jouw mejuffrouw Kazembe had gehoord, zou ik het eiland vandaag hebben verlaten.'

'En het schemerkruid hebben achtergelaten?' vroeg meneer Benedict lichtelijk verrast.

'Voor de zoveelste keer, Benedict. Wat een simpele denkwijze! Natuurlijk zou ik V.S. hier hebben achtergelaten om verder te zoeken, terwijl ik de zaak elders onderzocht had. Ik zou het schemerkruid hoe dan ook gevonden hebben, dat verzeker ik je.'

Bij deze woorden stopte V.S. met zijn werk. Uit de verbijsterde uitdrukking op zijn gezicht viel op te maken dat het plan om hem alleen achter te laten op een onbewoond eiland volstrekt nieuw voor hem was.

'Zoals gewoonlijk,' vervolgde meneer Gordijn, 'heb ik mijn doelen op uitermate efficiënte wijze weten bereiken. Maar je moet nooit lang op dezelfde plek blijven. En daarom ga ik met gepaste spoed te werk.'

'Als u zo'n haast heeft,' merkte Kat op, 'waarom dwingt u ons dan niet u te helpen om het schemerkruid af te schrapen?'

Meneer Gordijn lachte zijn krijsende lachje. 'Ik heb meer dan genoeg hulp, bedankt, juffrouw Weeral! En ook als ik het grootste deel moet achterlaten, heb ik nog meer dan genoeg schemerkruid. Nee, ik denk dat ik jullie beter vast kan laten zitten.'

'Ik snap niet waarom u ons niet gewoon van de berg af gooit,' zei Kat. 'U hebt nu uw stomme plant, dus wij zijn toch nutteloos.' (Bij deze woorden krompen haar vrienden ineen, ook al wisten ze dat Kat een mogelijkheid zocht om te ontsnappen.)

Maar meneer Gordijn, die ook doorhad waar Kat op uit was – subtiliteit was nooit Kats sterkste punt geweest – liet weer zijn krijsende lachje horen en zei: 'Integendeel! Jullie zouden wel eens heel nuttig kunnen zijn. Ik heb namelijk eens goed nagedacht. Als ik eenmaal het juiste destillaat van schemerkruid heb, is het heel makkelijk jullie in slaap te houden, behalve op de momenten dat ik jullie nodig heb. Bijvoorbeeld als ik meer informatie wil. Benedict heeft altijd al laten zien dat hij weerloos is als het om jullie gaat.'

'Ach, u hebt wel eens stommere ideeën gehad,' zei Kat om zich niet te laten kennen, want meneer Gordijns woorden hadden haar met doodsangst vervuld. 'We zijn alleen wel met velen. Heeft u soms ook een of ander krimpapparaat?'

'Als we jullie netjes stapelen,' zei meneer Gordijn, 'dan passen jullie best met z'n allen in een kast.' Meneer Gordijn tuitte zijn lippen, alsof hij nadacht. 'Maar je hebt gelijk, misschien is het wel te veel gedoe. Ik zal er eens over nadenken. Wat denk jij, Benedict? Liever helemaal verdwijnen of de rest van je leven slapend in een kast doorbrengen?'

'Nu houd ik érg van een dutje,' antwoordde meneer Benedict. 'Maar met verdwijnen heb ik geen ervaring, dus ik vind het moeilijk te zeggen.'

Meneer Benedicts onverstoorbare kalmte leek meneer Gordijn te irriteren. Zijn genoegzame glimlach verdween en maakte plaats voor een ijzige blik. 'Dan bof je dat jij niet degene bent die de keuze bepaalt. En nu iedereen zijn mond dicht. Ik heb genoeg van jullie afleiding. Ik onderbreek niet graag mijn werk, maar ik verzeker jullie dat de eerste die ik nu nog hoor mijn volle aandacht krijgt.'

Niemand twijfelde aan de ernst van meneer Gordijns woorden – of wat hij met 'mijn volle aandacht' bedoelde – en de rest van de nacht verliep, onder de dreiging van de zilverachtig glinsterende handschoenen, in een angstige stilte die alleen werd doorbroken door de ijverige werkzaamheden van meneer Gordijn en V.S.

Ook Rens' hersenen waren ijverig aan het werk, maar zonder noemenswaardig resultaat. Hij had ontelbare keren een ontsnappingsmogelijkheid proberen te bedenken. Tevergeefs. En ondertussen bedacht hij allerlei dingen waar hij helemaal niet aan wilde denken, zoals de noodlottige hereniging van meneer Gordijn en zijn Fluisteraar, en wat er zou gebeuren met Ronda, mevrouw Perumal en alle andere mensen die vragen zouden stellen waar meneer Gordijn geen antwoord op wenste te geven. Rens' verbeelding ging helaas nog verder en in gedachten verliet hij meneer Benedicts huis om in Steenstad rond te dwalen, waar de bewoners door het 'juiste' destillaat van meneer Gordijns schemerkruid in slaap waren gebracht en groepjes Tienmannen door de uitgestorven straten slopen. Hoe hard hij het ook probeerde, Rens kon zijn verbeelding niet meer stopzetten en dus zag hij met beangstigende helderheid het gemak waarmee meneer Gordijns mannen iedereen afvoerden die zich tegen de meester durfde te verzetten. Alles zou zonder enige strijd, zonder een enkele wanklank verlopen. De stad zou 's ochtends gewoon ontwaken met weer een tegenstander van meneer Gordijn minder.

Meneer Gordijn zou krijgen wat hij altijd al had willen hebben: de absolute macht. Hij hoefde alleen maar zijn naam te veranderen in Nicolaas Benedict. De meeste mensen zouden het niet eens doorhebben.

Tegen die tijd zou meneer Gordijn zich van de kinderen hebben ontdaan. Dat stond als een paal boven water. De vraag was hoe hij dat zou doen. Rens kon alleen maar aan antwoorden denken waarbij hem het zweet uitbrak.

Zijn enige hoop – hoe klein ook – was dat Molenweer hen zou redden, en naarmate de dageraad naderde, klampte Rens zich er wanhopiger aan vast. Toen meneer Gordijn peinzend opmerkte dat de Tienmannen er veel te lang over deden om de ontvluchte Nummer Twee op te sporen (hij noemde haar 'dat mens') en V.S. de grot uit stuurde om radiocontact met hen te maken, veerde hij gespannen op. Misschien lag Molenweer buiten op de loer en zou hij hem overvallen! Maar V.S. keerde terug met de mededeling dat er geen antwoord kwam. Hierop fronste meneer Gordijn wantrouwend zijn wenkbrauwen, wat Rens enige reden gaf om zijn wankele hoop nog iets langer te blijven koesteren...

Vlak voor zonsopgang werd die hoop echter volledig de bodem in geslagen toen McCracken hinkend de grot in kwam.

Kat hapte naar adem en barstte toen in snikken uit, want de komst van de Tienman kon maar één ding betekenen. De andere kinderen keken elkaar wanhopig aan en meneer Benedict, wiens ogen volschoten toen hij Kat hartverscheurend hoorde snikken, stak zijn arm naar haar uit – en zakte toen opzij tegen de stalagmiet aan, diep in slaap.

McCracken volgde het tafereel geamuseerd terwijl hij op meneer Gordijn wachtte, die zich bij het geluid van naderende voetstappen in volmaakte, angstaanjagende stilte in de andere ruimte had teruggetrokken. Ook V.S. was verdwenen, maar terwijl de Tienman uitriep: 'Code zeven, meneer Gordijn! U hoeft zich niet te verschuilen!' tuurde hij sluw naar een stalagmiet. Op bevoogdende toon voegde hij eraan toe: 'V.S., ik wil je eraan herinneren dat code zeven "de kust is veilig" betekent. De neuzen van je schoenen zijn trouwens duidelijk zichtbaar.'

Terwijl V.S. met een schaapachtige uitdrukking op zijn gezicht uit zijn schuilplaats tevoorschijn kwam, schoot meneer Gordijn met zo'n snelheid de grot in dat het leek alsof zijn rolstoel McCracken ondersteboven zou rijden. Maar op het laatste moment kwam hij met gierende banden tot stilstand, en McCracken begroette meneer Gordijn met een bewonderende buiging.

Het was maar goed dat meneer Gordijn hem niet had geraakt, want hij was er niet al te best aan toe. Hij had zijn das gebruikt als mitella voor zijn gewonde arm, zijn gezicht was besmeurd met bloed en roet, zijn elegante kostuum was gescheurd en zat vol brandplekken, en zijn aktetas was doorzeefd met verdovingspijltjes. Op zijn gezicht stond echter onmiskenbaar voldoening te lezen en toen hij begon te praten, was dat op zijn gebruikelijke ontspannen, misleidend aangename toon, alsof hij verslag deed van de weersomstandigheden.

'We stuitten op enige onlusten,' zei McCracken in reactie op meneer Gordijns afkeurende blik. Hij knikte in de richting van de kinderen. 'Waar heeft u die kuikentjes gevonden?'

'Ze hebben míj gevonden,' antwoordde meneer Gordijn ijzig, 'nadat ze míjn Salamander hadden gestolen, die zich onder jóúw hoede bevond. Ik heb ze gevangen genomen en in de boeien geslagen, wat blijkbaar meer is dan waar die imbeciele ploeg van jou toe in staat is. Waarvoor betaalde ik jullie ook alweer?'

McCracken grijnsde. Hij bleek een stel tanden te missen.

'Wij houden uw moreel hoog. En trouwens, u hebt Molenweer niet hoeven aanpakken.'

'Benedicts agent? Is hij op het eiland?'

'Ah... dus dat hebben ze niet verteld,' zei McCracken en hij trok een wenkbrauw op.

Meneer Gordijn wierp de kinderen een giftige blik toe. 'Nee, dus. Molenweer, zei je? Ik denk dat dat verklaart waarom ik nog niets van Jenne en Jutte heb gehoord.'

'Ongetwijfeld,' beaamde McCracken. 'Maar u hoeft zich geen zorgen meer te maken. We hebben met Molenweer afgerekend.'

'Zo te zien heb jij persoonlijk met hem afgerekend,' zei meneer Gordijn, terwijl hij de Tienman van top tot teen opnam. 'Je ziet er vreselijk uit.'

'We hebben hem met z'n allen te pakken genomen. Ik moet zeggen dat Molenweer een uitzonderlijke tegenstander was. Snel als een tijger en slim als een vos. Maar hij had geen schijn van kans. Absurd hoe die man zijn best deed om niemand echt te verwonden. Zoals hij zich in alle bochten wrong om Kruinings maar niet te doden, terwijl die alles uit de kast haalde om hem aan flarden te schieten. Toen ik die zwakte eenmaal doorhad, was het snel bekeken.'

'Bespaar me de rest van je verhaal, McCracken,' zei meneer Gordijn. 'Hebben jullie korte metten met hem gemaakt? En jij, V.S., sta daar niet als een lantaarnpaal en ga door met je werk.'

'Het eind was nogal teleurstellend,' zei McCracken, terwijl V.S. haastig doorging met schrapen en inpakken. 'Tijdens het gevecht waren we boven op de middelste berg terechtgekomen en ik had hem aan de rand van het ravijn in het nauw gedreven; de anderen waren ondertussen al uitgeschakeld. Hij liet zich liever ontelbare keren steken door de horzels dan achter het rotsblok vandaan te komen dat hem als schild diende. Ik maakte echter langzaam een omtrekkende beweging en toen hij dat doorkreeg, verkoos hij een minder pijnlijk eind. Hij sprong.'

Rens legde een arm om Kats schouder, maar ze merkte het nauwelijks. Ze had haar tranen weggeslikt en dwong zichzelf te luisteren naar McCrackens verslag. Woedend keek ze de Tienman aan.

'Ik heb zijn lichaam niet gezien,' gaf McCracken toe. 'Mijn zaklantaarn was toen al stuk. Maar in het maanlicht kon ik een goeie vijftien meter diep kijken. Zo diep is hij dus minstens gevallen en hij was er al niet meer zo best aan toe. Ik betwijfel of hij het heeft overleefd. En anders had hij het vast liever niet overleefd. Met zo'n val breek je al je botten.'

'Ik zal zorgen dat jij het liever niet had overleefd!' beet Kat hem toe terwijl ze een uitval naar hem deed. Haar woorden en bewegingen waren zo fel dat iedereen in de grot achteruitdeinsde; iedereen behalve McCracken, die grinnikte toen Kat onderuitging vanwege haar handboeien die nog steeds aan de metalen beugel vastzaten. Rens en Chip grepen haar vast uit angst dat ze een arm zou breken in haar poging McCracken te grazen te nemen.

'Ik ben hierheen gekomen om te vragen wat u wilt dat ik nu doe,' zei McCracken, die zich weer tot meneer Gordijn wendde. 'Ik moet Nummer Twee nog opsporen, maar eerst moet ik mijn mannen verzamelen. En Martina, neem ik aan. Ik zag haar en Garotte op de grasvlakte liggen. Molenweer had hen op de terugweg naar het dorp onderschept.'

Meneer Gordijn fronste. 'Ik dacht dat je zei dat hij niemand wilde verwonden.'

'Dat klopt, maar hij heeft wel iedereen bewusteloos achtergelaten. En Kruinings heeft wat gebroken botten en die helen beter als iemand me helpt hem op te tillen. Als het u niet uitmaakt, kan ik hem ook met mijn goede arm in de Salamander gooien. Ik kan ook wachten totdat de anderen zijn bijgekomen. Sharp en Garotte waren bijna zover: ze knipperden een beetje met hun ogen toen ik ze een schop gaf. Het zal niet lang meer duren. Maar ik wilde u laten beslissen. Ik weet dat u voor de middag wilde vertrekken.'

Meneer Gordijn ontving het nieuws zeer geïrriteerd, maar hij leek vastbesloten zich niet kwaad te maken. 'Neem V.S. mee,' zei hij bars. 'En schiet op. We zijn hier bijna klaar.'

V.S. wilde de metalen doos die hij in zijn handen had neerzetten.

'Ik wil niemand beledigen,' zei McCracken met een neerbuigende glimlach naar V.S., 'maar ik denk dat ú me moet helpen, meneer Gordijn. Zoals ik al zei heeft Kruinings gebroken botten. Het zou niet aardig zijn om hem te laten vallen.'

V.S. liet beledigd de metalen doos op zijn voet vallen.

'Goed dan,' zei meneer Gordijn, terwijl V.S. kreunend met zijn voet in zijn handen op en neer sprong. 'Ik ga met je mee. V.S., hou op met die capriolen en ga aan het werk.'

McCracken had zijn aktetas neergezet en betastte een loszittende tand. Hij trok hem los, bekeek hem nieuwsgierig en stopte hem in zijn zak. 'Nog één ding. Molenweer heeft de kinderen verteld dat ze door een stel vrienden zouden worden opgepikt.'

'Ratten en ratelslangen!' mompelde meneer Gordijn. 'Noemde hij namen? Als het een officieel reddingsteam was, zou ik op de hoogte zijn gebracht. Jullie hebben geen bericht ontvangen?'

'Ik hoorde van Rauzer dat Ronda Kazembe blijkbaar de duif met een briefje heeft teruggestuurd. Ze beweert te weten wie u zoekt en vraagt nog een paar dagen de tijd om hem te lokaliseren.'

'Een wanhoopsdaad,' zei meneer Gordijn terwijl hij afwijzend met zijn hand wapperde. 'Ik heb al gelokaliseerd wat ik zoek. Maar je hebt niets gehoord over mensen die eraan komen?'

'Nee. En Molenweer heeft geen namen genoemd. We weten wel waar hun boot zal aanmeren, als dat niet al is gebeurd. De enige behoorlijke plek is de baai in het zuidoosten. Als u wilt kan ik zodra mijn mannen bij hun positieven zijn met de Salamander naar –'

Meneer Gordijn onderbrak hem met een ongeduldig gebaar. 'Confrontaties kunnen wachten, McCracken, en we kunnen ze maar beter helemaal vermijden. Ik wil van jou de garantie dat onze ontsnapte gevangene geen contact met die mensen kan maken om te vertellen waar Benedict is.'

McCracken aarzelde. 'Als ze hen nog niet heeft ontmoet, dat wil zeggen, als ze ondertussen niet al een reddingsteam op het eiland hebben gedropt...'

'Hoogst onwaarschijnlijk,' zei meneer Gordijn. 'Het getij in de baai is afgelopen nacht zeer verraderlijk geweest, McCracken – ik weet namelijk het een en ander over getijden – en ik betwijfel of er een schip heeft kunnen aanleggen.'

'Mooi zo,' zei McCracken. 'Dan kan ik u verzekeren dat we Nummer Twee te pakken krijgen voordat ze problemen kan veroorzaken. Ik vermoed dat ze zich nog steeds in het bos bij het dorp schuilhoudt. Met deze wind moet het geen probleem zijn het bos in brand te steken en haar uit te roken.'

'Ik help het je hopen,' zei meneer Gordijn kortaf.

Vervolgens ging het gesprek over op de rolstoel. Meneer Gordijn wilde hem niet achterlaten, maar vanwege zijn gewonde arm kon McCracken niet zowel de rolstoel als de aktetas langs het steile geitenpad omlaagdragen naar de Salamander. De stoel was te zwaar voor meneer Gordijn. McCracken merkte op dat meneer Gordijn er nauwelijks gebruik van zou maken, waarop meneer Gordijn antwoordde dat McCracken zijn hersenen ook niet veel gebruikte maar ze toch ook wel bij zich wilde houden. En zo ging het gesprek voort.

Ondertussen doorzocht Kat heimelijk haar emmertje in de hoop iets bruikbaars te vinden. Uiteindelijk mompelde ze: 'Ik weet niet hoe we het moeten klaarspelen.'

'Je bedoelt ontsnappen?' vroeg Rens op gedempte toon. 'Ik ook niet.'

'Dat bedoelde ik niet,' zei Kat verbaasd. 'Natuurlijk kunnen we ontsnappen!'

'Echt? Hoe dan?' vroeg Chip hoopvol.

'O, we bedenken wel iets,' fluisterde Kat. Het was niet precies het uitgewerkte plan waar Chip op had gehoopt. 'Wat ik me afvroeg is hoe we Molenweer kunnen vinden en eerder bij Nummer Twee komen dan dat stel griezels. Hoe kunnen we haar redden?'

'Ho eens even, jij denkt dat Molenweer nog leeft?' vroeg Constance.

'Tuurlijk! Ik bedoel, eerst dacht ik van niet, maar toen bedacht ik dat Molenweer nooit zijn dood tegemoet zou springen, niet zolang wij in gevaar zijn. Hij moet een plan hebben gehad. Waarschijnlijk heeft hij ons nog niet kunnen vinden. Zijn bevel was tenslotte dat we naar de baai moesten. Daar is hij naar ons op zoek gegaan.'

Er zat wat in, maar Rens was minder optimistisch dan Kat. 'Even voor de duidelijkheid: we zitten vastgeketend in een grot, we hebben geen idee wat meneer Gordijn met ons gaat doen, en jouw grootste zorg is hoe we Nummer Twee moeten redden?'

'Precies!' fluisterde Kat.

'Dat wilde ik gewoon even zeker weten,' zei Rens. De impuls om te glimlachen was minimaal, maar het was meer dan hij de afgelopen uren gevoeld had. 'Ik denk dat we moeten beginnen met hoe we onszelf kunnen redden, Kat.'

'Dat weet ik, maar we hebben meer tijd nodig! Als zij dat bos in brand gaan steken –'

'We hebben meer tijd dan zij denken,' onderbrak Constance haar. 'Het zal niet zo makkelijk zijn om iets in brand te steken. Het wordt nat buiten. Mist of motregen. Kijk me niet zo aan, jullie weten dat ik dit soort dingen –'

'V.S.!' blafte meneer Gordijn. De kinderen schrokken op en zagen dat hij hen woedend aankeek. 'Als een van de gevangenen nog een mond opendoet, dan wil ik dat je dat rapporteert wanneer ik terugkom en dan zullen zij er de gevolgen van dragen. Dat is een bevel, begrepen? Ik wil niet dat er gepraat wordt. Geen gefluister meer!'

'Tot uw orders, meneer,' zei V.S. Hij schraapte zijn keel. 'En eh, meneer? Mag ik misschien voorstellen dat McCracken uw rolstoel draagt en u zijn aktetas? Alleen maar naar de Salamander, bedoel ik.'

De twee mannen staarden V.S. sprakeloos aan en keken toen naar elkaar.

'Kinderen en dwazen...' gromde McCracken.

'Ik ga zo ver mogelijk met mijn rolstoel omlaag,' zei meneer Gordijn, die al in beweging was gekomen. 'Daarna kunnen we onze lasten uitwisselen.' Gevolgd door de hinkende McCracken zoefde hij de gang door, zonder V.S. ook maar met een woord – of een blik – te bedanken voor zijn verrassend praktische suggestie om samen te werken.

V.S. Pedalius, die zich nog steeds gekwetst voelde door McCrackens belediging en meneer Gordijns kille gedrag, was net weer aan het werk gegaan, toen meneer Benedict het woord tot hem richtte. Niemand had meneer Benedict wakker zien worden. Hij sprak zorgvuldig en bedachtzaam, en zijn stem klonk zo slaperig dat het leek alsof hij niet echt wakker was.

'V.S.,' zei meneer Benedict met zijn vreemde, slaapverwekkende stem. 'Ik weet dat je druk bezig bent, maar als je een momentje hebt: mijn handboeien schuren weer over mijn huid.'

V.S. draaide zich geschrokken naar hem om. 'O nee, meneer Benedict, u had niet moeten spreken! Weet u niet dat ik het aan meneer Gordijn moet rapporteren? Het was een bevel, weet u! U zult gestraft worden!'

Meneer Benedict bleef V.S. strak aankijken 'Dat besef ik, V.S.,' zei hij nog steeds met die trage, slaperige stem, 'en dat is helemaal in orde. Je moet doen wat je moet doen, mijn beste. Ik draag je geen kwaad hart toe.'

V.S. glimlachte opgelucht en onderdrukte toen een gaap.

'Maar die handboeien,' zei meneer Benedict, 'zoals ik al zei schuren ze verschrikkelijk. Zoals altijd.'

V.S. staarde hem aan, niet aarzelend of wantrouwend, maar alsof het heel lang duurde voordat meneer Benedicts woorden tot zijn hersenen doordrongen. De kinderen, die verbijsterd toekeken, zeiden niets. Ze durfden nauwelijks adem te halen. Ze begrepen dat meneer Benedict ergens op uit was, ook al begreep V.S. het niet. V.S. gaapte weer, maar zijn ogen lieten die van meneer Benedict niet los.

'Je bent heel moe, nietwaar, V.S.,' zei meneer Benedict.

V.S. bleef hem aanstaren. Na een tijdje knikte hij sloom. 'Heel moe,' fluisterde hij.

'Ik weet het, mijn beste,' zei meneer Benedict. 'Ik ook. Je moest eigenlijk even bij me komen zitten om uit te rusten. Maar wil je eerst mijn handboeien losmaken, zoals je eerder hebt gedaan? Ik wil graag weer wat gevoel in mijn polsen krijgen.'

En tot grote verbazing van de kinderen liep V.S. naar meneer Benedict toe en maakte zijn handboeien los. Eerst bewoog meneer Benedict zich niet; hij bedankte V.S. en wreef zijn polsen weldadig over elkaar. Toen klopte hij op de grond naast zich.

'Kom even zitten,' zei meneer Benedict.

'Even zitten,' zei V.S. monotoon. Zijn ogen vielen bijna dicht en zijn schouders hingen zwaar omlaag. Hij ging naast meneer Benedict op de grond zitten en leunde tegen de stalagmiet.

'Je zou eens moeten voelen hoe ze schuren,' zei meneer Benedict. En heel terloops, alsof hij een manchetknoopje goed deed, liet hij de geopende handboei rond V.S.' pols glijden (de andere handboei zat nog aan de metalen beugel vast) en liet hem dichtklikken. 'Zo, is dat niet onaangenaam?'

'Het beperkt de bewegingsbevrijding wel,' mompelde V.S. met een frons. 'Ik bedoel, het beweegt de bevrijdingsbeperking... Ik bedoel...' Zijn stem stierf weg.

'We zouden ze moeten afdoen,' zei meneer Benedict. 'Geef me de sleutel maar.'

V.S. gaf meneer Benedict de sleutel.

Meneer Benedict leunde naar voren, zodat V.S. het niet zou zien, en overhandigde de sleutel aan Kat, die onmiddellijk zichzelf en de rest bevrijdde. Toen liet meneer Benedict de kinderen een paar stappen achteruit doen, weg van de stalagmiet waar V.S. aan de metalen beugel vastzat. V.S. knipperde met zijn ogen, alsof hij wakker werd. Hij keek de kinderen en toen meneer Benedict verbluft aan.

'Het spijt me, V.S.,' zei meneer Benedict. 'Een deel van je moet begrijpen dat ik het meen.'

V.S. schudde woest met zijn hoofd om helder te worden. Zijn blik werd donker en zijn lip begon te trillen. 'Maar... maar dit kan niet! U hebt gelogen!'

'Ik heb nooit tegen je gelogen,' zei meneer Benedict.

V.S. was verbijsterd. 'Maar al die andere keren... U hebt nooit iets geprobeerd! Dat had u beloofd! Ik heb u zelfs een druppel waarheidsserum gegeven om er zeker van te zijn dat u niet loog!'

'Inderdaad, maar deze keer heb ik niets beloofd, V.S. Ik heb ook niet beloofd je te bevrijden, ik heb alleen maar gezegd dat we je handboeien zouden moeten losmaken. En dat zouden we ook. In een betere wereld en op een beter tijdstip zou ik je met alle liefde bevrijden. En ik hoop je in een dergelijke wereld en op een dergelijk tijdstip weer te ontmoeten. Je bent een goed mens, V.S. Het spijt me zeer je in deze hachelijke toestand te moeten achterlaten, maar ik kan niet anders.' Meneer Benedict draaide zich bedroefd om. 'Kom mee, kinderen, we moeten ons haasten.'

Kat gooide Constance op haar rug en de ontsnapte gevangenen renden snel naar de tunnel. Achter hen werd de uitdrukking op het gezicht van V.S. steeds dreigender. Zijn ogen schoten heen en weer, terwijl hij de woorden van meneer Benedict tot zich liet doordringen. Hij deed hard zijn best om niet te geloven wat er zojuist was gebeurd.

'Hebt u hem gehypnotiseerd?' vroeg Constance, terwijl ze door de tunnel holden.

'Zoiets,' zei meneer Benedict somber, 'maar dan veel grover. Ik kon hem alleen maar overtuigen omdat hij erop vertrouwde dat ik zijn goedheid niet zou misbruiken. Ik heb het beste deel van V.S. Pedalius een vreselijke slag toegebracht, kinderen. We kunnen alleen maar hopen dat hij het weer te boven komt.' Meneer Benedict legde een hand op Rens' schouder. 'Ik hoop dat jij de V.S.'en van de wereld nog niet hebt opgegeven, Rens. Zoals je ziet zijn er veel schapen in wolfskleren. Zonder de goede inborst van V.S. hadden we nooit kunnen ontsnappen.'

Ze waren bij de ingang van de grot gekomen. De dag was aangebroken en de wind die overdag het eiland teisterde, was weer opgestoken. Rens bedacht net dat ze nog niet ontsnapt waren, toen het onaardse huilen van de wind werd overstemd door een smartelijke kreet die door de grot achter hen echode. Eindelijk had V.S. de werkelijkheid onder ogen gezien. In zijn razernij schreeuwde hij hen woedend achterna: 'U bent precies hetzelfde als meneer Gordijn! Ik geloofde u, meneer Benedict! Ik vertrouwde u! Ik had het kunnen weten. Ik hád het kunnen weten!'

Meneer Benedict bleef staan en keek achterom. Het kon de uitputting zijn, of het feit dat hij de directe aanleiding van V.S.' leed was, maar de kinderen hadden hem nog nooit zo bedroefd zien kijken.

'Kon ik maar –' begon hij, maar hij maakte zijn zin niet af, want op dat moment viel hij in slaap.

Chip bespaarde meneer Benedict een pijnlijke val door in de weg te staan. En dus sloeg Chips voorhoofd tegen de harde rotsbodem toen meneer Benedict boven op hem viel. Hij kroop onder hem vandaan, draaide hem voorzichtig op zijn rug en zette eerst de bril van de slapende man recht, en toen zijn eigen. Hij schudde meneer Benedict bij zijn schouder. 'Wakker worden, meneer Benedict! Wakker worden!'

Het gejammer van V.S. was even abrupt geëindigd als het was begonnen. Het enige geluid dat nog klonk was het gehuil van de wind, vermengd met Chips smeekbeden. De andere kinderen keken angstig toe. Meneer Gordijn en McCracken waren nog maar net weg. Als ze iets hadden vergeten en terugkwamen... Rens wierp een zenuwachtige blik over het eiland. Het was dan wel licht, maar er was geen zon. Er hingen lage, grijze wolken boven de berg en alles was gehuld in een fijne mist, die in de harde wind rondkolkte als rook.

'Hij wordt niet wakker,' zei Chip, terwijl hij meneer Benedicts wang zachte klapjes gaf.

'O jee,' zei Constance. 'Dat gebeurt wel eens als hij echt uitgeput is. Soms duurt het uren.'

'Zo uitgeput is hij nog nooit geweest,' zei Chip. Hij keek Rens aan. 'Dit is niet goed.'

'Laten we kijken of we een draagbaar kunnen maken,' zei Rens. 'We kunnen niet wachten. We moeten naar het bos bij de baai.'

'En Nummer Twee dan?' protesteerde Kat.

'We maken de meeste kans om haar te helpen als we nu naar het bos gaan. Zoals je al zei, denkt Molenweer dat wij daarheen zijn gegaan, dus hopelijk treffen we hem daar aan. Zo niet, dan zijn zijn vrienden misschien wel aangekomen en kunnen die ons helpen. Maar daar komt allemaal niets van terecht als we worden gepakt. We moeten dus voortmaken!'

'Voortmaken' was natuurlijk een woord dat Kat zeer aansprak en dus was ze het onmiddellijk met Rens' plan eens. Ze twijfelde er wel aan of de jongens de baai met een draagbaar zouden halen, ook al zouden ze elkaar afwisselen. En dan was Constance er nog. 'We hebben een slee nodig. Daarmee kunnen we zowel meneer Benedict als Constance vervoeren. Ik ben zo terug!' Ze dook de tunnel naar de spelonk weer in.

Toen Kat terugkwam, en de anderen nog steeds tevergeefs pogingen deden meneer Benedict te wekken, sleepte ze de tafel waar alle instrumenten op hadden gelegen achter zich aan. Met behulp van de instrumenten, haar emmertje en haar Zwitserse zakmes (dat meneer Gordijn op de tafel had laten liggen) had ze de poten eraf gehaald en in de lengte weer als glijders vastgezet. Ze had ook de snoeren van een aantal schijnwerpers genomen en er lijnen en handgrepen van gemaakt waarmee ze de slee konden trekken. Gezien de snelheid waarmee Kat het in elkaar had geflanst, was het een indrukwekkend geheel geworden.

'Ik wilde het reukzout meenemen,' zei Kat, die zag dat meneer Benedict nog steeds sliep, 'maar V.S. had het in zijn zak en het leek me beter om bij hem uit de buurt te blijven. Hij keek me aan alsof hij me wel kon wurgen.'

Ze hesen meneer Benedict op de slee. Toen klom Constance erop en hield meneer Benedict stevig vast, terwijl de anderen de lijnen pakten en ze uitprobeerden. De metalen glijders maakten een afschuwelijk geluid over de rotsen, maar toen Kat en de jongens begonnen te trekken, kwam de slee redelijk snel vooruit.

Tevreden zei Kat: 'Ik ga op zoek naar de makkelijkste weg omlaag.' Als een berggeit beklom ze de rotsen boven de grot, van het ene naar het andere rotsblok springend. Binnen een mum van tijd stond ze hoog boven haar vrienden door haar telescoop naar het oostelijke deel van het eiland te kijken. Ze had de route al snel ontdekt. Tevergeefs keek ze of ze een spoor van Molenweer kon ontdekken. Het bos, de baai en de zee daarachter gingen allemaal schuil achter een sluier van mist.

Een heel stuk lager stond Rens gespannen naar Kat te kijken, toen hij door een vreemd gevoel werd overvallen. Hij tuurde omhoog en probeerde erachter te komen wat voor gevoel het was. Kat stond scherp afgetekend tegen de grijze, bewolkte lucht, haar paardenstaart dansend op de wind. Zwaluwen vlogen, niet gehinderd door de mist, in en uit de gaten in de rotsen boven haar en hoog in de lucht cirkelde een roofvogel, zich ongetwijfeld afvragend welke zwaluw hij als ontbijt zou nemen. Ondertussen stormden de donkere wolken voorbij, als een film die te snel werd afgespeeld. De voortsnellende wolken, het gefladder van de zwaluwen en de rondcirkelende roofvogel maakten Rens duizelig... Ja, dat vreemde gevoel moest duizeligheid zijn. Of... nee, Rens was niet tevreden met dat antwoord. Wat was dat gevoel dán? Het leek bijna een déjà vu, alsof hij het als eens eerder had meegemaakt.

Kat klauterde omlaag om verslag uit te brengen. 'Het gaat heel moeilijk worden,' besloot ze, nadat ze de route had beschreven. 'Naar het bos duurt denk ik minstens twee uur, misschien drie, afhankelijk van hoe hard jullie kunnen trekken. Tenminste, als we geen ongeluk krijgen.' Ze deed haar haar opnieuw in een paardenstaart. 'En er is nog iets.'

'Wat dan?' vroeg Rens, die slecht nieuws voelde aankomen.

'Ik denk niet dat we het redden zonder gezien te worden. Als ze Nummer Twee vinden, komen ze hier terug en ontdekken ze dat we weg zijn. McCracken en meneer Gordijn klimmen dan vast omhoog om net als ik het eiland te verkennen. Als ze haar niet vinden, blijven ze in hun Salamander over het eiland rondrijden. In beide gevallen zullen ze ons de rotsvlakte zien oversteken. We moeten het een heel stuk zonder dekking doen. Maar we hebben wel een grote voorsprong, dus we kunnen ze voorblijven –'

'En dan?' vroeg Constance. 'Ze weten toch waar we zitten, en wij weten niet eens of er hulp is gekomen!'

Rens wreef over zijn slapen. Constance had natuurlijk gelijk. En als McCrackens voorspelling klopte, zouden twee van de andere Tienmannen nu zijn bijgekomen, en Martina misschien ook. Er zouden een heleboel scherpe potloden door de lucht vliegen bij dat bos, en er zouden genoeg mensen rondlopen om vluchtende kinderen gevangen te nemen.

'Misschien moeten we een schuilplaats zoeken en wachten totdat meneer Benedict wakker wordt,' opperde Chip. 'Hij weet vast wat we moeten doen.'

Kat schudde haar hoofd. 'Hij kan nog uren slapen. We moeten dit zelf uitzoeken.'

Met 'zelf' bedoelde Kat hoofdzakelijk Rens en zij en de anderen keerden zich automatisch naar hem. Rens fronste. Hij deed erg zijn best om iets te bedenken, maar dat vreemde déjà vu-gevoel bleef maar doorzeuren in zijn hoofd. Waar deed het hem toch aan den-

ken? Hij had naar Kat staan kijken, en de lucht, en de rondcirkelende havik... Wacht eens even. Was het een havik geweest? Hij schrok
op, keek toen omhoog. Nee, geen havik. Een slechtvalk.

'Kat! Kijk! Is die valk –'

'Nee maar, het is Maatje!' riep Kat uit. Ze haalde haar fluitje tevoorschijn en blies erop. De valk schoot omlaag en streek juist op
Kats pols neer toen die de beschermende leren handschoen had aangetrokken. 'Brave meid!' zei Kat, terwijl ze over de veren aaide. 'Het
spijt me, maar ik heb niets lekkers voor je. Je houdt het te goed.'

Er hing een klein leren zakje aan Maatjes poot. Kat maakte het
snel los en haalde er een brief uit. 'Hij is van Knoert!'

De kinderen kwamen dicht om haar heen staan om de brief te lezen.

Lieve Kat,

*We hopen zo dat deze brief jullie bereikt! We weten
dat jullie in gevaar zijn en ik schrijf jullie zo snel mogelijk om te laten weten hoe het hier is en te kijken hoe we
jullie kunnen helpen. Omdat ik niet kan beoordelen wat
belangrijk is, vertel ik jullie maar alles.*

*Vannacht hadden we ons in het bos verscholen en
wachtten we vol spanning op jullie komst, toen we een
ontploffing hoorden. Niet veel later kwam Nummer Twee
uit een tunnel strompelen. Ze redt het wel, maar ze was
er zo slecht aan toe, dat we haar naar onze landingsboot hebben gebracht en vandaar naar De Doorsteek
om haar te laten verzorgen.*

*Ze protesteerde luid: veel te luid, want haar gehoor
is door de ontploffing aangetast. Ze was ook een beetje
van de wereld, maar we begrepen wel dat ze dacht dat
jullie in gevaar waren en dat ze in de tunnel naar jullie
op zoek was gegaan. Toen de ingang werd opgeblazen
werd haar de weg versperd. Ze stond erop dat we haar*

achterlieten en naar jullie op zoek gingen, maar dan zouden we tegen Molenweers instructies ingaan. We durfden niet het risico te lopen dat we zijn plannen in de war stuurden, en daarnaast had Nummer Twee direct zorg nodig. Ze zit nu stevig in het verband en ze is ook weer bij zinnen. Het was haar idee om Maatje met een brief te sturen en — ze zegt dat ik het te lang maak, dus ik ga snel verder.

We zijn aan boord van De Doorsteek, een paar kilometer uit de kust. Ons plan was om onmiddellijk naar het bos terug te gaan, maar er is een probleem. Toen we de baai verlieten is de motor van de landingsboot op de klippen beschadigd, het tij was uitermate verraderlijk. De boot is nu heel lawaaiig en traag. We zijn bang dat we jullie in gevaar brengen als we ermee naar de baai komen. Molenweer zei dat we onopvallend te werk moesten gaan. Geldt dat nog steeds? Laat het ons weten, Kat!

Goed om te weten: kapitein Noland heeft, op Molenweers bevel, bij zonsopgang (enkele minuten geleden) de marine gewaarschuwd, maar het kan even duren voordat hun patrouilleboten hier zijn. Vanwege het gevaar vast te lopen kunnen we met De Doorsteek niet dichter bij het eiland komen, maar met de landingsboot zijn we binnen twee uur in de baai. We kunnen daar op jullie wachten of naar jullie toe komen: zeg maar wat we moeten doen!

Maatje weet je met haar scherpe ogen vast te vinden. Wanneer je haar wilt terugsturen, zeg je gewoon 'kikkervoer', en dan vliegt ze linea recta naar me toe; ik heb haar van het begin af aan restjes steak gevoerd. Maak voort, Kat, stuur snel je antwoord!

Knoert (Joe Shooter)

Zodra Rens klaar was met lezen, begon hij te ijsberen. Het liefst zou hij zich tot een bal hebben opgerold. De brief had hem moeten opbeuren, maar onder deze omstandigheden was het een ontgoocheling. Als ze Maatje direct met een antwoord terugstuurden en alles precies volgens planning verliep, zou de lawaaiige en langzame landingsboot de baai bereiken op het moment dat de kinderen er aankwamen. Maar Kat had gelijk: ze zouden de rotsvlakte niet ongemerkt kunnen oversteken. De Salamander zou hen op de hielen zitten en Molenweer had gezegd dat hij zowel aan land als op zee heel snel was. Ook al zouden ze het halen naar de landingsboot... een kapotte boot zou een makkelijke prooi zijn. Lang voordat ze De Doorsteek hadden bereikt zouden ze door meneer Gordijns mensen zijn opgepakt.

De anderen kreunden nu het tot hen doordrong wat Rens direct al had geweten: er was geen uitweg.

'Nummer Twee is tenminste veilig,' zei Chip mistroostig. 'Dat is in ieder geval iets.'

De anderen knikten, maar zeiden niets. Ze waren allemaal opgelucht dat Nummer Twee in veiligheid was. Het goede nieuws over haar was echter slecht nieuws voor hen, want zolang ze haar niet in het bos op het westelijke deel gevonden hadden, zouden meneer Gordijn en zijn Tienmannen het eiland blijven afstropen. Dat maakte de kans nóg groter dat de kinderen onderschept zouden worden voordat ze de baai hadden bereikt. Rens keek naar meneer Benedicts slapende gezicht, fronste en ijsbeerde verder.

'Misschien moeten we ons toch verstoppen,' zei Constance. 'Op een gegeven moment komen die patrouilleboten, toch? Misschien komen ze op tijd om ons te redden.'

'Dan zouden we heel veel geluk moeten hebben,' zei Kat. 'Ik stel voor dat we zo hard mogelijk rennen en er maar het beste van hopen. Vergeet niet dat Molenweer waarschijnlijk in het bos is. Als we hem eenmaal hebben gevonden kan hij ons helpen.'

Chip stond koortsachtig zijn brillenglazen te poetsen. 'En wat denk jij, Rens? Moeten we rennen of ons verstoppen?'

Rens klemde zijn kaken op elkaar. Ja, wat dacht híj? Ze waren nu met zovelen dat ze zich niet lang voor de Tienmannen zouden kunnen verbergen. En ook als de patrouilleboten snel kwamen en de manschappen aan land gingen, betwijfelde Rens of ze veel kans maakten tegenover meneer Gordijns ongure types, vooral omdat de Tienmannen de Salamander hadden. Maar rennen? Rens moest aan de landingsboot denken. Lawaaiig, had Knoert gezegd. Dus ook in de dikke grijze mist zouden ze niet onopgemerkt blijven. En in tegenstelling tot Kat dacht Rens niet dat Molenweer hen zou kunnen helpen. Nee, verstoppen leek de beste optie, ook al was het een vrijwel kansloze optie, en hoewel...

Rens bleef staan. Hij zag nog een optie. Eigenlijk had hij die van het begin af aan al gezien, maar steeds weggeschoven. Als het werkte, was dat hun grootste kans om te ontsnappen. Als het niet werkte, was alles verloren. En om te zorgen dat het werkte, moest Rens op iets vertrouwen wat volgens hem niet te vertrouwen was.

'Rens?' drong Kat aan. 'Wat denk je?'

Rens staarde naar de slapende meneer Benedict. Ze hadden alles voor hem op het spel gezet, hadden hemel en aarde bewogen om hem te redden. Als meneer Benedict nu wakker was geweest, wat zou hij Rens dan hebben gezegd? Hij voelde een rukje aan zijn mouw. Constance keek hem aan.

'Je moet hem vertrouwen,' zei ze.

'Vertrouwen?' herhaalde Kat. 'Wie? Rens, waar heeft ze het over?'

Rens keek Constance aan. Hij wist dat ze gelijk had. Hij wist wat meneer Benedict hem zou hebben gezegd. De vraag was echter of hij er de moed toe had.

'Rens?'

Hij hakte de knoop door. 'Geef me pen en papier,' zei Rens. 'Ik weet wat we moeten doen!'

Wat schijnt in de duisternis

De berg afdalen met de slee was de zwaarste lichamelijke inspanning die de jongens ooit hadden geleverd, en zonder Kat was het nooit gelukt. Haar uitstekende ogen, haar evenwichtsgevoel, haar inschattingsvermogen wat betreft afstanden en hellingsgraden – om nog maar te zwijgen van haar uitzonderlijke spierkracht – behoedden de jongens meer dan eens voor een doodssmak. En ondertussen moest de slee recht worden gehouden voor meneer Benedict en Constance, die haar uiterste best deed om meneer Benedict op de slee te houden zonder er zelf vanaf te tuimelen. Halverwege de berg stonden Rens en Chip al te trillen op hun pijnlijke benen: en dan gingen ze nog wel heuvelafwaarts.

Toen ze de vlakte hadden bereikt was zelfs Kat uitgeput. Ondanks de verkoelende mist en de niet aflatende wind, straalde de hitte van haar gezicht, gloeiden haar benen en brandde haar adem in haar longen. Ze tuurde door de mist naar de rotsachtige vlakte. Ze herinnerde zich hoe zwaar het de vorige nacht was geweest om hem over te steken en ze liet haar schouders moedeloos hangen. Ze betwijfelde of de jongens het zonder een lange pauze zouden redden – waarschijnlijk meerdere lange pauzes – en in haar eentje kreeg ze de slee onmogelijk vooruit. Toch moesten ze het proberen. Ze keek naar Rens en Chip, die alle twee hijgend voorovergebogen stonden.

'We kunnen niet lang uitrusten,' zei ze verontschuldigend. 'Een minuutje of twee en dan –'

Chip kwam abrupt overeind. Op zijn vermoeide gezicht, waar het zweet vanaf droop, lag zo'n vastberadenheid dat Kat ervan schrok. 'Nee, we gaan. We hebben geen tijd om uit te rusten.'

Rens werd net zo getroffen door Chips toon als Kat door de uitdrukking op zijn gezicht, en toen Rens verwonderd opkeek, zag hij dat er iets ontbrak. 'Chip, wat is er met je bril gebeurd?'

'Hij is gevallen en naar beneden gegleden. Ik wilde geen tijd verliezen met erachteraan gaan. Het maakt niet uit, ik zie zo ook wel dat we een lange weg voor de boeg hebben.' Hij pakte een van de touwen van de slee beet met een hand die al rauw was van het trekken. 'Ik ben er klaar voor.'

Rens, die zich er nog lang niet klaar voor voelde, wiste zich het zweet van zijn voorhoofd en deed een poging overeind te komen, terwijl Kat, plotseling aangemoedigd door Chips vastberadenheid, haar schouders naar achteren trok. 'Waar komt die doortastendheid opeens vandaan?' vroeg ze.

Chip wierp haar een zwak glimlachje toe. 'Die heb ik opgespaard.'

'Een uitstekend moment om hem te gebruiken,' zei Kat, onder de indruk.

En gedurende de lange, slopende tocht over de vlakte was het inderdaad Chip die hun allemaal hoop gaf. Rens was degene geweest die het plan had bedacht en Kat had de route uitgestippeld, maar het was Chip die het grootste offer bracht, en daarbij de anderen tot een nog grotere inspanning inspireerde. Zijn magere gestalte schokte van uitputting, het zweet gutste over zijn hoofd en herhaaldelijk begaven zijn benen het en ging hij onderuit. Maar elke keer krabbelde hij weer overeind, verzamelde zijn krachten en concentreerde zich weer op zijn taak met een gedrevenheid die ze nooit eerder van hem hadden gezien. Chip kreeg namelijk eindelijk de mogelijkheid om al zijn fouten goed te maken – de mogelijkheid zijn vrienden in veiligheid te brengen – en hij was er fel op gebeten te slagen, ongeacht de prijs die hij ervoor moest betalen.

Toen Rens uitgleed, hielp Chip hem overeind. Toen Kat geheel tegen haar gewoonte in zich hardop zorgen maakte over hun voortgang, verzekerde Chip haar dat ze het zouden redden en slaagde hij er op de een of andere manier in zijn inspanningen te verdubbelen. Steeds weer begaf zijn lichaam het, en steeds weer hees Chip zichzelf overeind en ploeterde voort. Het was een indrukwekkend gezicht en toen het groepje langzaam maar zeker het bos naderde, bedacht Rens dat, of ze nu gepakt werden of niet, hij dankbaar was dat hij Chip op zijn best had mogen meemaken.

'We gaan het echt redden,' zei Constance vol ongeloof. En het was waar: hun tempo was teruggezakt tot een slakkengang en de handen van de jongens waren rood van het bloed en de blaren, maar ze waren nog maar een paar meter verwijderd van de beschutting van het bos.

'Natuurlijk redden we het,' hijgde Kat terwijl ze moeizaam voortsjokte. 'We hoeven alleen nog maar... Hé, wat is dat?'

De anderen zagen het ook. Een eindje verderop lag een groot, donker voorwerp op de grond. Het ging bijna volledig op in de rotsachtige bodem en door de mist ontdekten ze het pas toen ze er vlakbij waren. Het was geen rotsblok of stapel keien. Het leek meer op een langgerekte berg modder, maar het was een raadsel waar al die modder vandaan was gekomen. Toen de kinderen dichterbij kwamen, zagen ze dat het Molenweer was.

Kat slaakte een kreet en strompelde naar voren. Ze kwam op haar knieën naast haar vader neer, die bij het horen van haar stem zijn ogen had geopend. Terwijl ze de modder van zijn gezicht veegde en hem smeekte te zeggen dat hij in orde was, schonk Molenweer haar een opgeluchte glimlach. 'Nu ik zie dat jíj in orde bent, mag ik niet meer kla–' Zonder op de modder te letten, wierp Kat zich op haar vader.

Molenweer kreunde en fluisterde schor: 'Je kunt me beter niet omhelzen, Kattekit. Ik ben bang dat ik weer flauwval. Van de pijn.'

Kat maakte zich met een blik vol afschuw van hem los. 'O! Het spijt me! Hoe erg ben je gewond? Ben je echt van die rots gevallen?'

'Gesprongen, om eerlijk te zijn,' zei Molenweer.

'Maar hoe ben je dan hier gekomen? McCracken zei dat je al je botten moest hebben gebroken!'

'Niet allemaal,' mompelde Molenweer. (Hij leek zijn best te doen zijn mond zo min mogelijk te bewegen.) 'En ik heb mezelf hierheen gesleept. Ik wilde jullie redden.' Hij liet zijn blik naar de andere kinderen en meneer Benedict op de slee dwalen. 'Is iedereen in orde? Hoe gaat het met meneer Benedict?'

Een moment lang kon Kat geen woord uitbrengen. Ze schudde haar hoofd en staarde haar vader aan. Nu ze over de eerste schok heen was, drong het tot haar door hoe slecht hij eruitzag. Ze had hem al eerder in een vreselijke toestand gezien – het was nog maar een jaar geleden dat ze hem net als nu gewond en onder de modder had zien liggen – maar dit was veel erger. Hij zag eruit alsof hij door een kudde wilde beesten onder de voet was gelopen. Zijn gezicht was zo gekneusd en gezwollen door de horzelsteken, dat hij nauwelijks herkenbaar was. Zijn hemd en zijn broek waren aan flarden, zijn hoed en zijn jasje waren verdwenen... en toch was hij gekomen om haar te redden. Kat pakte zijn hand en zag toen de handboei met het stuk ketting. Er borrelde woede in haar op.

Molenweer kromp ineen en Rens, die achter Kat stond, herinnerde haar eraan dat ze niet moest knijpen.

'Met meneer Benedict gaat het goed,' zei Kat, terwijl ze Molenweers hand weer op de grond legde. 'We maken het allemaal goed. Maar hoe heb je het overleefd als je in een ravijn bent gevallen, ik bedoel gesprongen?'

371

Molenweer slikte moeizaam en zei: 'Op de bodem lag een dikke laag modder. Ik wist het omdat ik er al eerder was geweest, toen ik op zoek was naar de grot.'

'Maar McCracken zei dat het meer dan vijftien meter diep was!'

'Ik heb mezelf enigszins kunnen afremmen door langs de rotswand te glijden en bij het neerkomen heb ik natuurlijk...' Molenweer kromp weer ineen, ook al had niemand hem aangeraakt, en zijn adem kwam in horten en stoten. 'Maar ik heb me in de duisternis... blijkbaar toch verkeken op de afstand.'

'Kat,' mompelde Rens. 'We moeten hem het bos in zien te krijgen.'

'Je hebt gelijk. Oké, Molenweer, we gaan je op de slee leggen en –'

Molenweer kreunde afkeurend. 'Stil, Kat, ik geloof dat ik...' hij slikte moeizaam, 'weer flauw ga vallen, dus luister goed. Laat me hier liggen. Bedek me met stenen of iets anders als je wil, maar laat mij hier liggen en ga naar de baai. Met mij erbij kunnen jullie nooit ontkomen en ik beveel jullie te ontkomen, hoor je me? Ga nu... laat mij hier... Dat is een bevel, dus haal het niet in je –' Molenweer viel abrupt stil en zijn ogenleden zakten omlaag.

'Kan hier dan níémand wakker blijven?' klaagde Constance.

'Laten we hem op de slee leggen,' zei Chip. Hij liep om de slee heen om te helpen tillen. 'Ik neem aan dat we zijn bevel negeren.'

'Natuurlijk,' zei Rens. 'We moeten hem redden.'

'Ik had gehoopt dat hij óns zou redden,' zei Constance.

Kat zei niets. Haar verdriet had zich in razend tempo in iets anders getransformeerd. Met gebalde vuisten stond ze te koken van woede over wat de Tienmannen Molenweer hadden aangedaan. Vooral McCracken haatte ze, maar de andere Tienmannen hadden ook hun aandeel geleverd. Haar woede verblindde haar en ze kon alleen nog maar aan wraak denken.

'Kat!' zei Rens, terwijl hij haar heen en weer schudde. Hij had al een paar keer haar naam genoemd. 'Wat heb je? We moeten hem verplaatsen! Als we eenmaal tussen de bomen zijn, zien ze ons misschien niet meer. We zijn er bijna, Kat!'

Kat keek op en zag de jongens verwonderd naar haar kijken. Ze sprong overeind, maar het was al te laat. Ze zag het op Constances gezicht. Het kleine meisje staarde ontzet de mist in. Het volgende moment hoorden ze allemaal wat zij had gevoeld.

Gerommel in de verte.

Vol afschuw zagen de kinderen de Salamander aan de noordkant van de vlakte verschijnen: een zwarte schaduw die door de mist bewoog als een haai door het water. Kat haalde haar telescoop tevoorschijn en zag McCracken aan het stuur staan, met zijn eigen telescoop op haar gericht. Naast hem stond meneer Gordijn kwaad te gebaren, en daarachter Martina, Garotte en Sharp, allemaal wakker en ziedend van wraakzuchtige woede. Door haar telescoop leken ze zo dichtbij dat Kat naar hen had kunnen uithalen. En dat had ze maar al te graag gedaan, want zij waren niet de enigen die ziedden van wraakzuchtige woede. Maar zelfs in haar woede was Kat verstandig genoeg om te beseffen dat dit niet het juiste moment was. Ze hadden geen schijn van kans. Kat kon alleen maar hopen dat ze McCracken een dreun kon verkopen voordat hij haar overmeesterde.

'Hoelang hebben we?' vroeg Rens haar. 'Redden we het naar de baai?'

'Met die snelheid? Terwijl wij de slee moeten trekken? Als we geluk hebben komen we tien meter het bos in. Ze zullen ons in ieder geval tussen de bomen vandaan moeten zien te krijgen. Dat biedt enige troost.'

De anderen vonden dit echter helemaal geen troost en Rens keek moedeloos naar de slee, het zo gewaardeerde blok aan hun been waardoor ze het nooit tot aan de baai zouden redden. En toen keek hij in de ogen van meneer Benedict, die gapend overeind kwam.

'Ik moet... ah, ik zie het al,' zei meneer Benedict, terwijl hij met zijn handen door zijn haar ging. Hij keek Rens teleurgesteld aan. 'Ik geloof dat ik een heel slecht moment heb uitgekozen om in slaap te vallen.' Hij bleek onmiddellijk door te hebben in welke situatie ze zich bevonden, want voordat Rens zijn mond had kunnen opendoen, had meneer Benedict Molenweer opgetild. Met een woeste kreet rende hij het bos in met de gewonde man in zijn armen. Kat slingerde Constance bijna gedachteloos op haar rug en haastig renden ze hem achterna.

'Voorzichtig!' riep Kat. 'Hij is zwaargewond, meneer Benedict!'

'Dat zie ik, lieve schat, maar ik weet zeker dat hij er weer bovenop komt,' hijgde meneer Benedict, terwijl ze tussen de bomen door renden. 'Je vader is de taaiste man die ik ken. Hij redt het wel.'

Rens wilde dat hij het vertrouwen van meneer Benedict deelde. Op dit moment zag het ernaar uit dat geen van hen het zou redden. De Salamander had de rand van het bos al bereikt en begon aan een omtrekkende beweging, omdat hij te groot was om tussen de bomen door te laveren. Uit de korte pauze in het motorgeronk maakte Rens echter op dat de Tienmannen waren uitgestapt om hen te achtervolgen. De Salamander zou om het bos heen rijden en hen bij de baai tegemoetkomen. En een eventuele terugtocht door het bos was nu ook onmogelijk gemaakt. Zoals Rens al had voorspeld was hun ontsnapping nu een kwestie van erop of eronder.

Na nog enkele wanhopige minuten kwam het afgetobde, naar adem snakkende groepje bij de bosrand aan. Ze struikelden de rotsachtige kuststrook langs de baai op. Daar stond het watervliegtuig, nog steeds onder Molenweers dekzeil. En in de verte kwam de Salamander achter het bos langs dreunend op hen af. En daar, in het woelige water van de baai, lag... niets.

Chip wierp één blik op de lege baai en viel op zijn knieën neer.

Meneer Benedict staarde perplex naar de in mist gehulde baai. 'Ik begrijp dat er iets mis is.'

Verslagen verborg Rens zijn gezicht in zijn handen. 'Ik heb gedaan wat volgens mij... ik bedoel, ik hoopte dat... o, hoe kon ik zo –'

Meneer Benedict maakte een sussend geluidje. 'Wat je besluit ook was, Rens, ik weet zeker dat het het juiste was. En nu, lieve vrienden, moeten jullie je schrap zetten voor –'

'Wacht eens even,' zei Kat en ze wees naar de baai.

Ze keken. En wat ze zagen was zo ontzagwekkend dat een moment lang al het gevaar uit hun gedachten was verdwenen. Door de mist leken de donkere rotsen aan het eind van de baai te bewegen, alsof het de benen van de oude Kolossus waren. Maar dat was gezichtsbedrog, want in werkelijkheid was er een gigantisch schip opgedoemd, dat nu tussen de rotsen door op hen toe kwam stomen. Tot grote blijdschap van het wanhopige, gestrande gezelschap tekenden zich de ontzagwekkende contouren van *De Doorsteek* af.

Terwijl het schip het water van de baai doorkliefde, klonk de scheepstoeter zo luid dat iedereen die zich op de kuststrook bevond zijn oren bedekte. Zo ook de inzittenden van de Salamander, die de scheepstoeter niet nodig hadden gehad om op de komst van *De Doorsteek* te worden geattendeerd. Vol ontzag keken ze naar het schip, en zelfs de onverstoorbare McCracken had het voertuig geschrokken een eind bij het water vandaan gemanoeuvreerd alvorens ongelovig achterom te kijken. Het was ook moeilijk te geloven. In verhouding tot de baai was het schip zo groot, zo misplaatst, dat het deed denken aan een walvis in een badkuip.

'Hierheen!' riep meneer Benedict.

Hoewel er nog geen seconde voorbij was gegaan sinds *De Doorsteek* de baai in was gestoomd, had het schip de kust al bereikt. De kinderen renden achter meneer Benedict aan, naar de oever tegenover die waar de Salamander aan was komen snellen. Geen moment maakten ze hun ogen los van het schip, dat enorme golven opstuwde: niet alleen van water, maar ook van modder, aangezien de kiel van *De Doorsteek* de bodem van de baai als een ploeg aan het omwoelen was.

Om zijn vrienden te redden liet Kapitein Noland zijn kostbare schip aan de grond lopen, zoals Rens hem had gevraagd.

Toen *De Doorsteek* even later tot stilstand was gekomen, lag de baai erbij alsof er zich een vreselijke ramp had voltrokken. De kust lag bezaaid met brokstukken van het vernielde watervliegtuig. Doordat de boeg van het schip zich een heel stuk het bos in had geboord, waren er talloze bomen verbrijzeld. De Tienman die Garotte werd genoemd probeerde zich uit een berg modder te bevrijden. Hij was degene die meneer Benedict en de kinderen door het bos achterna was gegaan.

Precies op het moment dat hij hen had ingehaald, ramde het schip de kust en werd hij bijna door het water en de modder verzwolgen. Achter Garotte kwam de Salamander op bevel van een woedende meneer Gordijn met grote snelheid op het schip af. Aan de andere kant van *De Doorsteek* haastte het groepje schipbreukelingen voor wie de actie was bedoeld zich ook naar het schip, naar de plek waar Knoert en een handjevol andere zeelieden touwen omlaag hadden gegooid.

In de touwen waren vakkundig handgrepen en voetsteunen geknoopt en tussen twee touwen in hing een brancard. Voordat ze er erg in hadden, waren de kinderen, meneer Benedict en Molenweer op het bovendek gehesen.

'We hebben geen tijd te verliezen!' zei Rens zodra ze op het dek stonden. 'Iedereen moet naar het veiligheidsruim!'

'Maak je geen zorgen, Rens,' zei Knoert, die uitgelaten alle kinderen beetpakte en ze om beurten omhelsde. 'Kapitein Noland heeft het bevel al gegeven. Hij komt van de brug om jullie mee naar beneden te nemen. Mijn kameraden en ik blijven hier om met ze te vechten, maar –'

'Geen sprake van, Joe,' zei meneer Benedict ongewoon streng. 'Ik bewonder jullie moed, maar je hebt geen schijn van kans. Jullie komen met ons mee.'

Op dat moment verscheen kapitein Noland. Op zijn gezicht stond een merkwaardige mengeling van vreugde en geschoktheid over wat hij zojuist had gedaan.

'Alle lof voor de perfecte landing, Phil,' zei meneer Benedict. De kapitein lachte en omhelsde hem.

Knoert en nog een potige zeeman tilden de brancard met Molenweer op en samen haastten ze zich van het dek. Ze waren de eerste ladder nog niet af, of er vlogen enterhaken over het dek, die met onheilspellend gekletter houvast vonden. Meneer Gordijn en zijn Tienmannen kwamen aan boord.

'De marine is met twee patrouilleboten onderweg,' zei kapitein Noland, terwijl hij hen voorging de buik van het schip in. 'Over een halfuur zijn ze hier.' Bij het veiligheidsruim aangekomen liet hij eerst de anderen naar binnen gaan en trok als laatste de deur achter zich dicht. Hij draaide aan de hendel, schoof een grendel voor de deur en toen zat de zware metalen deur veilig op slot.

'Kinderen!' riep een bekende stem. Uit de menigte zeelieden en beveiligingsmensen die in het ruim opeengepakt stond, kwam Nummer Twee tevoorschijn. Haar knalrode haar ging schuil onder een groot verband. Ze was nauwelijks sterk genoeg om hen allemaal te omhelzen – Rens en Chip grepen haar ieder bij een arm – maar haar gezicht straalde toen ze hen zag.

Meneer Benedict keek naar de gesloten deur. 'Een halfuur, Phil? Weet je dat zeker?'

'Ja. Ze hebben het net via de radio bevestigd. Ze zijn niet ver weg.'

Meneer Benedict tuitte zijn lippen. Hij draaide zich naar de menigte om. Op alle gezichten stond grote bezorgdheid en een flinke dosis verwarring te lezen. Kapitein Noland had niet de tijd gehad zijn bemanningsleden iets uit te leggen. Ze wisten alleen dat er boven hen gevaar dreigde. De extra beveiligingsmensen die door meneer Pressius waren ingehuurd dachten dat ze door piraten werden aangevallen en overlegden op dringende en opgewonden toon of ze de nepdiamanten al dan niet moesten overhandigen. Meneer Benedict hief zijn handen om de aandacht te vragen en zei toen zacht: 'Ik adviseer volledige stilte. Onze achtervolgers zullen dit ruim eerst moeten vinden alvorens te proberen zich toegang te verschaffen. Laten we het hen niet makkelijker maken.'

Onmiddellijk daalde er een diepe stilte over het ruim neer en een gespannen wachten begon. Het enige geluid dat ze hoorden was het gebonk en gebeuk in de verte van meneer Gordijn en zijn mensen, die het schip systematisch doorzochten. Het veiligheidsruim bevond zich een aantal niveaus onder het bovendek en er waren tal van gangen en hutten om te doorzoeken. Meneer Gordijn zou zijn prooi deze keer niet door zijn vingers laten glippen. Er gingen tien minuten voorbij. Het gedreun en gebonk werd luider. Twintig minuten. Nog luider. Vijfentwintig minuten.

En toen hoorde het angstige gezelschap in het ruim stemmen voor de deur, gevolgd door een krijsend gelach.

'We hoeven niet langer stil te zijn,' kondigde meneer Benedict aan. 'Iedereen weg bij de deur. Ga zo ver mogelijk in de achterste hoeken staan. Joe, wil jij een handje helpen met Molenweer?'

Iedereen kroop zo ver mogelijk bij de deur vandaan. Ze stonden zo stijf op elkaar dat ze nauwelijks adem konden halen. Molenweer lag vooraan op zijn brancard, met Kat naast hem geknield, haar arm beschermend over zijn borst. Achter hen hadden Rens, Chip en Constance zich stevig aan de armen van Nummer Twee vastgeklampt (Constance aan haar benen), terwijl meneer Benedict met over elkaar geslagen armen naar de deur stond te kijken alsof het een raadsel was.

'Wat willen ze eigenlijk?' vroeg een van de beveiligingsmensen fluisterend. Zijn gezicht was doodsbleek.

'Onze vrienden,' antwoordde Knoert.

'Je bedoelt...?' zei de man met opengesperde ogen. 'Je bedoelt dat als wij ze dat stelletje geven' – hij gebaarde met zijn hand naar meneer Benedict, Nummer Twee en de kinderen – 'ze ons met rust laten?'

De kinderen hielden hun adem in. Meneer Benedict trok een wenkbrauw op.

Met een ruk draaide de kapitein zich om naar de beveiligingsman. 'Op dit schip,' zei hij met opeengeklemde kaken, 'leveren we geen onschuldige mensen uit om onze eigen huid te redden.'

'Bravo!' gromde Knoert. Er steeg een goedkeurend gemompel op van de rest van de bemanning en een groepje beveiligingsmensen.

Rens en de andere kinderen (behalve Constance, die gefronst naar de deur staarde) keken dankbaar naar de angstige mensen om hen heen die hun leven op het spel wilden zetten voor een stel vreemdelingen. Meneer Benedict hief een hand en maakte een gebaar van erkentelijkheid. Als hij zich al had laten verontrusten door het feit dat iemand zojuist had geopperd hem en de kinderen voor de leeuwen te gooien, liet hij dat niet merken. Hij leek ook niet verbaasd door de moed en het fatsoen van de anderen. Hij maakte alleen maar dat gebaar en knielde toen neer naast Constance, die nog steeds naar de deur staarde.

'Wat doen ze, meisje?'

'Iets slechts,' fluisterde Constance. 'Ze hebben een plan om binnen te komen en ze weten dat we gewond zullen raken, maar dat kan hen niet schelen. O!' Haar ogen sperden zich open. 'Ze willen –'

De rest van haar woorden ging echter verloren in het geluid van een megafoon buiten het schip.

'Attentie! U daar in dat schip! Kom met uw handen omhoog aan dek!' dreunde een stem door de megafoon. De marine was gearriveerd.

Iedereen juichte. Aan de andere kant van de deur klonk gevloek en geruzie, gevolgd door gestommel, toen meneer Gordijn en zijn mensen wegrenden om naar het dek te klimmen. Het gejuich werd steeds luider en onstuimiger, zodat het even duurde voordat Constance, die volledig over haar toeren haar woorden bleef herhalen, zichzelf verstaanbaar kon maken.

'– de deur opblazen!' schreeuwde ze. 'Ze hebben springstof geplaatst!'

Er viel plotseling een geschokte stilte, en toen brak de hel los. De mensen die het dichtst bij de deur stonden probeerden er weg te komen, terwijl degenen achterin hun best deden om niet tegen de muur te worden geplet. De enigen die naar de deur toe renden, waren kapitein Noland, die de deur zo snel mogelijk openmaakte, en Kat Weeral, die zodra de deur openging naar buiten stoof.

Aan de buitenkant van de deur zat iets wat eruitzag als een gewoon rekenmachientje. Het liet zachte, elektronische piepjes horen. Kat keek naar het display: 31.

De 31 veranderde in 30. Toen in 29.

Kat griste het apparaatje van de deur, draaide zich om en holde de gang door. 'Nee, Kat! Geef hier!' riep kapitein Noland haar achterna. Maar Kat was de ladder al op geklommen, snel als een aap. Ze racete zo snel de gangen door als haar vermoeide benen haar konden dragen. Zolang ze niet uitgleed, dacht ze, maakte ze een goede kans het dek op tijd te bereiken. En eenmaal aan dek...

Er begon zich iets vreemds te voltrekken. Terwijl Kat de ene na de andere gang door holde en de ene na de andere ladder beklom – en het rekenmachientje de seconden dreigend aftelde – dwaalde haar geest door de wirwar van beelden en gedachten. Ze zag de Tienman in Naardrecht, degene die hen met zijn zweep had willen afranselen. Ze zag meneer Gordijn met zijn kwaadaardige, glinsterende handschoenen over haar heen gebogen staan en ze hoorde hem opgewekt vertellen wat hij met meneer Benedict van plan was. Maar bovenal dacht ze aan Molenweer, aan wat McCracken en de anderen hem hadden aangedaan. Was dit haar leven dat aan haar geestesoog voorbijtrok? En zo ja, waarom had ze dan het rare gevoel dat ze een besluit aan het nemen was?

Ze was nu bijna bij het bovendek. Ze wierp een blik op het display: 15... 14... 13...

Kat vloog de laatste ladder op en rende naar de reling, waar zich een tafereel van opperste chaos ontvouwde. Bij de achtersteven verschenen twee patrouilleschepen van de marine, met bulderende megafoons en schijnwerpers die de mist in alle richtingen doorboorden. De Salamander bevond zich pal onder *De Doorsteek*. De inzittenden – meneer Gordijn en de Tienmannen – keken omhoog naar Martina Krauw, die in een van de touwen verstrikt zat. Ze hing een meter of drie boven hen in de lucht te krijsen dat meneer Gordijn haar moest helpen. Kat overzag de situatie in een fractie van een seconde.

In diezelfde fractie van een seconde zag meneer Gordijn Kat met de rekenmachine in haar hand bij de reling staan. Hij schrok. 'Wegwezen!' beval hij McCracken. 'Vergeet Martina! Vergeet haar, zeg ik!'

McCracken liet de Salamander bulderend achteruitrijden. De rupsbanden deden het water en de modder hoog opspatten, maar Kat had daar geen last van. Zij bevond zich op de perfecte plek om hen tegen te houden. Eén welgemikte worp – en Kat kon heel goed mikken – en de rekenmachine zou precies op het pad van de Salamander belanden. De explosie zou hem volledig verwoesten. Inderdaad, de slechte mannen die erin zaten zouden kunnen omkomen, maar die mannen hadden toch ook geen wroeging gehad toen ze de explosieven op de deur aanbrachten? Als iemand het verdiende met zijn eigen kwaadaardige bedenksel de lucht in te gaan dan waren het wel deze mannen. Geen twijfel mogelijk.

Kat zag Garotte een beweging met zijn pols maken. Ze sprong naar links: een vlijmscherp potlood zoefde langs haar schouder. *Daarmee maak je het alleen maar makkelijker,* dacht ze, terwijl ze haar arm naar achteren bracht om te gooien. De mannen in de Salamander keken machteloos toe. Ze bogen zich voorover en vouwden hun armen beschermend over hun hoofden. Dit was kat in het bak-kie. Niets was makkelijker dan...

Behalve dat Molenweer gelijk had.

Kat was niet zoals meneer Gordijn en zijn afschuwelijke bondge-noten. Verre van. Molenweer had al eens zoiets gezegd, op dat dak in Naardrecht, en nu begreep ze wat hij bedoelde. Nu ze die mannen zag zitten, niet in staat haar te weerhouden van iets waar ze zelf geen moment over zouden aarzelen, besefte Kat – met een zekere teleur-stelling, maar ook met een zekere trots – dat zij het nooit zou kun-nen doen. Zij zou nooit iets kunnen doen waardoor ze meer op haar vijand leek en minder op haar vader. En dus gooide ze het rekenma-chientje niet op het pad van de Salamander, maar de baai in, waar het met een grote plons in het water terechtkwam. Enkele tellen la-ter deed de onderwaterexplosie *De Doorsteek* trillen en op de plek waar het rekenmachientje in de baai was verdwenen, spoot een me-tershoge watermassa omhoog. De patrouilleboten lagen op veilige afstand, maar deinden desondanks op en neer op de golven die door de schok waren veroorzaakt.

Vanuit de Salamander klonk gejuich, gevolgd door gelach. Kat keek toe hoe het gevaarte snel over de kuststrook verdween, waar de patrouilleboten niets konden uithalen. De Tienmannen klapten in hun handen: ze applaudisseerden spottend voor Kats beslissing. Ter-wijl de Salamander ervandoor rolde, wierp meneer Gordijn Kat een kushandje toe.

Kat veegde het demonstratief van haar wang.

Verontschuldigingen, verklaringen en hoopgevende gedachten

'Ik vind het niet leuk,' zei Constance. 'Zo kan ik toch niks vinden?'

'Je bedoelt dat je hier eerst wel iets kon vinden?' vroeg Rens.

'Daar gaat het niet om,' zei Constance.

De jonge leden van het Geheime Benedict Genootschap zaten in een kring op de grond in Constances slaapkamer, die tijdens hun afwezigheid grondig was opgeruimd en schoongemaakt. Het hele huis had een grondige beurt gekregen, een heleboel kieren waren gedicht en lekke kranen gerepareerd. De Washingtons en de Perumals, die geen weg hadden geweten met hun bezorgdheid, hadden zichzelf op deze manier beziggehouden. Constance was nog maar een week thuis, niet lang genoeg om alles in de vertrouwde wanordelijke staat terug te brengen. Zodra ze de kans kreeg, beklaagde ze zich over haar kamer.

'Het is al iets beter, hè?' zei Kat, terwijl ze op de berg wasgoed op Constances onopgemaakte bed wees. 'Sinds we terug zijn heb je niets gewassen en de bovenst la is helemaal leeg, op een beschimmelde hotdog na. Ik wil niet eens weten wat die daar doet.'

'Wat doe jij in mijn laden?' wilde Constance weten.

'Dit zoeken,' zei Kat, terwijl ze met het dagboek zwaaide dat meneer Benedict hun had gegeven. 'En ik zag dat je vals hebt gespeeld. Je hebt er nog een keer in geschreven.'

Constance stak haar neus in de lucht. 'Wanneer de inspiratie roept,' zei ze, 'kan ik niet anders dan antwoorden.'

De kinderen waren hun verhalen in het dagboek gaan opschrijven – zoals Rens Constance had beloofd – en Constance was de eerste geweest, met een nogal weerzinwekkende haiku over de beproevingen van zeeziekte. Daarna had Kat een bladzijde volgeschreven met kriebels in citroensap, die pas over tien jaar ontcijferd mochten worden, en Rens had een levendig verslag van twee bladzijden geschreven over hun avontuur. Hij was geëindigd met de onthulling dat meneer Gordijn níét met vijftig dozen schemerkruid was ontsnapt, zoals de kinderen eerst hadden gedacht.

Het was dwarskruid geweest, schreef Rens, *tot op het laatste sliertje, en meneer Benedict had het geweten. Samen met Nummer Twee had hij voordat meneer Gordijn was komen opdagen de hele grot onderzocht. De paar exemplaren dwarskruid die Hans de Reyseker had gezien hadden het schemerkruid in die halve eeuw allang overwoekerd. Meneer Benedict had deze informatie voor zichzelf gehouden, vanuit de juiste veronderstelling dat als meneer Gordijn ooit moest kiezen tussen een confrontatie met zijn vijanden en een snelle aftocht met zijn kostbare mos, hij voor het laatste zou kiezen. En dus was het dwarskruid geweest, en geen schemerkruid, dat meneer Gordijn van de rotswanden had geschraapt. Hij had dan wel met zijn mannen in de mist kunnen wegglippen, maar zijn grootste teleurstelling stond hem nog te wachten.*

Rens had niets geschreven over die andere, meer persoonlijke teleurstelling die ze allemaal voelden. Het schemerkruid had de belofte in zich gedragen dat er een eind zou komen aan meneer Benedicts

384

leed. Maar nu was het verleden tijd, nog slechts een legende. En hoewel meneer Benedict het verlies weigerde te betreuren – in de handen van zijn broer was het immers rampzalig geweest – wilde iedereen die van hem hield dat het anders was gelopen. Rens vond het te moeilijk om hier met gepaste welsprekendheid verslag van te doen, en dus besloot hij met een eenvoudige, maar cryptische zin, die net zo goed op meneer Benedict als op meneer Gordijn kon slaan: opnieuw een droom vervlogen.

Nu was het Chips beurt om iets te schrijven. Ze hadden afgesproken dat hij als laatste aan de beurt zou zijn, zodat hij niet per ongeluk het hele dagboek vol zou schrijven voordat de anderen een kans hadden gehad. Maar Constance was voorgedrongen en had voor de tweede keer iets geschreven.

'Het is oké,' zei Chip en hij stak zijn verbonden handen in de lucht. 'Hiermee kan ik toch geen pen vasthouden.'

'Mag het verband er nog niet af van je moeder?' vroeg Rens, bij wie de blaren en snijwonden die ze bij het voortslepen van de slee hadden opgelopen vrijwel genezen waren. Chip was de enige die nog verband droeg.

'Nog niet,' zei Chip schouderophalend. Hij leunde achteruit op zijn ellebogen en sloeg opgewekt zijn benen over elkaar. Dankzij de bijeenkomsten op Constances kamer kon hij zich even onttrekken aan de bemoeienissen van zijn ouders, die hem de helft van de tijd betuttelden en de andere helft de les lazen over zijn roekeloze gedrag. Zijn dankbaarheid bracht hem in een joviale stemming. 'Laat eens horen wat je hebt geschreven, Constance. Ik ben benieuwd.'

'Je vindt het vast leuk,' zei Kat, terwijl ze het dagboek met een geheimzinnige glimlach aan Constance overhandigde.

Constance schraapte haar keel. 'Dit gedicht heet "De Vreeslijke Val".' Ze wachtte even totdat de titel was doorgedrongen – ze vond het blijkbaar een erg goeie titel – en begon toen, op theatrale toon, voor te dragen:

Het gekras van een uil in de donk're nacht,
Hoog op de silo stond ik op wacht,
Dat ik zou vallen had ik nooit gedacht...
Hoera! voor de jongen die me duwde.

Ik was wel bang maar hield dapper stand,
Hield het hoofd koel en werd niet overmand
Door de slaap, maar eindigde wel in 't verband...
Hoera! voor de jongen die me duwde.

'Voor de twintigste keer, Constance,' zei Chip, wiens stemming een heel stuk gedaald was, 'het spijt me! Moest je er nou echt een gedicht over schrijven?'

'Ik weet dat het je spijt,' zei Constance, die haar stem moest verheffen om boven het gegiechel van Rens en Kat uit te komen. 'En nu graag je commentaar voor je houden totdat ik klaar ben. Er komen nog drie coupletten.'

De resterende coupletten zouden echter moeten wachten, want op dat moment klopte Nummer Twee op de deur. 'Het spijt me jullie te moeten storen bij wat jullie aan het bekokstoven zijn,' zei ze toen ze haar hadden binnengelaten, 'maar Mucho laat weten dat de taarten bijna klaar zijn. Meneer Benedict heeft alle overheidsfunctionarissen het huis uit gewerkt en kapitein Noland en Joe Shooter kunnen elk moment arriveren. Het wordt vast een gezellige boel.' Ze stak haar hand in de zak van haar gele broekpak en haalde een meetlint tevoorschijn. 'En ik wilde jullie opmeten. Willen jullie even gaan staan?'

Gelaten stonden de kinderen op. Ze waren allemaal blij dat het beter ging met Nummer Twee – ze was weer bijna de oude – maar ze wisten ook dat ze vastbesloten was om 'iets speciaals' voor hen te maken, als bewijs van haar dankbaarheid dat ze hun leven hadden gewaagd om haar te redden. Kat had haar die ochtend patronen zien tekenen en sindsdien hadden ze haar gemeden. Maar nu zaten ze in de val. Om de beurt lieten ze Nummer Twee hun maten nemen. Constance was de enige die klaagde.

'Jullie zijn allemaal zo gegroeid!' riep Nummer Twee uit, terwijl ze getallen op een papiertje krabbelde. 'Dat kan ook niet anders. Op een gegeven moment moet jullie lichaam jullie hart gaan bijbenen.'

De kinderen sloegen hun ogen ten hemel. Sinds Nummer Twee weer bij zinnen was, deed ze de hele tijd dit soort sentimentele uitspraken. (Kat dacht eerst dat het bewees dat ze nog ijlde, maar Nummer Twee had haar met felle bewoordingen uit de droom geholpen, en haar toen zo innig omhelsd en gezoend dat Kat gevlucht was.) Rens rekende er heimelijk op dat Constance Nummer Twee zo op haar zenuwen zou werken dat ze snel weer met beide benen op de grond zou staan.

'Klaar!' riep Nummer Twee uit. 'Als jullie je kattenkwaad nu even afmaken –' Ze onderbrak zichzelf en legde het papiertje neer om verwoed in haar zakken te graven. Ze haalde een doosje rozijnen tevoorschijn en leegde het in haar mond. 'Even een tussendoortje voordat we aan de taart gaan,' zei ze, terwijl ze hongerig op de rozijntjes kauwde. 'Kom maar snel. Mucho zal heel teleurgesteld zijn als jullie je taart niet warm op je bord krijgen.'

Toen Nummer Twee weg was, zag Constance het papiertje met hun maten liggen. 'Ze is dit vergeten.'

'Gooi maar snel weg,' fluisterde Rens.

Het hele huis was gevuld met de heerlijke zoete geur van kersentaart en watertandend haastten de kinderen zich omlaag naar de eetkamer. Meneer Benedict, Ronda Kazembe, Nummer Twee en de Washingtons en de Perumals zaten al rond de lange tafel. Mucho Brazos was druk met borden, kannen met koffie en thee en melk in de weer. 'Nog vijf minuutjes,' zei hij toen de kinderen binnenkwamen. 'En meneer Washington, mocht u nog kans zien...' Hij overhandigde Chips vader een deurknop. 'Het spijt me, maar die oude dingen met hun slechte schroeven –'

'Geen probleem,' zei meneer Washington. 'Ik heb hem er in een wip weer op.'

Mucho bedankte hem en verdween de keuken weer in.

'Is dat niet de tweede deurknop van vandaag?' vroeg mevrouw Washington.

'Ik denk dat hij net zo opgewonden is als wij,' zei Ronda, die opstond om de kinderen met een warme omhelzing te begroeten, zoals ze sinds hun terugkeer al honderden keren had gedaan. 'Na ons zo veel dagen zorgen te hebben gemaakt, is elke zorgeloze dag een feest!'

Constance zwaaide als een gek om zich heen alsof ze door wespen werd aangevallen, maar Ronda wist haar toch in haar armen te sluiten.

'Wacht maar tot je Mucho's taart proeft,' zei Kat. 'Dat is pas feest! Ik ga Molenweer even vragen of hij er slagroom op wil.'

Ronda schraapte haar keel. 'Ik, eh, heb net gekeken, Kat. Hij slaapt nog.'

'Nog steeds? Slaapt hij echt of doet hij weer alsof, denk je?'

Ronda wisselde een blik met meneer Benedict, die in alle talen zweeg. Molenweer was enkele dagen daarvoor uit het ziekenhuis gekomen om in meneer Benedicts huis uit te rusten en te herstellen. Hij had er als een mummie uitgezien, een en al gips en verband, en had zijn bed niet uit gekund. Betere verplegers – of eigenlijk méér verplegers – dan zijn vrienden en familie in het huis had hij zich niet kunnen wensen. De kinderen probeerden hem te vermaken door met hem te praten, te zingen, voor te lezen (Constance droeg verschillende gedichten voor, waaronder één met de titel 'Een kleine misrekening in het donker') en zelfs sketches op te voeren. Vanaf het moment dat hij uit het ziekenhuis was ontslagen hadden ze dat vrijwel non-stop gedaan. Om enige rust te krijgen was Molenweer gaan doen alsof hij sliep.

'Misschien heb ik hem met één oog even naar me zien gluren,' bekende Ronda. 'Maar voor zijn eigen –'

'Mijn hemel,' onderbrak Kat haar, die al bij de deur stond. 'Hij laat Mucho's taart toch niet aan zijn neus voorbijgaan?'

Rens ging tussen mevrouw Perumal en haar moeder in zitten en ze gaven hem een liefdevol klopje op zijn knie. Ze konden hem deze dagen niet dicht genoeg bij zich hebben. Elke keer dat Rens de kamer uit ging, keek mevrouw Perumal hem angstig na, en Rens had al zo veel klopjes gehad, dat hij bang was nog eens tot stof geklopt te worden. ('Wees maar blij,' had mevrouw Perumal de vorige dag gezegd toen hij zich grappend had beklaagd, 'dat het geen klápjes zijn.' En ze had hem zo streng aangekeken dat Rens zich voornam nooit meer zulke grapjes te maken. Het weerzien was met veel opluchting en blijdschap gepaard gegaan, maar net als Chip had hij óók de wind van voren gekregen.)

Constance was tegenover hem naast meneer Benedict gaan zitten. Terwijl ze stiekem haar hand in de suikerpot wilde steken (die Ronda snel opzij schoof) kondigde ze aan dat kapitein Noland en Knoert zojuist waren gearriveerd. De Washingtons en de Perumals keken haar nieuwsgierig aan, want ze snapten niet hoe Constance dat kon weten. En mevrouw Perumals moeder zei op te luide toon dat ze Constance waarschijnlijk verkeerd had verstaan: ging het over een hooglandse joert? Maar Chip pakte een stoel, sleepte die naar het raam (vanwege zijn verbonden handen moest hij hem onhandig tussen zijn armen klemmen) en klom erop om beter zicht te hebben. Hij zag een geïrriteerde meneer Nagel die valkenpoep van de poort schraapte, en een tevreden toekijkende Maatje hoog in de iep, maar geen kapitein of Knoert.

'Ik zie ze niet,' zei hij na een tijdje.

'O, ze zijn al binnen,' zei Constance. 'Meneer Nagel heeft ze binnengelaten. Hij was er ook niet blij mee, maar ik denk dat meneer Benedict hem heeft gezegd dat het moest.'

'Inderdaad,' zei meneer Benedict.

Chip keek haar kwaad aan. 'Jij laat me die stoel naar het raam slepen en overal kijken terwijl je wist dat ze niet buiten waren? Waarom zei je dat niet?'

'Omdat het een grappig gezicht was,' zei Constance.

De Perumals en de Washingtons luisterden met stijgende verbazing, maar mevrouw Washington werd afgeleid door het gevaarlijke gedrag van Chip. 'Kom van die stoel af, straks val je nog,' zei ze en ze drukte haar hand tegen haar voorhoofd. 'Ik word zo nerveus van je.'

Chip wilde ertegenin gaan, bedacht zich en klom ten slotte zuchtend van de stoel. Op dat moment verschenen kapitein Noland en Knoert met stralende gezichten in de deuropening. Ze werden uitbundig verwelkomd, maar Knoerts enthousiaste begroetingen klonken boven die van alle anderen uit. Tegen de tijd dat iedereen weer zat, had Chip Knoerts pet op en was Rens' haar volledig door elkaar gewoeld. Mevrouw Perumal, die had gehoord hoezeer de kapitein van koffie hield, had een kop met Mucho Brazos' speciale melange voor hem neergezet. Kapitein Noland bedankte haar hartelijk en nam onmiddellijk een slok. Hij glimlachte – het was een heel gespannen glimlach, vond Rens – en zette het kopje voorzichtig op het schoteltje terug. Nog steeds glimlachend vertrok hij zijn gezicht, slikte en maakte beleefd een compliment over de kwaliteit van de koffie. Hij raakte zijn kopje niet meer aan.

Na een tijdje vriendelijk en rumoerig met elkaar gepraat te hebben, tikte meneer Benedict met een lepeltje tegen zijn theekopje. 'Graag even jullie aandacht voor Phil. Ik heb begrepen dat hij niet veel tijd heeft en voordat hij vertrekt, wil hij graag een paar dingen zeggen.'

Kapitein Noland keek de tafel rond. Voor iemand die net zijn schip aan de grond had laten lopen – en daarmee zijn dierbare carrière – zag hij er volmaakt gelukkig uit, overgelukkig zelfs. Tegelijkertijd lag er iets schaapachtigs in zijn manier van doen. De reden werd duidelijk toen hij het woord nam. 'Als jullie mij toestaan, ik ben jullie een excuus verschuldigd: een excuus en een verklaring. Vooral jou, Rens. Toen we eenmaal bij de marine aan boord waren was er niet de rust om met elkaar te praten. Ik ben blij dat ik nu de gelegenheid heb. Ah, daar is Kat. Net op tijd.'

Kat kwam fronsend de kamer binnen, want ze had Molenweer niet uit zijn 'slaap' kunnen wekken. Toen ze kapitein Noland en Knoert zag, lichtte haar gezicht op. Na een hartelijke begroeting ging ze zitten om naar de kapitein te luisteren die zijn toespraak vervolgde.

Hij keek de kinderen om de beurt aan. 'Ik realiseer me hoe erg het moet zijn geweest om bij de baai aan te komen en daar geen schip te zien liggen. Ik wil dat jullie weten dat het geen besluiteloosheid was. Het leek me gewoon het best om onze komst zo exact mogelijk te timen. Op Rens' briefje stond dat we elkaar over twee uur zouden treffen. Ik ging ervan uit dat jullie achtervolgers jullie nog niet te pakken hadden en was bang dat een te vroege komst van *De Doorsteek* onze plannen zou verraden. Zoals jullie hebben gezien kun je een oceaanstomer niet ongemerkt aan de grond laten lopen. Hoe graag ik ook eerder wilde komen, het leek me wijsheid om Rens' aanwijzingen precies op te volgen. En als we te laat waren geweest, zouden we natuurlijk aan land zijn gegaan om voor jullie te vechten.'

'Gelukkig is het niet zover gekomen,' zei meneer Benedict.

'Inderdaad,' beaamde de kapitein en zijn gezicht werd ernstig. 'En ik moet zeggen, Rens, dat ik me vereerd voelde dat je erop vertrouwde dat ik zou komen. Diep vereerd, en aangenaam verrast. Ik neem aan dat je de anderen hebt verteld over die keer in mijn hut, met de nepdiamant?'

'Het spijt me, ik weet dat u had gevraagd het niet verder te vertellen,' begon Rens, 'maar gezien de omstandigheden –'

'Verontschuldig je alsjeblieft niet,' onderbrak kapitein Noland hem haastig. 'Ik ben degene die zich moet verontschuldigen. Achteraf besef ik wat een lompe streek het was om je die nepdiamant te geven en te vragen je mond erover te houden. Je moet wel gedacht hebben dat ik een schurk was, vooral met dat gesluip over de gangen en de deuren die dicht moesten.'

'Het is wel door me heen gegaan,' gaf Rens toe.

'Ik was bang om je mee te nemen naar mijn hut,' zei kapitein Noland. 'Als meneer Pressius je had gezien, had hij je ervan beschuldigd mijn tijd te verdoen: zo zou híj het hebben gezien, snap je. En wat die geheimhouding betreft... Ik kan het uitleggen, maar het is nauwelijks een excuus. Eigenlijk had ik meneer Pressius om vier nepdiamanten gevraagd, die ik jullie als blijk van mijn dank en waardering wilde geven. Maar meneer Pressius weigerde. Hij wilde ze wel verkopen, maar de prijs die hij ervoor vroeg was zo buiten alle proporties dat ik er maar één kon kopen. Ik voel mij zeer beschaamd om jullie dit alles te moeten vertellen. Op deze reis was ik niet op mijn best, verre van.'

'Het was gewoon een misverstand,' zei Rens, die liever niet vertelde hoe groot dat misverstand was geweest. Hij besefte nu dat de kapitein er geen moment bij had stilgestaan dat Rens wel eens had kunnen denken dat de nepdiamant echt was. Hij zou zich vast nog dieper schamen als hij hoorde dat Rens hem had verdacht van het achteroverdrukken van een kostbare steen.

'Dankjewel,' zei de kapitein, 'maar het is een misverstand waarvoor ik me verantwoordelijk voel, en ik kan alleen maar hopen dat jullie me vergeven.'

Met uitzondering van Constance – die verklaarde dat ze het hem wel wilde vergeven omdat hij het zo aardig vroeg – haastten de kinderen zich de kapitein ervan te verzekeren dat er niets te verontschuldigen of te vergeven was. Hij had tenslotte voor hen alles opgeofferd wat hem dierbaar was.

'Nou we het er toch over hebben,' zei Constance, 'zou u zich niet ellendig moeten voelen? U heeft een schip aan de grond laten lopen, dus geen enkel bedrijf zal u meer willen inhuren. Hoe kunt u dan zo opgewekt doen?'

Bijna iedereen had zich hetzelfde afgevraagd, maar het was zo'n droevige geschiedenis, dat niemand erover had willen beginnen. Bij Constances woorden ging er een huivering door de aanwezigen heen. Maar kapitein Noland grinnikte en Knoert liet zijn hand door Constances haar gaan.

'Omdat hij een ander schip heeft!' bulderde Knoert. 'Daarom is hij zo vrolijk! En hij heeft mij ook aan een aanstelling geholpen! Over een uur moeten we in de haven zijn en vanavond zitten we op volle zee!'

Iedereen juichte en klapte verrast en toen ze de kapitein hadden gefeliciteerd, krabde die in zijn baard en zei: 'Wonderbaarlijk nieuws, nietwaar? Ik kan het nog steeds nauwelijks geloven. Om de een of andere reden heeft meneer Pressius in het openbaar verklaard dat hij opdracht had gegeven *De Doorsteek* aan de grond te laten lopen, dat ik in dienst van de mensheid grote heldenmoed en voortreffelijk zeemanschap aan den dag heb gelegd en dat er op de hele wereld geen betere kapitein te vinden is!' Kapitein Noland lachte en schudde zijn hoofd. 'Zoals je begrijpt, regende het daarna aanbiedingen. Knoert en ik hadden het voor het uitkiezen.'

'Maar meneer Pressius heeft helemaal geen opdracht gegeven om het schip aan de grond te laten lopen,' zei Kat. 'Waarom heeft hij al die dingen dan gezegd?'

'Hij heeft me geen verklaring gegeven,' zei kapitein Noland, terwijl hij meneer Benedict onderzoekend aankeek. 'Maar hij heeft zich wel laten ontvallen dat hij contact met jou had gehad, Nicolaas. Ik heb het donkerbruine vermoeden dat je nogmaals mijn leven hebt gered. Je wilt blijkbaar graag dat ik bij je in het krijt blijf staan.'

Meneer Benedict glimlachte. 'Helemaal niet, Phil. Ik heb al met al heel weinig gedaan, en heb geen enkel risico hoeven lopen. Er was namelijk een merkwaardig incident, waar je waarschijnlijk niet van op de hoogte bent aangezien het om diverse redenen geheim is gehouden: meneer Pressius' diamanten zijn gestolen.'

'Gestolen!' riep Knoert uit. Hij wisselde een blik met kapitein Noland, die er minstens zo verbijsterd uitzag. 'U bedoelt dat ze na die hele heisa met nepdiamanten en extra beveiliging daadwerkelijk gestolen zijn?'

Meneer Benedict trok een wenkbrauw op. 'Ik ben van mening dat meneer Pressius juist zo'n vertoning heeft gemaakt van de beveiliging van zijn diamanten om de diefstal geloofwaardig te doen lijken. Na al zijn inspanningen kon hij er moeilijk van worden beschuldigd de diefstal zelf te hebben georganiseerd. Ik heb echter redenen om aan te nemen dat hij uitgerekend dat heeft gedaan. Meneer Pressius staat op het punt een fortuin aan verzekeringsgeld voor die gestolen diamanten op te strijken, veel meer dan ze in werkelijkheid waard waren.'

'U bedoelt dat hij de diefstal vanwege het verzekeringsgeld op touw heeft gezet?' vroed Chip.

'Dat suggereerde mijn bron, en toen ik meneer Pressius hiermee confronteerde, was hij het snel met mij eens dat Phil een enthousiaste aanbeveling van hem verdiende. Zijn enige voorwaarde was dat ik mijn verdenkingen voor me hield. Hij was blijkbaar in de veronderstelling dat ik ze kon bewijzen.'

'Maar dat kunt u niet?' vroeg Kat.

'Ik heb geen enkel bewijs,' zei meneer Benedict. 'Maar dat heb ik niet tegen meneer Pressius gezegd.'

Knoert bulderde van het lachen. 'U hebt hem een loer gedraaid! Bravo, meneer Benedict! Niemand verdient dat meer dan die brulkikker, dat kan ik u verzekeren!'

Iedereen lachte, behalve mevrouw Perumals moeder, die verwonderd haar hand bij haar oor hield. 'Wat is er met een brulkikker?'

Rens boog zich naar haar toe. 'Ik leg het u later wel uit, Pati.'

'Maar meneer Pressius dan?' riep Constance verontwaardigd. 'Laat u hem echt met die zwendel wegkomen?'

'Hij heeft dan misschien mijn uitlatingen over deze zaak verkeerd geïnterpreteerd,' zei meneer Benedict met een sluwe glimlach, 'maar desalniettemin zal ik voorzichtig te werk moeten gaan. Er –'

'Tada!' klonk een zware stem en op dat moment stormde Mucho Brazos de kamer in. In zijn handen hield hij een gigantisch plateau met taarten waar de stoom vanaf dampte. Er brak een luid applaus los en terwijl het gezelschap zich op het overheerlijke dessert stortte, verdwenen alle serieuze gespreksonderwerpen naar de achtergrond. Omdat Kapitein Noland en Knoert naar de haven moesten, werkten ze hun portie snel naar binnen en met een laatste smachtende blik op de resterende taarten schoven ze hun stoelen achteruit en zeiden iedereen hartelijk gedag.

Toen de twee mannen weg waren en iedereen minstens één stuk taart op had, keerde het gesprek weer terug naar meneer Pressius' diamantenzwendel. Rens wilde van meneer Benedict horen hoe hij erachter was gekomen. 'U had het over een bron,' zei hij. 'Is de identiteit van die persoon geheim?'

'Nee hoor,' zei meneer Benedict. 'Het is zelfs iemand die jullie goed kennen. Ze heet Martina Krauw.'

De kinderen keken meneer Benedict met open mond aan. Hoe was Martina in hemelsnaam op de hoogte geweest van meneer Pressius?

'Jullie herinneren je nog wel dat mijn broer Martina aan haar lot had overgelaten en dat ze toen is opgepakt,' zei meneer Benedict. 'Ik heb daarna een paar keer met haar gepraat. Martina wilde mijn broer wat graag zijn trouweloosheid betaald zetten – ze is een verbazingwekkend wraakzuchtig persoon, moet ik zeggen – en ze heeft me alles verteld wat ze over zijn plannen wist. Hoewel ze zijn meest vertrouwde staflid was, heeft hij haar jammer genoeg slechts zelden echt in vertrouwen genomen. Ze was echter vaag op de hoogte van een regeling met een diamanthandelaar waardoor mijn broer zich aanzienlijk zou verrijken.'

'Niks zeggen,' zei Kat. 'Die diamanten zijn gestolen door een stel goedgeklede stommelingen met aktetassen.'

Meneer Benedict tikte tegen de zijkant van zijn neus. 'Goed geraden, Kat. En zo komt mijn broer dus aan het geld om zijn operaties te bekostigen. Toch is er reden tot hoop.'

'Hoop?' zei Constance met een vertrokken gezicht. Ook bij de andere kinderen stond de twijfel op hun gezichten te lezen. 'Hoe kun je hier nou hoopvol van worden?'

Meneer Benedicts ogen twinkelden; hij leek blij te zijn met de vraag. 'Neem bijvoorbeeld de ontwikkelingen met Martina. Is dat niet een prachtig voorbeeld van hoe zelfs schurkachtig gedrag tot iets goeds kan leiden, als we maar slim genoeg zijn er ons voordeel mee te doen?'

Na enige aarzeling zeiden de kinderen dat dat misschien wel waar was.

'Ik besef heel goed dat er in deze wereld geen gebrek aan slechtheid is,' zei meneer Benedict met een betekenisvolle blik op Rens. 'Maar is het niet hoopgevend om te zien hoeveel mensen bereid zijn voor het goede te vechten? Denk aan Sofia, de jonge bibliothecaresse, die ervoor zorgde dat jullie konden ontsnappen. Denk aan V.S. die de toorn van mijn broer riskeerde door het mij iets gerieflijker te maken. Denk aan kapitein Noland, en Joe Shooter, en alle anderen – zelfs vreemdelingen – die hun eigen veiligheid of misschien zelfs hun leven voor jullie in de waagschaal wilden stellen. Dat is niet niks, toch?'

Geen van de kinderen wist hier iets tegen in te brengen. Zelfs Constance niet, die altijd overal iets tegen in wist te brengen. Het was tenslotte ook niet niks.

Meneer Benedict gebaarde naar de volwassenen aan tafel. 'En hoewel we nooit hadden gewild dat jullie zouden proberen mijn leven te redden, hebben jullie het wel gedaan en hebben daarbij enorme verschrikkingen doorstaan, nietwaar? Hebben jullie niet opnieuw bewezen de moedigste en vindingrijkste kinderen van de hele wereld te zijn?'

De kinderen moesten toegeven dat dit de meest hoopgevende gedachte van allemaal was.

W oord van dank

Ik wil alle vrienden en familieleden bedanken die me hebben ge-
steund (ik ben gezegend met geweldige onofficiële publiciteits-
medewerkers en agenten), evenals de boekverkopers, bibliothe-
carissen, docenten en vooral lezers die Het Genootschap zo'n warm
onthaal hebben gegeven. Een paar mensen wier bijdragen aan dit
boek van onschatbare waarde zijn geweest wil ik hier met naam noemen: Paul Galvin voor The Iberian Adventure, Tracie Stewart voor
Secrets of the Dutch, Ken en Marianne Estes voor Love and a Box
Turtle, en iedereen op de 15ᵉ verdieping: voor al het andere, en meer.

Lees ook:
De geheime missie van het Benedict Genootschap

De tienjarige Rens Muldoorn is wees en hoogbegaafd. Tijdens een privéles ziet hij een vreemde advertentie in de krant: 'Ben jij een begaafd kind en op zoek naar bijzondere kansen?' Nieuwsgierig meldt Rens zich aan. Er volgen bizarre tests, waarvoor slechts vier kinderen slagen: Rens is er één van.

De vier hebben allemaal een uniek talent. Ze zijn geselecteerd door meneer Benedict, een vriendelijke maar mysterieuze man die hen heeft uitgezocht voor een gevaarlijke missie. Ze moeten infiltreren in het Instituut, een school voor hoogbegaafde kinderen, dat op een afgelegen eiland ligt.

Vanuit het Instituut worden gevaarlijke boodschappen verzonden. Rens moet met de andere kinderen uitzoeken wie de 'Zender' is die de wereld in zijn macht probeert te krijgen.

Kan het Benedict Genootschap het mysterie van de geheime boodschappen ontrafelen? En zullen ze het eiland kunnen verlaten voordat de Zender hen te pakken krijgt?

De geheime missie van het Benedict Genootschap is getipt door de Nederlandse Kinderjury 2008

'Liefhebbers van Harry Potter-boeken zullen genieten en uren leesplezier hebben.' – *NBD/Biblion*

'Echt een boek om met je zaklamp onder de dekens te lezen. Zorg dat je nieuwe batterijen hebt!' – *The Horn Book*

ISBN 978 90 261 0127 4